TOT BLOED OP HET DROGE

Jerry Goossens

# *Tot bloed op het droge*

Roman

Lebowski Publishers, Amsterdam 2017

Deze uitgave kwam tot stand door bemiddeling van Sebes & Bisseling Literair Agentschap, te Amsterdam

© Jerry Goossens, 2017
© Lebowski Publishers, Amsterdam 2017
Omslagontwerp: Bart Heideman
Auteursfoto: Jan Willem Kaldenbach
Typografie: Crius Group Hulshout

ISBN  978 90 488 3791 5
ISBN  978 90 488 3792 2 (e-book)
NUR  301

www.lebowskipublishers.nl
www.overamstel.com

**OVERAMSTEL**
*uitgevers*

Lebowski Publishers is een imprint van Overamstel uitgevers bv

# Inhoud

*Zij zeiden:*
*O Hoornenman*
*Yagug en Magug*
*verspreiden verderf in*
*het land.*

– Achttiende soera, 'De grot'


*A worried parent's glance, a kiss, a last goodbye,*
*Hands him the bag she packed, the tears she tries to hide,*
*A cruel wind that bows down to our lunacy,*
*And leaves him standing cold here in this colony.*

– Joy Division, 'Colony'


*Hebt gij gezien, dat Achab zich vernedert voor Mijn aangezicht?*
*Daarom dewijl hij zich vernedert voor Mijn aangezicht, zo zal Ik*
*dat kwaad in zijn dagen niet brengen; in de dagen zijns zoons zal Ik*
*dat kwaad over zijn huis brengen.*

– Koningen 21:29

Voor Hans Goossens,
pater familias.

# 1.

Het was niet voor het eerst dat Willem III zijn klomp brak. Het zou vermoedelijk ook niet voor het laatst zijn. Klompen hadden nu eenmaal de neiging te breken. Zeker hier, in dit droge, hete klimaat. Maar niet eerder had Drie, zoals Christiaan van B. gewend was hem te noemen, zijn klomp gebroken op de scheen van een ander.

Het was een prachtig exemplaar. Ondanks de imposante maat was hij slank gesneden uit elzenhout, met een punt die koket omhoogwipte. Net als de slofjes van de zandkaffers. Drie had zijn klompen zelf beschilderd. Twee doodskoppen met Volendammer mutsen. Een Hollands winterlandschap op de achtergrond, gekopieerd uit een plaatjesboek dat zijn moeder als een relikwie koesterde. Op zijn rechterklomp stond 'SUPER', op zijn linker 'KAAS', in dreigend ogende, gotische belettering.

De klomp brak over de lengte van de wreef. Een donkere barst schoot door het hout. Dwars door de staalblauwe lucht en de ijsvloer. Een zwakke nerf, constateerde hij achteraf. Een echte Hollandse klomp moest tenslotte tegen een stootje kunnen. Zelfs als-ie er niet was gemaakt.

'*Zemmel!*' riep de zandkaffer. '*L'klawi* kutkaas!' Hij greep zijn onderbeen met twee handen vast en hinkelde kermend over zijn knie gebogen door het zand. Zijn vrienden kwamen op hem afgerend, bogen met hem mee, een hand op zijn schouder. Ging het?

Het veld lag helemaal open. Christiaan van B. sprintte naar voren met de bal aan zijn voet en schoot hem hard tussen de twee stukken steen die als doelpalen fungeerden. De bal knalde tegen de muur van de moskee en viel neer in een ophoping van vuil zand.

Christiaan spreidde zijn armen en keek triomfantelijk in het rond, alsof hij de ovatie van een uitzinnig stadionpubliek in ontvangst nam. 'Goal. Goal! GOAAAAAL! Het jonge talent uit de Johan Cruijffstraat scoort! Holland uit, altijd lastig.'

De verontwaardiging was onmiddellijk. De jongens in hun groezelige djellaba's braken de kring rond hun geblesseerde ploeggenoot op en stormden op Christiaan af.

'De fok, broer,' snauwde de grootste van het stel. 'Jullie deden niet eens mee!'

'Nu wel, *sahib*. Twee tegen vier. 1-0! O, de pijn, sahib, de pijn.'

'Ik ben je vriend niet, Kaas. En blijf met je kaaspoten van die bal af.'

'Of wat?'

De jongen in de djellaba snoof zijn longen vol lucht. Zijn borst zwol op. Hij kromde zijn armen en balde zijn vuisten. 'Je moet niet denken dat ik bang voor je ben.'

Christiaan van B. grinnikte. 'Ik bewonder je moed, sahib. Echt hoor.'

Drie jongens verdrongen zich nu dreigend rond Christiaan. Die legde zijn hoofd in zijn nek en kneep geamuseerd zijn lippen samen.

Willem III keek over zijn schouder naar het trio dat Christiaan insloot en aarzelde niet. Hij verplaatste zijn gewicht naar zijn standbeen en haalde uit alsof hij met een splijtend schot een penalty in de kruising wilde jagen. Nu raakte hij de linkerscheen, waardoor zijn tegenstander, het andere been nog wiegend in het vlechtwerk van zijn handen, tegen de grond smakte. De barst in Drie's klomp was door de impact doorgeschoten tot in de zool en kierde nu op de wreef. De getroffen jongen lag huilend in het zand. Hij leek kleiner dan zo-even, smaller, jonger ook.

'Broer, kijk dan,' zei Drie, 'mijn klomp!'

Het strijdtoneel was een kale zandplaat rond een archipel van keien, kleine rotsen, roestige frisdrankblikjes, glasscherven, hondendrollen, geitenkeutels en door de zon vervaald plastic speelgoed. Bij iedere beweging schoten hagedissen weg in gaten en spleten die tot dan toe onzichtbaar waren gebleven. Straatkatten, hun met perkament omspannen ribkooien bedekt met uitgedroogde wonden en puskorsten, lagen hijgend in het zand. Het terrein, gauw voetbalvelden groot, werd aan de oost- en noordkant gemarkeerd door kleine, donkere huizen van poreus baksteen, bedekt met eczeemvlekken van grauw pleisterwerk. Waslijnen overspanden de steegjes. De was – zwarte broeken en jakjes van zwaar ribfluweel, onderbroeken en herenhemden, sokken, jurken en schorten – hing roerloos te drogen in de hitte. Twee kinderen, peuters nog, renden elkaar op blote voeten en gekleed in niet meer dan katoenen luiers en vale hemdjes achterna. Geen van beiden leek oog te hebben voor de matpartij die zich op enkele tientallen meters van hen voltrok.

Willem III was een gulzig en enthousiast vechter met armen als drijfstangen, die zó volledig kon opgaan in de choreografie van voeten, vuisten, knieën en ellebogen dat Christiaan van B. weleens vertederd had toegekeken hoe hij met een gelukzalig gezicht, het puntje van zijn tong tussen de lippen, Lotvi uit de zesde de ogen had dichtgeslagen. Het was een hobby die enige afremming behoefde. Drie had de neiging zichzelf erin te verliezen. Ieder z'n liefhebberij, maar er moesten geen dooien bij vallen.

Drie draaide zich handenwrijvend om, waarna hij Christiaans belagers vriendelijk, ja, *uitnodigend* aankeek. Hij slofte op het drietal af, zijn rechterklomp klepperend aan zijn voet. De jongens leken gedesoriënteerd door de goedmoedige dreiging van de grote, blonde Kaas die hen traag, haast sloom tegemoetkwam. Christiaan van B. maakte van de verwarring gebruik door de grootste zandkaffer hard in zijn buik te stompen. De jongen klapte dubbel en hapte

vergeefs naar adem. Christiaan wapperde met zijn vechthand, terwijl hij op zijn knokkels blies.

'Gaat het?' vroeg Willem III.

'Broer, knokken is leuk maar het moet geen pijn doen. Die
zemmel heef een keiharde buik.'

'Pff,' verzuchtte Drie, 'je bent een waardeloze vechtersbaas, weet
je dat? "Pijn, pijn, ik heb pijn." Kusje erop? Broer, je moet vaker
boksfilms kijken.'

Willem III nam een bokshouding aan: lichtjes voorovergebogen,
de rechterklomp voor de linker, vuisten voor zijn gezicht. Hij hipte
op de ballen van zijn voeten, luchtboksend heen en weer. 'De Niro
in *Raging Bull*. BAM! *Requiem for a Heavyweight*. Anthony Quinn.
BAM! Mickey Rooney. *Killer McCoy*. BAM! BAM! Dat is meester,
broer. Echt meester.'

De twee voetballers die nog overeind stonden keken verslagen
toe hoe de grote Kaas de kleinere met luchtstoten en -hoeken tot
een partijtje sparren dwong. De jongens op de grond kwamen
overeind. De een snikte. De ander hapte nog altijd naar lucht.
Christiaan van B. en Willem III leken geen acht op ze te slaan. Ze
dansten om elkaar heen terwijl Willem voortdurend bleef herhalen
dat Christiaan op zijn dekking moest letten.

Pas toen de jongens afdropen, zwijgend en met gebogen hoofden, verlegden de Kazen hun aandacht. Willem III knikte naar de
kleine, donkere jongen die hij zojuist onderuit had geschopt. Er
liepen traansporen over zijn stoffige wangen.

'Mijn klomp, sahib!' zei Drie.

De jongen draaide zijn hoofd met afgemeten, vogelachtige bewegingen heen en weer, van de ene vriend naar de andere. Maar er
was geen ontkomen aan. De Kaas had het op hem gemunt.

'Wat?' vroeg de jongen.

'Mijn klomp, broer. Die is helemaal kapot. Hier, moet je kijken...' Willem III tilde zijn rechtervoet op en toonde hinkelend
zijn schoeisel. 'Zie je hem, die barst? Daar kan ik echt niet meer

op lopen. Hooguit als de *Hunchback of Notre-Dame*. Ken je die?'
Hij boog voorover, hinkte met hangende armen en een vertrokken
mond om de jongen heen. *'I'm not a man, I'm not a beast, I'm about
as shapeless as the man on the moon.* Charles Laughton, meester. *The
bells! The bells!* Maar goed, zie je die klomp, sahib?'

De jongen tuurde onder zijn zware wenkbrauwen omhoog naar
de Kaas en knikte dociel.

'… En hoe komt die barst in m'n klomp?' vervolgde Willem III. 'Nou? Door jou, inderdaad. En als beschaafde mensen
onder elkaar moeten we daar een regeling voor treffen, vind je
ook niet?' Drie hoekte in het luchtledige. 'BAM! Ik zeg vijftig. Is
dat redelijk? Of nee, honderd. Want die andere klomp mag dan
nog heel zijn, een losse kan je nergens kopen. Dus ja, honderd
lijkt mij een schappelijk bedrag. BAM! Kunnen we meteen even
afrekenen, ja?'

'Kom op, laat hem nou,' zei Christiaan van B. 'Misschien kunnen we die klomp lijmen.'

'Lijmen?! Broer, we hebben het hier niet zomaar over een houten schoen, hè. Nee, dit is het symbool van mijn culturele identiteit. Laten we dat vooral niet vergeten.'

Christiaan van B. maakte een gnuivend geluid. 'Het symbool
van zijn culturele identiteit, pff.'

'Ja, broer, die barst snijdt dwars door mijn Hollandse ziel en
ik vind dat een zekere geldelijke compensatie het minste is in een
situatie als deze.' Willem III stak een vlakke hand onder de neus
van de zandkaffer en zei: 'Lappen, sahib.'

De ogen van de jongen schoten heen en weer tussen de twee Kazen, zijn vrienden, de huisjes van Klein Amsterdam en het stompe minaretje dat zich armoedig naar de hemel uitstrekte, hopend
dat een vluchtroute die hij eerder over het hoofd had gezien op
wonderbaarlijke wijze alsnog zou materialiseren. Maar zelfs een
nadrukkelijk smekende blik op de toren van het godshuis kon niets
aan zijn situatie veranderen. Hij liet zijn schouders hangen, zijn

kin op zijn borstbeen zakken en zei met een hees, hoog stemmetje: 'Ik heb geen geld.'

Een hond op drie poten sjokte voorbij. De vuile peuters kraaiden. De weduwe Westerhuis leunde voorover uit het raam van haar verkrotte woning om de was van de lijn te halen; een gebeurtenis die doorgaans door meerdere jongens en jongetjes, naar zij zelf dachten in het geniep, werd gadegeslagen, maar waarvoor de weduwe zich speciaal kleedde.

'Je hebt geen geld...'

De jongen schudde zijn gebogen hoofd.

'Mooi is dat. Als je niet kan betalen, moet je geen klompen breken, zeg ik altijd. Dat lijkt mij toch een heel redelijke instelling, vind je zelf ook niet? Nou? Kom op, kamelenruiter, geef eens antwoord? Enige vorm van genoegdoening, financieel of anders, is hier noodzakelijk. Dus wat gaat het worden, sahib?'

Christiaan van B. vond dat het knokpartijtje dreigde te ontaarden in iets dat veel verder ging dan territoriumdrift en een paar schoppen. On-Hollands ook, meende hij. De Geuzen waren klein in getal en toch wisten ze de Spaanse grootmacht te verdrijven. Michiel de Ruyter nam het op tegen Engeland, de grootste zeevarende natie ter wereld. En wón. Klein tegen groot. Zo deden zij dat, jongens van stavast. Zo zijn onze manieren, manieren, zo zijn onze manieren...

'Drie, laat het jochie nou gaan. Kan jou die klomp schelen.'

'Jurk uit,' beval Willem III.

'Wát?!' zei Christiaan van B.

'Ik laat hem gaan als ie z'n jurk uittrekt. Ik m'n klomp kwijt, hij z'n djellaba. Dat lijkt me een heel redelijke deal.'

'Drie, alsjeblieft, dat jochie...'

'We kunnen natuurlijk ook kijken of mijn andere klomp ook kan barsten?'

'Drie...'

Het jongetje wachtte het pleidooi van de kleinste Kaas niet af, trok de djellaba met een watervlugge beweging over zijn hoofd en liet het kledingstuk voor zijn voeten in het zand vallen. Op zijn witte, geribbelde slobberonderbroek na was hij naakt. Elk bot in zijn bovenlichaam was zichtbaar onder zijn karamelkleurige huid. Hij boog zijn hoofd in schaamte en vouwde zijn handen over zijn kruis. Willem III raapte de djellaba van de grond en hield het ding tussen duimen en wijsvingers voor zijn massieve borstkas, als een meisje dat er voor de passpiegel achter komt dat ze een wat al te optimistische greep in het jurkjesrek had gedaan. Hij heupwiegde en deed zijn best koket te kijken.

De voetballers vormden een beschermend cordon rond hun halfnaakte vriend en schuifelden het onverharde plein af. Toen ze voorbij de moskee waren en met één voet in het Arabische deel van het dorp stonden, begonnen ze te schelden.

'L'klawi kutkazen! Hoerenzonen! Ik neuk de *tabon* van je moeder!'

'Sahibi,' schreeuwde Christiaan van B. terug, 'jullie zijn je bal vergeten!'

Hij pakte de bal met twee handen uit het zand en schoot hem met een perfecte boog over het plein, waar hij pal voor de jongens in het zand plofte.

# 2.

De op een na laatste autochtone bewoners van Klein Amsterdam waren drie jaar eerder vertrokken. Meneer en mevrouw El Boudifi, die al twintig jaar lang een kiosk dreven in de naamloze steeg die later door de Hollanders Johan Cruijffstraat werd gedoopt, waren met hun dochter als laatste vertrokken. De winkel hadden ze uit noodzaak aangehouden. Niemand wilde hem overnemen. De gestaag dalende omzet had de zaak vrijwel onrendabel gemaakt. De Kazen kochten geen Arabische kranten, en hoewel de verkoop van Hollandse tabak met vreemde namen als Van Nelle en Samson dat verlies enigszins compenseerde, was de loop er langzaam uitgeraakt. Meer nog dan de economische teruggang was het de sociale isolatie die het echtpaar opbrak. In de lange uren die ze in de lege winkel doorbrachten, wachtend op klanten, had vooral mevrouw El Boudifi eindeloos gemijmerd over vroeger, toen de mannen van het dorp om zeven uur 's ochtends in de winkel samenkwamen om de eerste sigaret van de dag te roken en het nieuws uit de kranten met elkaar te bespreken. Nog altijd kon ze de geur van Egyptische sigaretten en shishatabak uit haar geheugen reproduceren en hoorde ze de getijden van de mannelijke conversatie; het samenzweerderige gezoem, afgewisseld met het springtij van hun bulderende lach en de plotselinge stilte, klokke acht, na hun vertrek naar de akkers en de fabriek. Dan het gekwetter van de buurtkinderen, die met zweterige muntjes in hun knuisten aan de toonbank verschenen voor een zakje zonnebloempitten of, bij hoge uitzondering, een flesje frisdrank uit de ijskast. De vrouwen die op het heetst van de dag binnen-druppelden om vanachter hun sluier op samenzweerderige toon het buurtnieuws met haar te delen; welke mannen er gedronken hadden, welke echtgenotes tijdens huiselijke ruzies een blauw oog hadden opgelopen, welke echtgenoten tijdens huiselijke ruzies een blauw oog hadden opgelopen (een gebeurtenis die even zeld-zaam als schandelijk was en daarom alleen op nauwelijks hoorbare fluistertoon werd besproken), de huwelijken, zwangerschappen en sterfgevallen: ze passeerden dagelijks de revue in het kleine winkeltje.

En alle klanten begroetten meneer en mevrouw El Boudi-fi met de rechterhand op de borst en een welgemeend 'salaam'. Kwam daar eens om bij de Hollanders. Die dreunden binnen, op hun grote houten schoenen, sloegen een handvol munten op de toonbank en riepen 'Samson', 'Drum' of 'Zware Van Nelle', met harde, schurende stemmen die aangetast leken door een afschu-welijke aandoening van de luchtwegen. Ze zeiden 'hallo' noch 'tot ziens' of 'dank u wel', laat staan dat ze even bleven om te praten. Woordloos lieten ze zich de plastic tabakswikkels in de hand duwen (meestal door meneer El Boudifi, die zich bij de eerste hoefslag van de klomp ogenblikkelijk van het tafeltje in de koele achterkamer verhief om zijn vrouw de confrontatie met de Kazen te besparen) teneinde zich abrupt om te draaien en weer naar buiten te klossen.

Nee, het was geen volk dat door Allah met een surplus aan charme was gezegend.

Iemand, mevrouw El Boudifi was vergeten wie, had weleens ge-opperd dat het gebrek aan omgangsvormen en de conversationele armoe die ze tentoonspreidden te wijten was aan hun gebrekkige kennis van de taal. En hoewel het ontegenzeggelijk waar was dat vooral de oude garde nooit ook maar een béétje Arabisch had geleerd, dacht mevrouw El Boudifi er het hare van.

Ze herinnerde zich Hans met een zekere weemoed.

Het was inmiddels ruim twintig jaar geleden dat de productie van hasjiesj door de koning werd toegestaan, en de eerste tuinders uit Holland arriveerden. Grote, horkerige mannen in blauwe overalls en op geelgelakte houten schoenen die tot tientallen jaren daarna de spotlust van de dorpsbewoners wisten op te wekken. Geel haar hadden ze, en een akelig witte huid die in de zon al snel een nóg angstaanjagender rode kleur aannam. Ineens waren ze er. Klein in aantal, aanvankelijk, maar daardoor niet minder opvallend. Mo Aoueriaghel had ze ondergebracht in een loods die hij naast zijn zanderige akker had laten optrekken. Eerst woonden er drie. Toen tien. Waarna de schuur al snel te klein werd en Hans als eerste een uit keien en leem vervaardigd huisje kreeg.

Twee keer per week kwam hij in de winkel. Zo schuchter als je op klompen kon zijn, niettemin intimiderend als een jong, ongedresseerd paard. Gele manen in de nek, vlassige snor, gouden ring in het oor. Ogen van lapis lazuli, die besmuikt liever de grond zochten dan de blik van mevrouw El Boudifi. Zijn hand, groot, hard, de rug bedekt met een vacht van rosse haartjes, schoot in de broekzak van zijn overall. Hij haalde een zorgvuldig gevouwen, gelinieerd papiertje tevoorschijn, dat hij voorzichtig uitklapte. Hij hapte naar adem en sprak, hortend, tastend, in bijna abstract Arabisch.

Het was een holle, gutturale klank. Mevrouw El Boudifi had het in eerste instantie niet als Arabisch verstaan. Pas toen hij zijn verzoek aarzelend herhaalde kwamen de woorden geleidelijk tevoorschijn – doffe sterren achter een verglijdend wolkendek.

'*Salaam. Haal tabbia'e tabgh Hollandi?*'

Mevrouw El Boudifi schudde haar hoofd. Nee, ze had geen Hollandse tabak.

De man met het gele haar leek voorbereid op dat antwoord. Hij trok zijn papiertje strak, schraapte zijn keel en zei: '*Ay noa'e tabgh toffaddell?*'

Mevrouw El Boudifi had werkelijk geen idee welke sigaretten ze

hem moest aanbevelen als alternatief voor zijn Hollandse tabak. Ze
had hooguit bij benadering benul van waar het lag, Holland, laat
staan dat ze wist hoe de tabak er smaakte. Ze griste een pakje uit
het rek achter haar, legde het op de toonbank. De man keek haar
aan. Hij grijnsde een glimmend wit gebit bloot, griste de sigaretten
van het houten blad, hield ze met een triomfantelijke blik in de
lucht en vroeg: '*Tabgh?*'

Het geluid van een geit met spijsverteringsproblemen.

Mevrouw El Boudifi knikte. 'Tabgh. *Tabgh.*'

De Hollander betaalde en bij het verlaten van de winkel stak hij
het pakje sigaretten nogmaals in de lucht. 'Tabgh!'

Hans.

Hij was een vaste klant geworden, die elke dag binnenwipte om
tabgh te halen; aanvankelijk de sigaretten die iedereen kocht, later
de Hollandse doe-het-zelftabak in de blauwe buidels. Hans bleef
de taal altijd spreken alsof er dadelscheuten uit zijn stembanden
groeiden, maar wist zijn woordenschat in de loop der tijd dusda-
nig uit te breiden dat hij een gesprekje kon voeren. Mevrouw El
Boudifi had zich erover verbaasd dat hij altijd over het weer begon.

'Mooie weer, hè?' zei hij, met een blik die een oprecht enthou-
siasme verried. 'Móóóie weer.'

Wat hem ertoe bracht uitgerekend dát onderwerp aan te snijden
bleef haar lange tijd een raadsel. Tenslotte was niets onverander-
lijker dan het weer. Praten over het weer was als praten over de
rotsen, of over het zand. 's Ochtends kwam de zon op. Die scheen
de hele dag onbarmhartig, om 's avonds achter de bergkammen
onder te gaan, waarna het al snel koud werd. Zo ging het elke dag,
jaar in jaar uit. Soms viel er een regenbui. Maar de door het weer
geobsedeerde Hollander leek de vreugde daarover niet te delen.
Alleen als de zon scheen, hard en genadeloos, stak hij z'n duimen
op. 'Wat een lekkere kleine weer, hè?' Een vraag die niet om een
antwoord vroeg, elke dag opnieuw.

Pas toen mevrouw El Boudifi in een televisiejournaal bibberige, oude beelden zag van de overstromingen, begon ze de fascinatie van de Hollander te begrijpen. De beelden hadden een grimmig moerasland getoond. Grijs. Weerloos tegen de grillen van de getijden. Een land dat gegeseld werd door aanhoudende slagregens, die rivieren uit hun oevers deden treden en alle kleur hadden weggespoeld. Schonkig vee, tot aan de schoften in het water, loeide geluidloos naar de cameraman in de helikopter, terwijl de wieken cirkelvormige golven opjoegen. Ze had Hollanders gezien, bleek en uitgemergeld, die op lieshoge rubberen laarzen door hun huiskamer waadden, die een bootje vol hologige kinderen voorttrokken over het pokdalige zwarte water. Een agrarisch Atlantis, met ondergelopen tulpenvelden, weilanden en akkers. Een onheilspellend soeravers speelde door haar hoofd terwijl ze de beelden bekeek: '*En een zondvloed achterhaalde hen terwijl zij onrechtvaardig waren.*'

Ze had moeite de arme sloebers in hun door brak water overspoelde land als onrechtvaardigen te zien, Hans de Hollander voorop. Die vriendelijke reus kon toch onmogelijk het misnoegen van Allah, geprezen en verheven is Hij, opwekken, zelfs al was hij een ongelovige? Als vanzelf murmelden haar lippen het volgende vers uit hetzelfde soera: '*Maar Wij redden hem en de deelgenoten der Ark, en Wij maakten dit tot een teken der volkeren.*' En ineens, als bij goddelijke ingeving, begreep ze dat het dorp, haar winkel, de gemeenschap tezamen misschien de Ark vormden en de man die zo dol was op de zon een drenkeling. Een rechtvaardige, misschien wel, die met zachte hand naar het juiste pad geleid moest worden.

> '*Onze Heer, Gij omvat alle dingen in Uw barmhartigheid en kennis. Vergeef daarom hen die berouw tonen en Uw weg volgen; en behoed hen voor de straf der hel. Onze Heer, en doe hen de tuinen der Eeuwigheid ingaan, die Gij hun hebt beloofd, alsook de deugdzamen onder hun ouders, hun echtgenoten en hun kinderen. Zeker, Gij zijt de Almachtige, de Alwijze.*'

Maar Hans de Hollander kreeg in de loop der jaren gezelschap van naamloze landgenoten, zwijgende aardappelkoppen met vaalblauwe ogen en dunne lippen, neuzen als kooltjes en eeltige, bleke knuisten die gepast geld op de toonbank sloegen en een merknaam blaften of domweg met zo'n met zwart vuil gecraqueleerde worst van een vinger in de richting van het schap priemden om met een enkele barse hoofdknik de bestelling te bevestigen.

Nog veel later kwamen de vrouwen, bleek als deeg en gehuld in traditionele gewaden: zwarte, enkellange jurken met schouderstukken als gehalveerde buizen, kanten kragen en raadselachtig stijve mutsen waarvan de randen omhoogplooiden en waaraan ogenschijnlijk functieloze spiegels en kralen waren bevestigd. En klompen. Bijna allemaal droegen ze klompen. Comfortabel kon het niet zitten, dat primitieve holbewonersschoeisel. En toch verkozen ze massaal het hout boven de soepele geitenleren slofjes waarop de oorspronkelijke bewoners van het dorp zich voortbewogen.

De Hollandse vrouwen kwamen nooit alleen: minstens met z'n tweeën, meestal met z'n drieën, soms met z'n vieren of meer. De doffe hoefslag van hout op zand. Het geruis van zwaar katoen. De kakofonie van harde Hollandse stemmen: het geluid van verschillende stukken papier die gelijktijdig verscheurd werden. De geur van te lang gekookte groenten en geurwater. Ze kwamen binnen, namen bezit van de winkel en gedroegen zich alsof mevrouw El Boudifi er niet was. Ze bladerden zonder interesse door de glimmende tijdschriften in het schap, met een blik die nog het meest op misnoegen leek. Maar altijd werd hun gemonkel onderbroken door een gedempt salvo van besmuikt gelach, waarbij de Hollandsen even, vanuit hun ooghoeken, naar mevrouw El Boudifi loerden; het enige oogcontact dat ze doorgaans maakten, want zelfs bij het afrekenen van het pakje Belinda, dat ze om beurten kochten, keken ze haar niet of nauwelijks aan. Het waren momenten waarop mevrouw El Boudifi zichzelf een vreemde in haar eigen zaak voelde.

•

De winkeldeur zwaaide open. Willem III en Christiaan van B. buitelden naar binnen. Uitgelaten, stoffige vechtblos op de wangen, in een vluchtige wolk van testosteron en transpiratie. Mevrouw El Boudifi kende de jongens van gezicht, en de zoon van Hans de Hollander zelfs bij naam, toch voelde ze zichzelf verstijven. Meneer El Boudifi, gealarmeerd door het kabaal, schoot achter het gordijn vandaan en zette zich schrap naast zijn echtgenote.

De jongens leken zich niet bewust van het effect van hun entree. Joelend stormden ze direct op de frisdrankvitrine af, een manshoge koelkast met een glazen deur, en rukten die open. Een zucht koude lucht kwam hen tegemoet. Twee handen gristen gelijktijdig naar de flesjes in het schap en verwijderden de kroonkurken met de opener die in het apparaat verzonken lag.

'Broer, drink jij Pepsi?!' Christiaan van B. vertrok zijn gezicht tot een grimas.

'Wat is daar mis mee?' vroeg Drie.

'Behalve dat het niet te zuipen is, bedoel je?'

'Pff, alsof jij het verschil proeft tussen Pepsi en Coca-Cola!'

'Man, iederéén proeft verschil tussen Pepsi en Coca-Cola. Pepsi zou niet eens cola mogen héten, weet je. Zoete kinderlimonade! Prik! Alsof je de keus hebt uit Anna Paulowna en Juliana en dan Juliana kiest.' Christiaan van B. barstte in een schaterlachen uit. 'Juliana! Zó'n dikke reet dat ze voortdurend achterover dreigt te vallen!'

'Ik snap niet wat Juliana met Pepsi te maken heeft,' zei Drie verongelijkt. Hij sloeg de deur van de koelkast met een dreun dicht, maar Christiaan trok hem direct weer open. 'Laat even, is lekker tegen de hitte.'

'Weet je,' vervolgde hij, 'toen ze Pepsi hier introduceerden hadden ze een slogan die in het Engels was: "Pepsi, voor iedereen die jong van geest is." Maar bij de vertaling was er iets misgegaan, want in het Arabisch werd het: "Pepsi, voor iedereen die achterlijk is."

'Je méént het,' zei Willem III, terwijl hij zich koelte toewuifde.

'Broer, ik zweer het. Later kwamen ze met een andere slagzin: "Pepsi, een opwekkende drank." Wat in vertaling werd: "Pepsi, laat je uit de dood opstaan." Vonden de zandkaffers vreemd genoeg geen aanlokkelijk verkoopargument.'

'En toen?'

'Hebben ze het gewoon bij "Pepsi" gehouden, En nou drink jij het. Want terug uit de dood heb je natuurlijk een droge bek als nooit tevoren. *Dawn of the Dead!* Meester! Santé, broer!'

'Jongens!'

De stem van meneer El Boudifi donderde door het smalle winkeltje.

'Jongens, doe die koelkastdeur eens dicht.'

De vrienden draaiden zich als één man om. Drie grinnikte nog wat na. Christiaan hield nog altijd de hendel van de koelkastdeur in z'n handen. 'Pardon?'

'Je hoort me wel,' zei de winkelier. 'Gewoon even dichtdoen, dan kunnen andere klanten straks ook van een koel drankje genieten.'

Willem III produceerde zijn allervriendelijkste glimlach. 'Tuurlijk, meneer. Lauwe drankjes, dat gun je je ergste vijand niet.' Traag duwde hij de deur dicht, alleen om hem met een nadrukkelijke zwaai weer open te trekken. 'Sorry, mijn fout.' Opnieuw sloot hij de deur en weer trok hij hem open. En dicht. En open. En dicht. En open. De enorme glazen waaier veroorzaakte een werveling van koude lucht. De jongens grinnikten, terwijl het hoofd van meneer El Boudifi rood aanliep. Een ader in zijn nek zwol op. Zweetdruppels parelden uit zijn wijkende haarlijn. Snuivend maakte hij zich op om over de toonbank te springen teneinde de jongens zijn zaak uit te meppen, maar mevrouw El Boudifi legde haar vlakke hand, waarop de meanderende lijnen van een vervaagde hennatatoeage zichtbaar waren, op zijn borst. '*Babba…*'

25

Willem III, gulzig van vechtlust, hipte heen en weer, grijnzend naar de gelooide man met de grijzende baard achter de toonbank. Koude lucht streek over zijn linkerarm. De jonge en de oude man keken elkaar aan als duellerende revolverhelden die wachtten wie het eerst zijn pistool zou trekken.

Het gordijn achter de toonbank schoof open. Uit de zwarte opening verscheen het hoofd van een jonge vrouw. Ze droeg een rode hoofddoek die haar krullende, zwarte haar niet volledig in bedwang kon houden. 'Babba?' Haar vader noch haar moeder draaide zich om. Achter haar ouders, bij de geopende koelvitrine, zag ze de twee Kazen staan. 'Babba, alles in orde?'

Het meisje liet de gordijnen achter zich dichtvallen, beende de zaak in en sloot de koelvitrine met een elegant maar gedecideerd handgebaar.

'Wim! Chris! Jullie kunnen bij mijn vader afrekenen.'

Op de lagere school, in de klas van juffrouw Meryem, waar ook Willem III en Christaan van B. hadden gezeten, was Layla El Boudifi op het laatst de enige donkere leerling in een klas vol Kazen geweest. Andere autochtonen waren in de loop der jaren vertrokken naar de school bij de moskee. Onopgemerkt, een voor een. Het viel pas echt op toen alleen Layla nog over was, opzichtig als het laatste blad dat zich in de herfst aan een boomtak vastklampte. Layla zelf had er nooit lang bij stilgestaan, als een kind van Klein Amsterdam was ze aan witte gezichten en buitenlandse namen gewend, aan de lucht van gekookte kool en aardappelen die de steegjes klokke zes vulde. Ze speelde er met blonde meisjes die Beatrix heetten, of Emma, of Irene en had meermaals tot mislukken gedoemde pogingen gedaan haar haar óók tot zo'n lange, steile vlecht te rasteren. Ze sprak zelfs een paar woorden Nederlands: 'goedemorgen', 'klootzak', 'vader', 'moeder', 'godverdomme', 'leuk', 'snoep', het betoverende 'doei', en verstond nog veel meer. Hoewel het verboden was in de klas of op het kale veldje dat als schoolplein dienstdeed in een andere taal dan het Arabisch te praten, doorspekten de leerlingen hun zinnen met Hollandse woorden en uitdrukkingen.

Ze ging de jongens voor naar het gammele, zelfgetimmerde toonbankje en draaide zich om. Ze plaatste haar linkerhand op het ruwe hout en haar rechter in haar zij.

'Allebei een cola gehad?'

'Pepsi,' smaalde Willem III.

Het meisje haalde haar schouders op. 'Cola. Pepsi. Hetzelfde verschil: allemaal suikerwater. Oké, dat is dan 500 dirham per persoon.'

Meneer El Boudifi had zijn blik nog altijd op de jongens gefixeerd. Met een routineus armgebaar opende hij de met smeedijzeren ranken en loof versierde kassa op de toonbank. De lade schoof er moeizaam uit, met een krasserig geluid dat zand in het loopwerk deed vermoeden.

# 3.

Hans 'de Hollander' van Bestevaer slofte met vermoeide passen door de Johan Cruijffstraat, in de beschutting van een reepje schaduw dat het zand donker kleurde. De zon stond al laag maar verdween pas vlak voor hij onderging achter de platte daken van de rij geschakelde huisjes. Hans droeg een broek van zwart ribfluweel met een bijpassend jakje dat aan de lus in het rugpand over zijn schouder hing. Het Terlenka-herenhemd dat hij eronder aanhad was klam van het zweet. Met de rug van zijn hand veegde hij de transpiratie van zijn voorhoofd. Zijn vingers roken naar cannabis. De geur was in zijn poriën getrokken en zelfs met water en zeep nauwelijks te verdrijven. Het zweet prikte in zijn haarlijn.

Lang had Hans zich gelaafd aan de warmte. 's Ochtends, wanneer hij van huis vertrok en de kou van de nacht geleidelijk verdween. 's Middags, als de hitte de lucht boven de woestijn deed trillen. 's Avonds, als vlagen koude berglucht door de dikke, bewegingsloze warmte sneden. Maar naarmate hij ouder werd en langer nodig had om te herstellen van het werk in de kassen en de fabriek, hoe vaker hij een diepe, kwellende hunkering voelde naar de grijze, onstuimige wolken van zijn jeugd, naar de regen die als vitrage boven het platte land kon hangen, naar tintelende oren en koel hemelwater dat langs zijn wangen zijn kraag in droop.

Het was bijna twintig jaar geleden dat hij Nederland voorgoed verlaten had en zijn herinneringen aan het land dat hij nog altijd als het zijne beschouwde, waren in de loop der jaren stilaan bevroren. De beelden in zijn hoofd van het huis op de Anthonij van Weelstraat, het Tiengemetenveer en het zwemstrandje aan het Haringvliet waren ooit fluïde geweest, onderdeel van een levend gedachtepanorama waarin straten met elkaar verbonden waren, ergens op uitkwamen of naartoe leidden en waarin hij zich mentaal kon verplaatsen, van de ene plek naar de andere; van het huis van Leijntje Kwakernaat naar de ijsbaan, van de haven naar de vaart. Maar die herinneringen waren in plaats en tijd vastgelopen en steeds meer gaan lijken op de gekartelde, vaalbleke kleurenfoto's die hij in het dressoir onder de tv bewaarde. Alles wat hij zich nog voor de geest kon halen, waren die kiekjes. De geleidelijke rigor mortis van zijn herinneringen aan Nederland leek een tegenovergesteld effect te hebben op zijn herinneringen aan het Hollandse weer. Dat kon hij zich tot in de fijnste details, als een bijna fysieke ervaring voor de geest halen. De sensatie van een sneeuwvlok die op je wang smelt, de nevel van zeewater die door de wind op de golven wordt opgestuwd, mist, hagel, motregen, rijp, hoosbuien: het eindeloze waterpalet waarmee het Hollandse weer werd geschilderd. En bij elke vorm van nattigheid kon hij nog altijd bijpassende beelden uit zijn geheugen opdiepen. Het bewegend mozaïek van regendruppels in de zwarte plas. De weerkaatsing van het herfstlicht in een met dauw besprenkeld spinnenweb. Het druipende gezichtje, snel met een wijsvinger op het beslagen raam getekend. Herinneringen die als blikseminslagen oplichtten in zijn geheugen.

'Avond…'

Hans werd uit zijn gedachten gewekt door de vertrouwde stem van tante Geesje, die geen tante was, althans niet van hem, en geen Geesje heette maar Geertruida of iets dergelijks. Niemand in de buurt wist het nog of vond het de moeite waard er bij Geesje naar te informeren.

'Avond, Geesje.'

Ze zat op het bankje voor haar huis, in het blauwgebloemde huisschort dat ze altijd droeg, haar schoot bedekt met een opengevouwen Arabische krant waarop een gehavende emaillen pan stond. Onder het mes in haar rechterhand ontdeed ze routineus een gerimpelde aardappel van zijn schil.

'Hoe is het met de handen?' vroeg Hans.

Geesje strekte haar armen en hield stak haar handen op. Alsof ze ze zelf moest zien om Hans' vraag te kunnen beantwoorden. Haar vingers dun en krom, omzwachteld met een leverbevlekt palimpsest.

'Ach, jongen,' zei ze, 'zolang ik mijn handjes nog kan dichtknijpen, kan ik ze nog dichtknijpen. Als je begrijpt wat ik bedoel.'

Ze grijnsde een bouwvallig gebit bloot. Hans knikte.

'Geen pijn?'

Geesje haalde haar schouders op. 'Pijn. Ach, wat heet. Een kind baren, dát doet pijn. Vooral als het een dikzak is.'

Haar grijns verdween even snel van haar gezicht als hij gekomen was – een wolk die voor de zon schoof.

'Maar 's avonds, hè,' vervolgde ze, ''s avonds als het koud wordt voel ik ze wel ja, die ouwe harken van me. Dan worden ze stijf, hè, gaan de scharnieren piepen. Als ik de aarpels niet voor het invallen van de avond heb gejast, lukt het me helemaal niet meer.'

'Heb je nog voldoende?' informeerde Hans.

Toen de eerste reumatische verschijnselen zich openbaarden en Geesje melding begon te maken van haar roestende scharnieren, nam Hans de Hollander wat van de oogst voor haar mee om de pijn te verzachten. Arabische collega's hadden vaak genoeg verhaald van de heilzame werking van de plant, hoe het krampen en spasmen dempte, pijn verzachtte, hoe het verschillende kwalen genas en andere voorkwam. De enige ziekte die het veróórzaakte was een ingebeelde. Want sommige collega's wisten aandoeningen voor te wenden als alibi om het religieuze verbod op kif te omzeilen en af en toe een topje in hun onderbroek mee de kwekerij uit te smokkelen. Cannabis was uitsluitend een exportgewas, zoals de gestempelde blokken hasj die de mannen aan het einde van iedere oogst vervaardigden, die allemaal genummerd en geteld naar het buitenland werden verscheept. Behalve de plakken die vóór het nummeren op wonderbaarlijke wijze uit de productielijn verdwenen en, aanvankelijk figuurlijk maar aan het eind van de rit onvermijdelijk ook letterlijk, in rook opgingen.

Hans vreesde de ziektes waarvan kif de symptomen bestreed. Omdat hij net als iedere man van zijn leeftijd bang was voor het verval en het woestijngraf; de eeuwige omhelzing van het zand waarin hij niet tot stof zou vergaan maar zou uitdrogen en verdorren tot een Hollandse Kaasmummie, voor eeuwig gedoemd om te blijven waar hij was. Een angst die misschien verzacht kon worden, hoe tijdelijk ook, door een pijpje gevuld met vette, nog kneedbare hasjiesj.

Ware het niet dat het lot hem een vuile streek had geleverd: Hans de Hollander verdroeg geen kif. Nog geen trekje.

Als veertienjarige in Holland was hij al eens draaierig geworden toen hij op het plein bij het gemeentehuis in de rook had gestaan van Patrick van der Hurk en zijn vrienden. Ze hadden zich als altijd verzameld rond het bankje waarop vanwege de meeuwenpoep nooit iemand zat. Slanke jongens in oversized legerparka's, wijdbeens op de buddyseats van hun Honda's. Hoewel minstens drie jaar jonger was Hans ze fysiek allemaal de baas. Ze hadden lange, slanke armen die iel uit hun kaki mouwen staken, dunne nekken en meisjesachtig haar, dat sluik over hun voorhoofden viel. Toch had hij ze intimiderend gevonden, Patrick en zijn vrienden. Vanwege de soevereiniteit waarmee ze het stukje dorpsplein hadden geannexeerd. Het blikken geluid van het transistorradiootje dat Patrick met strengen ijzerdraad aan zijn stuur had gebonden. Het geluidsbaken van zijn lach waarmee hij de grenzen van zijn imperium markeerde. En het aroma van wat hij met jaloersmakende vanzelfsprekendheid zijn 'shit' of 'stuff' noemde. Ze rookten er joints vervaardigd uit soms wel vijf rijstevloeitjes, blauwe Rizla, die van hand tot hand gingen in de estafette van de roes. Patrick noch zijn vrienden zouden zich ooit verwaardigen een woord met Hans te wisselen, wat Hans als stilzwijgende acceptatie interpreteerde. Zolang hij in de rook van hun stuff stond, voelde hij zich, al werd hij er lichthoofdig van, een perifeer lid van hun groep. Hij knikte instemmend als Patrick de dorpsbewoners achter hun rug voor 'klootjesvolk' uitmaakte en vluchtte even snel voor de politie wanneer die vuur achter hun rook vermoedde. Patrick en zijn vrienden op hun Honda's, Hans als een bezetene op de pedalen van zijn fiets in het spoor van hun tweetaktwalm.

Hij had het dan ook als een symbool van initiatie ervaren toen, jaren nadat Patrick van der Hurk uit zijn leven was verdwenen, zijn collega's hem hadden uitgenodigd een pijpje met hen te roken. Op een vrijdag, rond het middaguur, aan het slot van een lange, hete week waarin ze de oogst verwerkt hadden tot balen, briketten en kleine kannen olie, lokten de mannen hem mee naar een achterkamer in het theehuis nabij de moskee; een plek waar Kazen nooit voet over de drempel zetten. Hollanders dronken bier en jenever, haram spul, in een kleine, raamloze opslagloods vervaardigd uit blokken gasbeton, waar autochtonen op hun beurt zelfs niet in de buurt kwamen, omdat dronken Kazen geregeld op knokpartijen uit waren.

Het moet dan ook in een opwelling van collegiale broederschap geweest zijn dat Hans de Hollander na zes dagen hard werken, luttele uren voor het middaggebed meegevraagd werd voor een kop zoete *atai* 'met wat extra's'.

Het theehuis bleek een lange, kantine-achtige ruimte, met tot borsthoogte betegelde muren en formica tafels waaraan mannen in drie- of viertallen aan glaasjes nipten en dominosteentjes verplaatsten. Daarbij werd de halve winkelvoorraad van meneer en mevrouw El Boudifi enthousiast verstookt. In het theehuis hing een dichte nevel van tabaksrook die Hans bij binnenkomst naar adem deed happen. Even zag hij een beeldecho van Patrick van der Hurk voor zijn geestesoog oplichten, alvorens hij in het kielzog van zijn collega's de zaak in liep. Opwinding en huiver tintelden als wisselstroom door zijn zenuwstelsel. Hij was eraan gewend geraakt de enige Hollander in het gezelschap te zijn. Op de markt, in de bus, in de rij bij het postkantoor. Maar in dit terra incognita zag hij zichzelf ineens weer door de donkere ogen van de vijftig à zestig dominoënde mannen in het theehuis. Een misplaatste Kaas. Een exoot die opviel door het contrast met zijn omgeving. Hans de Hollander was blij dat hij zijn klompen vanochtend voor de deur had laten staan en gekozen had voor de comfortabele, geitenleren puntmuiltjes die iedereen hier droeg. Niettemin had hij het gevoel op zevenmijlslaarzen door de ruimte te klossen en vreesde hij bij iedere stap de verontwaardigde gezichten van gasten die door zijn genetisch bepaalde lompheid uit de concentratie van hun spel waren gewekt. Maar niemand keek op. Of om. Gunde hem een blik waardig. Alsof er iedere dag uit de kluiten gewassen kutkazen door hun theehuis banjerden. Misschien, dacht Hans van B., was het de rook die hem onzichtbaar maakte.

Achter in het theehuis bevond zich een ruimte die met een gordijn aan het directe zicht werd onttrokken. De atmosfeer achter de afscheiding was zo mogelijk nog rokeriger, alleen zoeter van geur. Hasjiesj, constateerde Hans met de fijnruikersneus van de professional die hij intussen was, géén marihuana. Het verschil was subtiel, maar onmiskenbaar. Hij liep achter zijn collega's aan, die zich handenschuddend een weg baanden naar een tafel achter in de ruimte. Na een kortstondige stoelendans bleek Hans de Hollander de enige die nog stond. Maar Aminedinne, de voorman, gebaarde met afgemeten handbewegingen naar Hyder, de jongste in het gezelschap en pas in dienst. 'Zeg, sta jij eens op!' commandeerde

Aminedinne. 'Jij gaat pas zitten als je meerderen een plek hebben. *Alhamdoelillah*, heeft je moeder je geen manieren geleerd!'

Hyder wierp een vuile blik op Hans. Sinds wanneer golden Kazen, zelfs oude Kazen, als meerdere?

'Niet nodig,' sprak Hans de Hollander, 'niet nodig. Ik bleven staan. *No problem.*'

Aminedinne negeerde zijn Hollandse collega en bleef met zijn wijsvinger naar de jongen wapperen totdat die met een driftige beweging zijn stoel naar achter schoof en opstond. Aminedinne keek Hans aan, wees naar de vrijgekomen stoel – alsof die de Hollander had kunnen ontgaan – en zei: 'Zit! Zit!'

De stemming aan tafel en in het hele theehuis was uitgelaten. Opgewonden mannenstemmen, onderbroken door erupties van gelach en het tinkelende contrapunt van lepeltjes die met kracht door de theeglazen werden geroerd. Het rumoer maakte het Hans nog moeilijker dan gebruikelijk om de conversatie te volgen. Zijn collega's hadden zich geanimeerd in een gesprek gestort dat, voor zover hij kon nagaan, al op een eerder moment was begonnen. Hoewel zijn vocabulaire inmiddels groot genoeg was om zich op het werk staande te houden, kreeg hij van gesprekken die door meerdere mensen gevoerd werden, in het tempo dat men onderling gewoon was, uitsluitend fragmenten mee. Een conversatie van enig niveau was nog altijd een puzzel waarvan hij de stukjes in gedachten aan elkaar moest leggen. Vaak had het gesprek dan al een andere wending genomen en kon hij aan een nieuwe woordreconstructie beginnen. Het dwong hem in de rol van observator. Zijn deelname aan de conversatie bleef beperkt tot een enkele besmuikte lach, monosyllabische bevestigingen en ontkenningen afgewisseld met hulpeloos opgetrokken schouders.

Ook nu moest hij in opperste concentratie luisteren om het gesprek te kunnen volgen. Abdullah, een oud-collega, had, zo begreep Hans, een auto gekocht of wilde een auto kopen. Een BMW. Of misschien was dat zijn droomauto en moest hij met iets anders genoegen nemen, dat was hem niet helemaal duidelijk. Het woord 'Duits' viel. Duits. De spreker keek Hans plotseling aan. Grijnzend.

'Duits?'

'Duits,' antwoordde Hans. Hij probeerde een kwinkslag. 'Duits. *Jawohl, mein Führer.*'

'Jij ben toch Duits?'

Lichte paniek. Hans de Hollander stak een wijsvinger uit naar zichzelf, priemend naar zijn borstbeen. 'Duits? Nee, nee. Holland. *Hollandi!*'

'Heb jij in Holland een BMW?'

'Nee, ik, ehm…' Fiets, verdomme, wat was het woord voor fiets ook alweer? Hans kromde zijn bovenarmen en bolde zijn vuisten, alsof hij een stuur vasthield. Onder tafel maakte hij aarzelend trappende bewegingen. Hij bewoog zijn duim op en neer en zei: 'Tring. Tringtring.'

'Aaah, *darayaa nariyyaa!*'

Daar gingen de schouders van Hans. Zijn nek verdween in machteloosheid.

'Broem brrroem?' verduidelijkte zijn gesprekspartner.

Verheugd dat hem een uitweg werd geboden in dit Babylonische pantomime, trok Hans zijn duim in om met zijn ritmisch kantelende vuist te doen alsof hij de gashendel aan het stuur van een motor opentrok. 'Ja, broem broem!'

'Aaah, darayaa nariyyaa! BMW?'

'Zeg,' zei Hyder, die tot dan toe mokkend had toegekeken. 'Waarom zijn alle Kazen van die dronkenlappen?'

Aminedinne keek Hyder met een verbeten blik aan. 'Hans is mijn gast. Ónze gast. Schaam je. Heeft je moeder je geen manieren geleerd? Neem je woorden terug.'

'Het zijn mijn woorden niet. Het staat in de krant.' Hyder stond op en trok een dubbelgevouwen exemplaar van het dorpskrantje uit zijn djellaba. Hij tikte op het verkreukelde papier. 'Hier,' zei hij, 'luister.' Hakkelend maar fel las hij voor: 'Soms lijkt het alsof alleen de alcoholistische Hollanders de overtocht hebben gemaakt. Hun rode neuzen en bloeddoorlopen ogen zijn de stille getuigen van hun drankzucht. Zegt de Heilige Koran niet dat de wijn een gruwel van het maaksel van de Sjaitan is?'

'Genoeg!' Aminedinne sloeg met zijn vuist op tafel, griste de krant uit Hyders handen en richtte zich met opgetrokken schouders tot Hans. 'Driss Zrika heeft een in gif gedoopte pen, hoor je me? Een slang, dat is-ie. Het is een schande dat zijn l'klawi vuiligheid hier ter tafel komt. Hyder, bied je excuses aan!'

Hyder wendde zonder iets te zeggen zijn gezicht af.

Hans was opgelucht toen de eigenaar van het koffiehuis eindelijk een waterpijp op tafel zette en de mannen hun aandacht verplaatsten van de conversatie naar de hasjiesj, die als een plak chocola op een schoteltje werd geserveerd. Aminedinne verkruimelde een deel van de bruine substantie boven de koperen kelk op de pijp, reikte Hans de omzwachtelde slang met het mondstuk aan en joeg met de vlam van zijn aansteker de brand in de hasjiesj. Hans was al beneveld voor hij een eerste trek had genomen. Terwijl de wereld om hem heen langzaam leek te verdwijnen, nam hij het mondstuk met trillende handen aan en zette het aan zijn lippen. Grote, wulpse luchtbellen borrelden op in het bassin van de pijp toen hij, eerst aarzelend maar al snel vol overgave zijn longen vulde met warme, kruidige rook. Tevreden gaf hij het mondstuk door.

En toen begon het.

Zijn hartslag liep op en elke puls leek krachtiger dan de vorige. Hij legde twee vingers op zijn halsslagader en voelde ze opveren. Het was alsof zijn hart een dier was dat zich door zijn ribbenkooi naar buiten wilde vechten. Een onzichtbare hand leek op zijn borstbeen te duwen. Smeltwater pompte door zijn aderen. Hyperventilerend probeerde hij zich op te richten, maar voor hij goed en wel stond begaven zijn knieën het. Hij zakte in elkaar, ging ruggelings op de koele tegelvloer liggen. Zijn hart bokte. Hij hapte naar adem. Wat was dit? Een hartaanval? Ging hij dood? Hij was er ineens van overtuigd dat zijn vitale functies het een voor een zouden begeven, kon zijn ledematen nauwelijks nog bewegen.

Zijn collega's waren na zijn val als één man overeind gekomen en stonden om hem heen. Grijnzend.

'Dokter! Hart! Dood! Help!' bracht Hans uit.

De mannen om hem heen begonnen te lachen.

'Geen mop!' smeekte Hans. 'Dokter! Dood!'

Aminedinne hurkte naast de Hollander, die erbij lag als een gevelde boom: lengte en volume leken zijn hulpeloosheid te vergroten. Aminedinne legde een hand op zijn klamme schouder. 'Rustig maar, Hans. Je gaat niet dood. Het is de kif. Gaat vanzelf over.'

Hij stond op en verdween uit Hans' blikveld, om even later terug te keren met een glas thee en een schaaltje dadels. Hij roerde een wervelstorm van suiker door de amberkleurige vloeistof terwijl hij erin blies. 'Voorzichtig,' prevelde hij, toen hij het glas aan Hans' lippen zetten. De thee, heet en zoet, schroeide zijn mond. Terwijl de paniek nog altijd op zijn borst stampte, liet hij zich willoos een dadel voeren. Toen hij het glas leeg had genipt en een paar dadels had gegeten, voelde hij het geweld in zijn lichaam langzaam wegebben. Niet veel later kon hij zich oprichten. Hij greep de stoel die hij in zijn val had omgetrokken en schoof opnieuw aan tafel, waar hij met honend gelach werd onthaald en de waterpijp nog altijd enthousiast rondging.

'De Kaas kan niet tegen kif!'

Hans boog zijn hoofd in schaamte. Zijn initiatie niet doorstaan. De Kaas kan niet tegen kif.

Aminedinne legde een hand op de arm van de Hollander. 'Het is niet voor iedereen.'

Toen even later de muezzin vanaf de minaret tot het vrijdaggebed opriep, stonden de mannen een voor een op. Hoewel ze elkaar in de moskee opnieuw zouden treffen, namen ze afscheid van elkaar als geliefden op de kade van een haven van waaruit landverhuizers vertrekken. Voor Hans de Hollander waren er goedbedoelde maar vernederende schouderklopjes en handdrukken. Gewogen en te licht bevonden. Hij bleef alleen achter in het theehuis. Toen de uitbater hem verzocht ook te vertrekken, kwam hij wankel uit zijn stoel overeind. Terwijl de muezzin de grootheid van Allah bezong, sjokte hij met nog altijd knikkende knieën terug naar Klein Amsterdam.

·

'Heb je nog genoeg?'

Geesje kneep haar lippen samen tot een glimlach die gedienstigheid moest uitdrukken.

'Nou, mocht er nog een stukje overschieten...'

'Voor jou altijd, Geesje. Voor jou altijd.'

Hans haalde een plak hasjiesj ter grootte van een luciferdoosje uit zijn zak en overhandigde het de oude vrouw. Hij knipoogde. 'Maar alleen tegen de pijn, hè?'

Geesje grijnsde. 'Alleen voor de pijn...'

# 4.

Ze zei niets. Dat was ook niet nodig. Haar gezicht stond strak. Haar bovenlip krulde als die van een grauwend roofdier. Een borende blik die hij reflexmatig ontweek; kin op de borst, ogen neergeslagen. Ze stond in de schaduw van een overhangende rots, op de beschutte plek die ze vanwege de reep zand 'het strandje' hadden gedoopt, hoewel er in de verste omgeving geen water te bekennen was. Wijdbeens, armen over elkaar. Het leek alsof ze zo al uren stond, bevroren in haar verontwaardiging. Terwijl ze hooguit enkele minuten eerder was aangekomen. Als altijd waren ze apart van elkaar uit het dorp weggeglipt. Zij via het geitenpad dat de heuvels in liep, hij via een omweg, dwars door het barre land.

'Layla, ik…' begon hij.

Ze kneep haar lippen samen en deed alsof in het zand spuugde. 'Tfoe!'

'Layla, luister. Het was –'

'Mijn vader! Dát was wat het was. Mijn vader! Hoe haal je het in je hoofd!'

'We hadden *beef* gehad. En Drie was totaal opge–'

'Ik heb niks met Drie te maken,' onderbrak ze hem. 'Met geen van je vriendjes! Alleen met jou, Christiaan van B.! En uitgerekend jij komt rotzooi trappen in de winkel van mijn vader! Ben je wel goed bij je hoofd?'

'Layla, toe. Ik heb hem juist afgeremd. En als je vader wist dat je hier met mij bent, zou hij mij om zeep helpen en aan de woestijnvossen voeren.'

39

'En daar heb je hem vanochtend alle aanleiding toe gegeven, zemmel!'

Christiaan van B. zweeg. Het was waar dat het in de winkel uit de hand was gelopen omdat Willem III nog in vechtmodus stond. Tegelijk had Christiaan goedbeschouwd niets gedaan om het te voorkomen of te beëindigen. Vooral om de vermoedens van meneer El Boudifi, zo hij die al had, de kop in te drukken. De jongen die stennis trapte in de familiezaak van de El Boudifi's, had onmogelijk iets met Layla kunnen hebben. Het was nauwelijks beredeneerde logica; eerder een oprisping van zijn reptielenbrein dan een doordachte strategie. Hij had zijn vriend meegetroond naar het oude buurtwinkeltje in plaats van de snackbar, wat meer voor de hand had gelegen, omdat hij haar wilde zien. Al was het maar even. Daarbij mocht hij, dat stond voorop, niet de indruk wekken voor haar te komen. Het onzalige plan om rotzooi te trappen was een zelfsturende chemische reactie van de bestanddelen verlangen, angst en testosteron geweest. Nu die was uitgewerkt, had hij spijt. Hoewel hij zich realiseerde dat hij Layla vermoedelijk niet zou hebben gezien als ze hun frisdrankjes direct keurig hadden afgerekend.

'Het spijt me,' prevelde hij, 'echt.'

Layla gooide haar hoofd in haar nek. De zemmel, die l'klawi kutkaas, moest niet de illusie hebben dat een Arabische dochter de respectloze behandeling van haar babba door een andere man, die niet haar echtgenoot was en een buitenlander bovendien, zou tolereren. Maar hoe oprecht die gedachte ook was, hij voelde vals aan omdat haar woede in zijn nabijheid tandeloos werd. Hoe vaak waren ze in de gelegenheid naar het strandje te gaan? Eén, twee keer per maand. Hooguit. De ontmoetingen in het dorp waren vluchtig. Georkestreerde toevalligheden, besmet met de angst voor vreemde ogen. Terloopse uitwisselingen van tederheid, gecamoufleerd door koele fraseringen.

'Alles goed?'

'Ja, prima. Met jou?'

'Ook goed. Ga je nog iets leuks doen vandaag?'

'Nah. Mijn ouders helpen in de winkel. Beetje huiswerk doen.'

'Strandje?'

'Misschien vrijdag. Voor het middaggebed. Maar alleen als mijn vader naar het theehuis gaat.'

'Geef je een seintje?'

'Tuurlijk.'

Het was vijf maanden geleden dat ze elkaar bij toeval weer waren tegengekomen. Op het terrein van de universiteit waar ze, zo bleek, na de zomer beiden wilden gaan studeren. Voormalig klasgenoten. In de grote stad. Op meer dan tweehonderd kilometer van hun dorp. Layla had zich op de faculteit Frans aangemeld, Christiaan was vastbesloten medicijnen te doen. De universiteit had twee dagen gereserveerd voor aankomende studenten om zich op hun toekomst te oriënteren. En uit de wijde omtrek waren eindexamenkandidaten gekomen om een blik op die toekomst te werpen. Terwijl ouderejaars zich goeddeels in tweetallen of groepjes over de campus bewogen, sjokten de nieuwelingen solo over het terrein. Ook Layla en Christiaan van B. hadden zo gelopen, met een tred die bij elke pas onwennigheid verried. Welk gebouw moesten ze hebben? Welk lokaal? Waar konden ze eten? Zouden ze ooit hun weg vinden in dit academische doolhof?

En ineens: een bekend gezicht.

Layla El B... kom, hoe heette ze ook alweer? Van het winkeltje. En van school.

Christiaan van B., de Kaas die Arabisch sprak alsof het zijn moedertaal was. In de laatste klas van de witte school hadden ze bij elkaar gezeten, in de jaren daarna in het voorbijgaan hooguit naar elkaar geknikt. Zelfs tot een korte uitwisseling (hoe gaat het? Waar zit je nu op school?) was het nooit gekomen. Een enkele keer trof Christiaan van B. haar in het winkeltje, als hij er door zijn vader op uit was gestuurd om een pakkie shag te halen. Meestal glipte ze naar achter zodra ze hem herkende.

Maar nu was alles anders. Layla voelde zich boertig in de nabijheid van de hippe en ogenschijnlijk wereldwijze studentes voor wie ze steeds moest uitwijken, omdat ze anders tegen haar aan zouden lopen. Een aantal van hen droeg geen hoofddoek en liet de haren soeverein wapperen in de zeebries die de stad verkoelde.

Christiaan van B. had zijn klompen thuisgelaten, zich gekleed op een manier waarvan hij hoopte dat het niet uit de toon zou vallen. Hij was zelfs naar de kapper geweest, had om een Arabische coupe gevraagd; opgeschoren tot er in zijn nek en op zijn slapen alleen nog zachte stoppeltjes waren. Maar nu hij hier rondliep, een kop groter dan de meeste van zijn mannelijke leeftijdgenoten, en tenminste twee koppen groter dan de vrouwen, met zijn witte, gespikkelde huid en het rode gazon op zijn hoofd, kon hij onmogelijk opgaan in de massa. Waar Layla het idee had dat ze onzichtbaar was, kon Christiaan van B. zich niet verbergen.

En toen zagen ze elkaar. Alles wat ze in de jaren sinds het afscheid van juf Meryem niet met elkaar hadden gedeeld, welke school, welke vrienden, wie van vroeger, welke toekomstplannen, rolde er nu binnen het tijdsbestek van een halfuur uit. Layla zei 'goedemorgen' en 'klootzak' en 'godverdomme' en 'doei' en Christiaan van B.'s mond viel open. En hij imiteerde juf Meryem: 'In de klas spreken we alléén Arabisch!' en ze lachten om elkaar en ze aten met elkaar en ze haalden herinneringen op aan leraren, leerlingen en ouders. Aan de vader die stomdronken en stinkend naar jenever op school was verschenen en een tirade had gehouden waar zelfs de Hollanders niets van hadden verstaan, aan de keer dat juf Meryem zich kokhalzend aan een boterham met pindakaas had gewaagd om uiting te geven aan haar multiculturele inborst. Een mooi gebaar, dat ze bijna met de dood had moeten bekopen toen de stopverf van zacht witbrood en gemalen aardnoten in haar luchtpijp bleef steken. Nu konden Layla en Christiaan van B. erom lachen, maar destijds hadden ze bevroren van angst toegekeken hoe juf Meryem, rood aangelopen en met tranende ogen, haar wijsvinger in haar keel had gestoken om de Hollandse lekkernij uit haar luchtpijp te klauwen.

Die gedeelde herinneringen en de nabijheid van een bekend gezicht maakten de kennismakingsdagen op campus lichter en vrolijker. Het vooruitzicht van wat hen na de zomer, na het examen, hier te wachten stond, was ineens niet meer zo intimiderend. Ze zouden hier vrienden maken. Natúúrlijk zouden ze hier vrienden maken! Misschien wel gemakkelijker dan in het dorp. Op de universiteit zouden ze onder gelijkgestemden zijn, niet langer onderworpen aan het beklemmende sociale dictaat dat het dorpsleven nu eenmaal oplegde. Hier zouden ze de woestijnstof en de geitenstank van zich afspoelen en opnieuw beginnen. Zo abstract en angstaanjagend als dat in eerste instantie geleken had, zo duidelijk en aanlokkelijk was het nu. Dat een toevallige ontmoeting met een dorpsgenoot aan de basis van dat inzicht lag, was een paradox die hen beiden ontging.

Aan het einde van de eerste dag bracht Christiaan Layla naar de slaapzaal waar aankomende meisjesstudenten de nacht doorbrachten. Bij de deur stonden twee geüniformeerde beveiligers die hem aankeken met een blik die er geen twijfel over liet bestaan wat er zou gebeuren als hij er één voet over de drempel zou zetten. De volgende ochtend, toen hij Layla kwam ophalen, stonden ze er nog. Christiaan vergezelde Layla naar de letterenfaculteit. Toen hij uren later het auditorium verliet waar hij een inleidend college geneeskunde had gevolgd, stond zij op hem te wachten. Toen ze hem ontwaarde in de kluwen van studenten die door de grote, glazen klapdeuren naar buiten stroomde, brak haar gezicht open tot een lach. De zon explodeerde op haar tanden.

's Middags stapten ze samen op de bus die hen naar huis zou brengen. Een rammelende, naar diesel stinkende roestbak met ver-

sleten krukassen. Ze gingen, toen ze ieder voor zich hadden geconstateerd dat er geen dorpsgenoten aan boord waren, naast elkaar
zitten. De bus zette zich hoestend en rochelend in beweging. Na
een kwartier bereikten ze een buitenwijk. Daarachter strekten zich
de heuvels en de bergen uit. Ze wierpen nog een blik achterom en
zagen de stad en hun nabije toekomst achter de einder verdwijnen.
De avond viel abrupt en geruisloos. En terwijl de bus schuddend
de heuvels inreed, zocht Layla's linkerhand Christiaans rechter. Ze
keken elkaar niet aan, spraken niet, wendden voor dat die steeds
vochtiger wordende handen, ineengevlochten op dan weer zijn
dijbeen, dan weer het hare, niet bestonden. Uren zaten ze zo naast
elkaar, terwijl de bus zichzelf de bergen opduwde, over wegen vol
putten en breuken, langs rotswanden en afgronden. Als we nu naar
beneden donderen, dacht Christiaan, dan worden we zo gevonden:
hand in hand. Wat een geweldige manier om te sterven.

Het interieur van de bus was donker. Alleen het gezicht van de
chauffeur lichtte oranje op telkens als hij een trek van zijn sigaret
nam. Ze bewogen zich voort in een vacuüm. Tot de bus piepend
tot stilstand kwam en de deuren zich met een zucht openden. Hun
handen gleden uit elkaar. Christiaan van B. stond als eerste op,
trok zijn rugzak uit het bovenrek en liep via het gangboord naar
voren. Layla, enigszins ontstemd omdat Christiaan had verzuimd
haar bagage aan te reiken, ging op haar tenen staan om bij haar tas
te kunnen en liep toen ook naar de deur.

Ze stapten uit. De deuren sloten en de bus zette zich opnieuw
in beweging. De versleten achterbanden wierpen golven van stof
op die rood reflecteerden in het kielzog van de achterlichten.

Zwijgend stonden Christiaan van B. en Layla in het donker van
de maanloze nacht naast elkaar. Het geluid van de busmotor ver-
stierf in de nacht. Daarna: krekels, honden en het zachte gegiechel
van de hyena's, ver weg in de woestijn.

Layla strekte zich uit, vouwde haar handen rond Christiaans
nek, trok hem naar zich toe en kuste hem. Hij smaakte naar ko-

mijn, citroen en gember. Op een vreemde manier vertrouwd. De duisternis gaf zijn nabijheid iets vervreemdends. Alsof het geen fysieke maar een mystieke ervaring was.

Het geluid van een dichtgeslagen autoportier verbrak de betovering. Ineens bewust van zichzelf sloeg bij beiden de verlegenheid toe.

'En nu?' vroeg Layla na een tijdje.

'Nu gaat jouw vader mij vermoorden.'

Ze grinnikte. 'Nu gaat mijn vader míj vermoorden.'

'En de mijne stuurt me naar Holland om net zolang rotte aardappels uit de modder te graven tot ik weer bij zinnen ben. "Een huwbaar meisje is een Hollands meisje."'

'Zegt hij dat?'

Christiaan van B. haalde verontschuldigend zijn schouders op. 'En hij meent het. Vader zegt altijd: "We moeten het grootste respect voor de Arabieren hebben. Hen dankbaar zijn voor hun gastvrijheid. Zonder hen had het water ons aan de lippen gestaan. Letterlijk. Maar als je met een van hun dochters thuiskomt, breek ik je poten. Een huwbaar meisje is een Hollands meisje." Vader is ervan overtuigd dat de gemeenschap alleen kan blijven bestaan als we niet met autochtonen mengen.'

'En wat vind jij?'

'Fuck de gemeenschap. Tfoe! Bovendien: ik heb je gekust, geen aanzoek gedaan. Toch?'

'Pff, ik heb jóú gekust, opschepper.'

Layla schrok van haar eigen stem. Door woorden te geven aan de handeling, werd de situatie plotseling echt. Ze hadden gekust. Bij de bushalte, aan de rand van het dorp.

'Ik moet naar huis,' zei ze. 'Straks komt babba me zoeken.'

Ze liepen samen het dorp in. Bij de moskee zei ze: 'Ik neem hier afscheid van je, goed?'

Christiaan van B. boog zich voorover om haar opnieuw te kussen. Layla draaide haar hoofd weg en deed een stap achteruit. 'We zien wel, hè?'

45

'We zien wel,' echode Christiaan. Haar vingers aaiden over de rug van zijn hand. Daarna draaide ze zich om en liep weg. Christiaan keek haar na tot ze oploste in de nacht, waarna hij koers zette naar Klein Amsterdam.

Ze zagen wel…

•

Het strandje. Layla's woede die verdampte in de geslagen-honden-blik op Christiaans blonde Kazenkop. Ze vlijde zich tegen hem aan, legde haar wang op zijn borst en zei: 'Nog even, Chris. Dan zijn we hier weg.'

# 5.

'Tijdreizen.'

'Tijdreizen?'

'Ja, broer, tijdreizen.'

'Dus als die djinn uit de fles komt en aan je vraagt: "Sahib, weet je het zeker? Je krijgt geen tweede kans, hoor," zeg jij: "Zonder enige twijfel, djinn. Ik wil door de tijd reizen."'

Willem III tuitte zijn lippen, plukte met zijn vingertoppen aan het pluis van zijn baardje en knikte, het hoofd schuin in de nek, alsof hij een laatste restant van twijfel moest elimineren voor hij de geest uit de fles zijn definitieve antwoord gaf. 'Ja man, voor zeker.'

Christiaan van B. keek zijn vriend sceptisch aan. 'Dus je zou niet eh... willen vliegen?'

Drie hief zijn handen en zei: 'Vliegen? Pff, waarhéén? Over het dorp, stukje woestijn, terug naar het dorp? Daarmee maak je de cel groter maar blijf je in de gevangenis.'

'Rijkdom dan? Wil je niet schatje-fokking-rijk zijn? Met paleizen, auto's, een harem? Je eigen bioscoop! Met de nieuwste films!'

'Broer, hoe vaak moet ik het je zeggen? Ik haat nieuwe films. En slimme tijdreizigers,' Drie tikte zijn wijsvinger tegen zijn slaap, 'worden vanzelf rijk. Die weten dat de grootste diamant ooit op 25 januari 1905 gevonden werd in een Zuid-Afrikaanse mijn. Dan hoef je maar een dag eerder ter plekke te zijn.'

Christiaan van B. schoot in de lach. 'De fok, broer?! Je hebt erover nagedacht, hè?' Hij zag Willem, de drieste tijdreiziger, in het holst van de nacht met olielamp en pikhouweel in een lichtloze mijnschacht afdalen om even later met een edelsteen ter grootte van een voetbal weer boven te komen. 'En dan sjouw je die enorme diamant gewoon mee terug naar het hier en nu? Handig!'

Geërgerd haalde Willem III zijn schouders op. 'Of je begraaft die steen ergens anders. Maar je snapt wel wat ik bedoel, toch? Als je naar het verleden kunt reizen, is de toekomst niet langer onbekend en ben je niet meer overgeleverd aan de willekeur van het noodlot.'

'*De willekeur van het noodlot*, toe maar. Dus een tripje naar de toekomst hoeft van jou niet?'

'Tuurlijk wel. Een expeditie naar het onbekende. Terra incognita. Als je naar de toekomst kunt reizen, wordt het heden vanzelf het verleden. Het is heel simpel.'

'Diep, broer, díép.'

'Ja, lach er maar om. Wat zou jij de djinn vragen, dan?'

Ook Christiaan van B. had al vaker met die gedachte gespeeld. In zijn hoofd hadden zich scenario's voltrokken waarin hij de djinn, na diens mededeling dat hij één wens mocht doen, gevraagd had of hij in dat geval zijn vader om raad mocht vragen. Waarop de geest snedig 'ja hoor' had geantwoord en doodleuk weer in zijn fles was geglipt. Christiaan wist uiteraard dat het om een sprookje ging en dat zijn dromen alleen in zijn dromen vervuld zouden worden. Maar om te voorkomen dat ze ook in dat fluïde domein tot niets zouden verdampen, had hij op het antwoord geoefend. Mocht de djinn aan hem verschijnen, in zijn slaap of bij bewustzijn, zou Christiaan zeggen: 'Ik wens dat ál mijn wensen uitkomen.' Uiteráárd zou hij dat wensen! Waarna hij zich geen zorgen meer hoefde te maken over het verkeerde antwoord, een dom antwoord of een antwoord waarvan hij de gevolgen niet kon overzien. De last van het bestaan zou niet langer op zijn schouders drukken, waardoor hij het leven minstens duizend kilo lichter tegemoet kon treden. Zijn antwoord zou hem bevrijden van alles. De schakels die Christiaan geografisch, historisch, en genetisch geketend hielden, zouden rinkelend aan stukken vallen, waarna hij zichzelf zou ontstijgen. Wie je bent wordt eerder bepaald door je beperkingen dan door je mogelijkheden, had hij bedacht. Zijn plaats op aarde werd gedicteerd door alles wat hem tegenhield. Bij het plotseling wegvallen van die obstakels zou hij transformeren tot pure wil. Hij zou een engel worden. Misschien zelfs een god. Een even bevrijdende als angstaanjagende gedachte. Want de Heere der heirscharen, jaloers en wraakzuchtig als Hij was, zou de concurrentie niet dulden, dat stond wel vast. De Heer zou in toornigheid nederdalen om Christiaan voor zijn hoogmoed te straffen. De lucht zou zwart kleuren, doorkliefd door bliksemflitsen van ijs. Hij zou gevierendeeld worden door de Ruiters van de Apocalyps, waarna zijn losgerukte ledematen en zijn romp onafhankelijk van elkaar, om de pijn te vervijfvoudigen, tot in de eeuwigheid zouden branden. De toezegging van de djinn zou in principe voldoende moeten zijn om dat gruwelijke lot te voorkomen of te beëindigen. Maar Christiaan betwijfelde of de belofte van een eenvoudige flessengeest zou standhouden tegen het almachtige woord van God zelf. Een risico dat hij beter niet kon nemen. Zelfs niet in zijn fantasie. Het was beter een minder gevaarlijke wens te formuleren.

'Ik zou de djinn vragen mij de mogelijkheid te geven onzichtbaar te worden.'

Willem III snoof. 'Wil je niet vliegen dan?' bauwde hij Christiaan na. 'Of rijk worden?'

Christiaan van B. schudde gedecideerd zijn hoofd. De vrijheid je aan de blik van anderen te onttrekken moest vele malen groter zijn dan een paar doelloze buitelingen door de lucht. De mens was niet gemaakt om te vliegen, zoals een vis niet gemaakt was om te lopen. Het zou een potsierlijk gezicht zijn, met die doelloos flapperende, veerloze armen en benen. Niet in staat een nest te bouwen, op de thermiek omhoog te cirkelen, of op een takje neer te strijken.

Hij zou een mislukte vogel zijn, lomp en onhandig. Mens zijn was al lastig genoeg. Temeer omdat je voortdurend door soortgenoten werd beoordeeld of je het er een beetje behoorlijk van afbracht. Alleen in de malarische duisternis van zijn bedstee, heet, klam en stinkend, wist hij zich onbespied. Ware het niet dat hij ook daar permanent beloerd werd door Zijn alziende oog. Dat loenste naar hem, afkeurend en mogelijk zelfs wellustig, als hij zich bezweet aftrok. Het dwong hem zichzelf voortdurend in ogenschouw te nemen, bij elke handeling die hij verrichtte of juist naliet. Wie in staat was zich aan de blik van een ander te onttrekken, kon aan zichzelf ontsnappen. Een grotere luxe was nauwelijks denkbaar.

'Onzichtbaar, ja. Ik wil kunnen verdwijnen als ik daar zin in heb.'

Drie maakte een smalend knorgeluid en zei: 'Onzichtbaar? Als jij met zo weinig tevreden bent, sahib, ga ik dat gewoon voor je regelen.'

'Broer, woon jij in een fles? Waar moet ik wrijven? Zeg op!'

Drie grijnsde zijn tanden bloot, die als beschonken matrozen tegen elkaar leunden. De jongens zaten gehurkt in de schaduw van de minaret, de armen over hun schenen gevouwen. Willem III kwam overeind en stak Christiaan van B. zijn hand toe om hem overeind te trekken.

'Waar gaan we heen?'

'Ik ga je onzichtbaar maken. Kom maar mee.' Toen ook Christiaan rechtop stond, pauzeerde Drie een moment. 'Weet waar je aan begint, hè. Ken je *The Invisible Man*? Claude Rains, je weet wel, uit *Casablanca*, als Dr. Jack Griffin. Meester!'

Christiaan van B. had geen idee waar Drie het over had. Hij had niet de minste interesse in de slome, antieke films die zijn oudste vriend hem met de hardnekkigheid van een profeet door de strot bleef duwen. *Casablanca*? Het zei hem niets. Laat staat dat hij wist of wilde weten wie die meesterlijke Dr. Jack Griffin was. Zoals hij zonder te spieken niet kon reproduceren welke kleur Willems ogen hadden, zo ontgingen hem de details van Willems cinefilie. Zowel het zeegrijs van zijn irissen als het zwart-wit van zijn films waren zo vertrouwd dat Christiaans bewustzijn de schakeringen niet registreerde.

Chris en Drie kenden elkaar sinds hun kleutertijd. Vanaf de eerste dag dat ze op de École Maternelle bij elkaar in de klas kwamen, was hun vriendschap bezegeld. De magere, rossige Christiaan en de als kind al massieve, blonde Willem waren in het begin de enige Hollandse jongens en hadden beiden broers noch zussen. Maar van toen af aan hadden ze elkaar. Door hun permanente nabijheid, jarenlang hooguit door slaap onderbroken, was Christiaan in korte tijd getransformeerd van een schuchter jongetje dat zich nauwelijks buiten het zicht van zijn moeder durfde te begeven, tot een brutaal Kaasje wiens zelfverzekerdheid nog geruime tijd op schrille wijze met zijn fysiek contrasteerde. Als kind al was Willem III een kleine reus, zijn West-Friese genenpakket imponerend genoeg voor twee. Christiaans doorschijnend witte, gespikkelde huid, zijn rode krullen en magere kippenborstje waren een gemakkelijk mikpunt voor spot. Maar het nevelbeeld van Willems schonkige lijf dat steevast achter Chris opdoemde was voldoende om alle pesterijen in de kiem te smoren.

Toch was het niet alleen de wetenschap dat Drie hem in de rug dekte die Christiaan van B. het aura van overmoed verleende. Misschien wel belangrijker was dat Drie Chris geleerd had dat fysieke pijn niets was om bang van te zijn. Dat de intimiderende kracht die ervan uitging verdampte als je erom kon lachen. De jongens speelden steen-papier-schaar, waarbij de verliezer steeds een klap van de ander moest incasseren. Een tik met twee vingers op de onderarm als de schaar in het papier hapte. Een klets met de hele, vlakke hand als het papier zich om de rots vouwde. Een vuistslag op de bovenarm als de schaar bot ving op de rots. De eerste keer dat Drie zijn peuterknokkels grijnzend in Christiaans iele bovenarmpje dreef, welden de tranen al snel in Chris' ogen op. De klappen, tikken en stompen die hij zelf mocht uitdelen, leken Drie daarentegen niet te deren. Willem III schaterde het uit bij iedere oplawaai die hij incasseerde, wat Christiaan ertoe bewoog nog harder te slaan. Maar Drie bleef grijnzen en giechelen, alsof hij gekieteld werd, terwijl Chris de schokken pijnlijk op zijn eigen elleboog- en schoudergewrichten voelde breken. Dat je kon lachen om pijn, zelfs als de tranen van je wangen rolden, was een epifanie. Bij iedere klap die de jongens uitwisselden, raakte Chris' jongenslijfje er instinctief van doordrongen dat pijn geen objectieve sensatie was die uitsluitend in angst of verdriet moest resulteren, maar een zenuwprikkel die evengoed een ontlading van plezier kon veroorzaken en in staat was vriendschap te bestendigen. De blauwe plekken op zijn schouders en rode vingerstriemen op zijn onderarm vormden een maliënkolder waarin Christiaan van B. zich beschermd wist. Gehard door Drie's tedere vuisten ging hij geen knokpartij meer uit de weg. En toen het begon rond te zingen dat zelfs de kleine Kaas zich niet liet intimideren, durfde niemand ze nog uit te dagen.

Maar dat ze zich onschendbaar waanden, betekende niet dat ze het ook waren.

Jaren na hun eerste ontmoeting vonden ze in het verlaten fort een oud, Frans officierssabel. Ze ontdekten het toen ze met een olielampje op expeditie gingen in de schimmelig ruikende spelonken van het negentiende-eeuwse complex.

De lamp, weggegrist uit het keukentje van mevrouw Drie, openbaarde lange, trillende schaduwen in hun voetsporen, die abrupt oplosten in de duisternis. De kracht van het in glas gevangen vlammetje was te zwak om de enorme ruimtes te verlichten. In het bleke aura van de lamp bewogen ze zich dan ook als trage vuurvliegen door het donker. Toch weerkaatste het licht, zwak als het was, lang genoeg op het staal van de sabel om Christiaans oog te vangen. Hij stak zijn hand op en zei: 'Hé, wacht eens…'

De woestijncitadel was ruim twee eeuwen geleden gebouwd, met handgemaakte, zongedroogde klinkers van rivierklei uit het vruchtbare zuiden. Na de onafhankelijkheid waren de rode muren ten prooi gevallen aan de elementen. Het zand en de wind hadden de oude kalkvoegen aangetast. Sommige muren waren ingestort. Andere hielden wankel stand. Er scharrelden geiten op de oude appèlplaats. Op het platte dak van het hoofdgebouw hadden zich gieren genesteld, die met driftige slagen van hun versleten vleugels opstoven zodra een mens te dicht in de buurt kwam. Dat was in de voorbije decennia niet vaak voorgekomen. Een enkele geitenhoeder. Nieuwsgierige kinderen. De mannen die, zo werd gefluisterd, na zonsondergang in de donkerste spelonken van het fort bij elkaar kwamen om onuitsprekelijke dingen te doen. De meest begaanbare gangen waren bezaaid met verfrommelde tissues en proppen wc-papier.

De sabel lag ingeklemd tussen de rand van een brits en de muur. Inderhaast vergeten of misschien zelfs bewust achtergelaten door een jonge *sous-officier* die het ceremoniële wapen niet door de woestijn terug naar huis had willen sjouwen. Christiaan van B. knielde neer op de kale spiraalbodem, die krakend meegaf onder zijn gewicht. De stromatras die er ooit op had gelegen, was decennia geleden door woestijnjutters uit het dorp meegenomen. Net als al het andere dat op de rug van een kameel vervoerd kon worden. Alleen de sabel had zich al die jaren schuil weten te houden voor de gretige ogen van de dorpelingen. Van 'het zwaard', zoals Christiaan het ding koppig bleef aanduiden, was alleen de welving zichtbaar, die boven de rand van de brits stak, terwijl het handvat en de klink eronder aan het zicht werden onttrokken.

Het kostte de jongens nogal wat moeite het ding los te wrikken. Pas nadat ze de ijzeren dubbeldeksbrits aan één poot van de muur hadden getrokken, belandde het wapen met een indrukwekkende klap op de vloer.

'*Excalibur*,' fluisterde Drie eerbiedig.

'Wat?' vroeg Christiaan.

'Broer, het zwaard van King Arthur! *The Adventures of Sir Galahad!* 1949! Met George Reeves, de originele Superman!'

Christiaan negeerde, als altijd, de kennelijk ongecontroleerde erupties van cinefilie. Hij zakte door de knieën en hield de olielamp boven de duistere driehoek tussen het bed en de muur. Daar lag de sabel, volledig zichtbaar. Het dunne koperdraad waarmee de zwarte greep van het wapen was ingelegd gloeide warm op in het licht van het vlammetje. Het uiteinde van het gevest was versierd met een leeuwenkop waarvan de manen overliepen in een al even sierlijk bewerkte beschermingsbeugel. Aan de schede hing een koord, waaraan een granaatappelvormige bol was bevestigd. Christiaan pakte het wapen van de vloer en hield het in zijn vuist omhoog zodat Drie het kon bewonderen.

'Excalibur!'

Toen de eerste opwinding over hun vondst eenmaal was geluwd, besloten ze het zwaard opnieuw in het fort te verstoppen, bang als ze waren dat het geconfisqueerd werd als ze het in het dorp zouden tonen. Maar een dag later keerden ze naar hun verborgen schat terug, gewapend met twee pothelmen, beddenlakens, werkhandschoenen en kussens – alles gestolen – die ze met touw rond hun armen en bovenlichaam hadden gebonden. Het donzen kuras maakte het lastig onder de brits te komen waar het zwaard lag. Niettemin stonden ze even later met de sabel op de binnenplaats, in het brandpunt van de meedogenloze zon.

'Ik heb het ontdekt, dus ik mag het zwaard,' zei Christiaan van B.

Willem III deed een stap naar voren en griste het wapen uit Christiaans hand. 'Dacht het niet, broer. Ik ben de oudste.' Hij grinnikte. 'En de sterkste.'

Dat laatste moest Christiaan beamen. Het zwaard lag klemvast in Drie's hand; Christiaan zou gereedschap nodig hebben om daar iets aan te veranderen.

'Oké, jij het zwaard. Maar over vijf minuten mag ik.'

'Afgesproken, ridder Van B.'

Drie legde de sabel in het zand. Hij gespte het leren riempje onder zijn kin vast en vouwde het laken uit. Hij stak zijn hoofd door het gat dat hij eerder in het beddengoed had geknipt. De panden van de geïmproviseerde wapenrok vielen omlaag. Met rode menie had Drie in beide zijden bibberige kruisen aangebracht. Christiaan van B. had gepoogd een leeuw op zijn wapenrok te schilderen, maar ze vonden het resultaat meer lijken op een loensende mongool met een pluizenbol en een slappe mond waar rossig kwijl uitdroop. 'Zelfportret?' vroeg Drie op zalvende toon. Chris besloot de achterzijde maar onbeschilderd te laten.

Toen beide ridders hun wapenuitrusting op orde hadden, trok Drie de sabel en wierp Chris de schede toe. Die hief het als een zwaard. 'En garde!'

De jongens deden elk een stap naar voren en kruisten hun slagwapens, eerst tastend, maar de schuchtere tikjes veranderden al snel in enthousiaste klappen. Het botte snijvlak van de sabel sloeg lange rechte deukjes in het zachtere metaal van de schede. Iedere klap ontlokte een opwindend helder 'ping' aan het blank van de sabel.

'Mijn eer, ridder Van B, zal gewroken worden! Sir Galahad zal dit strijdtoneel alleen victorieus verlaten. *Death or glory!*'

'Eer? Sir Galahad, gij hebt geen eer. Gij fielt, gij eh… schobbejak! Hier, pak aan!'

Christiaan haalde uit met de schede. Het koord dat eraan hing maakte een zweepslag, waardoor de sierappel met kracht in zijn ballen zwiepte. Even stond hij roerloos. Tranen welden op in zijn ogen. Toen liet hij zijn wapen vallen en zakte met twee handen op zijn kruis door de knieën. Een delta van pijn sneed door zijn onderlichaam. Vanuit zijn kloten, die voelden alsof iemand er een roestige spijker doorheen had geslagen, verspreidde ze zich naar zijn liezen, onderbuik en perineum. Mollige druppels zweet rolden onder zijn helm vandaan en vermengden zich met zijn tranen, terwijl hij snikkend van het lachen riep: 'Fuck, broer. Ik denk dat een stamhouder er niet meer in zit voor ridder Van B.'

'Ongelukkige,' riep Drie grijnzend, 'verslagen door uw eigen zwaard. De schande die over uw huis komt is onuitwisbaar.'

'Ik wil jou weleens zien met dat l'klawi kutding. Nou mag ik het zwaard, broer.'

Toen de scherpte van de pijn iets was afgezwakt, kwam Christiaan van B. overeind om wankel zijn vechtpositie weer in te nemen. Anders dan de schede met zijn gevaarlijke sierappel lag de sabel comfortabel in de hand, het gewicht uitgekiend gebalanceerd, waardoor zijn pols als vanzelf elegante schermbewegingen maakte. Met lichte verwondering stond hij te kijken hoe de punt van de kling achtjes in de lucht schreef toen Drie een charge uitvoerde. In een reflex ving hij de verwoestende slag op met het plat van de sabel, die door de kracht van de inslag bijna uit zijn vuist werd gemept. Hij herpakte zich snel. De jongens draaiden om elkaar heen, bolle riddertjes met rood aangelopen koppen, terwijl ze een reeks van slagen uitwisselden. Christiaan van B. kon de zware houwen van zijn tegenstander ternauwernood pareren, moest zijn uiterste best doen om zich Drie van het lijf te houden. Die bleef op hem in hameren met zijn stompe, geïmproviseerde zwaard. Al na een paar slagenwisselingen voelde hij het melkzuur in de spieren van zijn rechterbovenarm bijten. Hij deed een stap naar achter om buiten het bereik van Drie te komen, maar Sir Galahad stapte naar voren om ridder Van B. een verpulverende dreun toe te brengen. Bij de inslag voelde Christiaan dat hij de energie niet meer had om zijn dekking te handhaven. De sabel sloeg omlaag en in één vloeiende, instinctieve beweging draaide Chris, voortgestuwd door de kinetiek van de inslag, om zijn eigen as terwijl hij met een brandende arm zijn wapen hief en toesloeg. Hij raakt Drie op de pols, precies op het reepje onbedekte huid tussen zijn handschoen en het kussen dat hij om zijn onderarm had gebonden. Willem III liet de gedeukte schede in het zand vallen en keek naar de zachtjes pulserende bloedbron die ridder Van B. in zijn pols had geslagen. Ook Christiaan liet zijn wapen vallen. 'Fuck...' stamelde hij. 'Fuck, Drie, gaat het? Jezus, broer, het spijt me. Ik had het zo... Fuck. Fuck.'

Een schaterlach verdreef het ongeloof van Dries gezicht. Het plezier welde op uit zijn borstkas om bulderend aan zijn opengesperde mond te ontsnappen. Het was volstrekt onbekommerd geluid, zonder schrille noten die op paniek of angst wezen.

'Fuck hé, broer. Doet het pijn?'

Drie proestte het uit, alsof dat een absurde suggestie was.

'Drie, doe normaal, man. Je bloedt.'

Christiaan liep naar Willem III. Met trillende adrenalinevingers gespte hij de gecraqueleerde sluiting van Dries helm los. Drie's haar kleefde in donkere strengen aan zijn schedel, zijn wapenrok doorweekt met zweet. Het bloed droop van zijn onderarm. De glimmende, zwarte snee voor in zijn pols begon heviger te bloeden toen Christiaan het touw losknoopte waarmee het kussen om Drie's arm was bevestigd.

'Het spijt me, broer. Het spijt me echt. Het ging per ongeluk.'

Drie bestudeerde de wond met een laconieke blik en grinnikte.

Christiaan schudde een kussen uit de sloop, scheurde een langwerpige reep van het bevlekte katoen en bond die strak rond Drie's pols. Vrijwel direct drong een bloedbloesem door het weefsel naar de oppervlakte. 'We moeten terug, broer. Dit gaat niet goed.'

Drie weigerde ondersteuning, duwde Christiaan gnuivend weg. Chris wierp de sabel, schede en helmen achter een acaciastruik die tegen de ruïneuze binnenplaatsmuur op woekerde, waarna de jongens hun strijdtoneel verlieten. 'Broer, gaat het?' vroeg Christiaan van B. om de honderd stappen. Willem III grijnsde bij wijze van antwoord. Maar toen ze tien minuten onderweg waren vertraagde zijn tred, tot zijn grijnslach van zijn aswitte, glimmende gezicht droop en hij hees van de dorst zei: 'Ik moet even zitten.' Hij zakte door zijn knieën en hurkte langs de kant van de weg; kin op de borst, de armen rond zijn benen gevouwen. De sloop om zijn pols was rood doordrenkt. Druppels bloed ploften in het zand. En toen hij na, wat was het, één minuut, twee, een eeuwigheid, niet meer overeind wilde komen, sloeg de paniek bij Christiaan toe. Hij was niet sterk genoeg om Drie's grote, inmiddels slap geworden lichaam naar het dorp te zeulen. En de gedachte hem hier alleen achter te laten om zelf de dokter te halen, vervulde hem met angst. Wat als Drie hier zou doodbloeden, of zou bezwijken onder de fluwelen mokerslagen van de zon? Hij kon hem niet achterlaten. Hij zou niet alleen de jongen zijn die zijn beste vriend had vermoord, maar ook de verrader die hem had achtergelaten om in eenzaamheid te sterven. Toch was een solo-expeditie naar het dorp Drie's enige kans op redding. Tenzij hij zo meteen zou opspringen om de sloop van zijn pols te rukken en 'geintje, broer!' te roepen. Alleen leek de kans daarop met de seconde kleiner te worden. De besluiteloosheid droop als lood in Christiaans klompen, waardoor hij alleen tot onmachtig geschuifel in staat was. Hij wreef met zijn handen over zijn gezicht. Het harde, droge leer – *fuck, hij droeg de werkhandschoenen nog* – schuurde over zijn wangen. Iedere voet die hij voor de ander wist te zetten was het begin van een beslissing waarvan hij de gevolgen niet kon overzien, de gevolgen van iedere stap die hij níét zette minstens zo verstrekkend. Maar juist toen Christiaan van B. aan zijn eigen gedraal leek te bezwijken, zag hij hoe aan de einder een kleine zandverstuiving werd opgeworpen, die allengs groter werd en na enige tijd de contouren van een autootje prijsgaf. In de steeds groter wordende stofwolk kwam een deux-chevaux aangereden, de groene lak gezandstraald door de woestijn en dof geworden door de zon. Het wagentje maakte een hees, pruttelend geluid en boog aan de rechtervoorzijde zo ver door dat de bumper en wielkast over de grond leken te schrapen. Christiaan van B. sprong overeind, beende de weg op en begon met gestrekte armen boven zijn hoofd naar de auto te zwaaien. De bestuurder leek hem desondanks niet te zien.

Christiaan van B. bewoog grinnikend twee vingers over Drie's pols en voelde het rif van littekenweefsel dat er als een permanent memento mori bovenop lag.

De zon stond hoog. De hitte deed de lucht trillen. Het dorp lag er verlaten bij. Wie niet per se buiten hoefde te zijn, zocht binnen beschutting tegen de verschroeiende warmte. Drie en Chris bewogen zich in de schaduw van de huizen door de smalle steegjes van het Arabische kwartier. Achter de gesloten luiken waren huiselijke geluiden hoorbaar: het gerinkel van glaswerk, de kreetjes van kinderen, hun kijvende moeders. De twee jongens slopen er onopgemerkt langs. Christiaan had geen idee waar Drie hem naartoe bracht, of hoe hij zijn belofte hem onzichtbaar te maken zou waarmaken. Hij volgde domweg de afdrukken die Drie's klompen in het zand achterlieten.

Plotseling hield Willem III halt. Grijnzend wees hij omhoog. Zoals overal was boven de steeg een waslijn gespannen. Er hingen zwarte stukken textiel aan.

'Wat dan?' vroeg Christiaan.

'Onzichtbaarheidsmantels,' antwoordde Drie. '*The Invisible Man*. Dr. Jack Griffin. 1933. Claude Rains. Ik doe geen loze beloftes. Geef mij eens een pootje.'

Christiaan ging hoofdschuddend tegen de muur staan en vouwde zijn handen tot een kom, die hij voor zijn kruis hield terwijl hij zijn rug kromde om zich schrap te zetten. Willem III schopte zijn klomp uit en plantte zijn voet in de geïmproviseerde stijgbeugel. Christiaan bezweek bijna onder het gewicht toen Drie van de grond loskwam en zich uitstrekte om twee kledingstukken een voor een van de lijn te plukken. Hij voelde hoe het vlechtwerk van zijn vingers onder de last uit elkaar werd getrokken toen Willem een afsprong maakte en met zijn van de lijn geroofde buit in het zand landde. Triomfantelijk hield hij de stukken stof omhoog. In zijn rechterhand een ravenzwarte hijaab, in zijn linker de bijpassende niqaab.

'De fok, broer?' zei Christiaan van B.
'Rennen, Invisible Man! Rénnen!'

# 6.

Het gebeier van de kerkklokken klonk schel en mechanisch. Hard ook. Het werkte Hans de Hollander op de zenuwen. Elke vrijdag opnieuw. Hij kon er niet aan wennen. De klokken die hij zich uit zijn jeugd herinnerde hadden een robuuste, warme klank gehad. Gebiedend maar geruststellend. Trillingen die bijna zichtbaar door de lucht golfden. Als kind was hij gefascineerd geweest door de wijze waarop de twee klokken in de kerktoren eerst gelijk sloegen, om vervolgens uit fase te lopen, elkaar ritmisch te verliezen in wonderlijke syncopen, waarna ten slotte de klepels weer als één sloegen.

Hier in het dorp klonk de enkele kerkklok met de ijzeren repetitie en eentonigheid van een elektrische wekker. Het had niets van de luie swing die de kerkklokken vroeger typeerde, niet de stroperige traagheid van de klepel die tussen brons heen en weer wordt geslingerd. Hier kwam de oproep ter kerke te gaan dan ook niet uit een klokkentoren, maar uit vier geluidsboxen op het dak van de Hollandse kerk; een voormalige loods, pal naast de moskee, die door de gelovigen als godshuis was ingericht en waar iedere vrijdag twee erediensten werden gehouden. Een onbekende had de luidsprekers ooit vernield, de kabels doorgesneden, de conussen ingetrapt, waarna broeder Van Galen op de smederij beschermende bekistingen van betonijzer had gemaakt, die nu als uitkijktorens in de hoeken van het platte dak stonden. *Heer, mijn rots, mijn vesting, mijn bevrijder, God, mijn steenrots, bij u kan ik schuilen, mijn schild, kracht die mij redt, mijn burcht, mijn toevlucht, mijn redder, u redt mij van het geweld.*

Sinds de kerkklok achter tralies zat, was-ie luider gaan klinken. De dominee had het volume van de geluidsinstallatie een streepje harder gezet, in de wetenschap dat de heidenen hun ergernis over het indringende geluid niet langer op de apparatuur konden botvieren. Nog altijd liepen de irritaties hoog op als het elektronisch gebeier een aanvang nam. Luiken werden met nadrukkelijk vertoon van woede dichtgeslagen en in de dorpsraad was er meermaals over gesproken: waarom moesten de Kazen zoveel kabaal maken? Hadden ze geen klokken of horloges waarop ze konden aflezen of het al tijd was om te bidden? Was dat vreselijke geluid geen lokaalvredebreuk, geen sonische exoot die geweerd moest worden om te voorkomen dat de rust en het eeuwenoude karakter van het dorp zouden worden aangetast? Maar Monsieur le Maire had die als vragen vermomde beschuldigingen resoluut terzijde geschoven. De Hollanders hadden recht op hun eigen religieuze gebruiken. Hoe eigenaardig die soms ook waren.

Hans sloot het bovenste knoopje van zijn boordloze overhemd, schikte met twee handen zijn ribfluwelen jasje en zette zijn klak op. Zijn vrouw Neel haalde de laatste ontbijtborden van tafel. Haar moeder, Mem, zat, als altijd gekleed op een zeventiende-eeuwse Hollandse winter, in haar versleten stoel; kin op de borst, ogen gesloten, haar mond over haar tandeloze onderkaak geplooid. Een streep wit licht viel door een van de luiken op haar schoot.

'Waar is Christiaan?' vroeg Hans. 'Straks komen we te laat. CHRIS!'

Er kwam geen antwoord. Hans beende met twee stappen naar de raamloze bedstede waar zijn zoon sliep en deed de deur open. Een warme stallucht rolde naar buiten. 'Chris, ben je zover?' Pas toen zijn ogen aan het donker waren gewend, zag Hans dat Christiaan in bed lag.

'Chris. Ben je aangekleed? Kom op jongen, de dominee wacht niet op ons.'

Christiaan van B. draaide zich kreunend om en zei: 'Vader,

alstublieft, laat me nou één keer liggen. Ik moet de hele week naar school. Ik ben altijd fokking moe als we naar de kerk zijn geweest. Ik moet examen doen dit jaar. Dan moet je fit zijn. Dat moet de Heer toch snappen?'

'De Heer snapt alles,' antwoordde Hans. 'Zelfs dat jij naar school moet en ik moet werken op de dag die Hij als rustdag heeft aangewezen. Maar Hij zal niet begrijpen dat jij liever in je nest blijft dan Hem te eren. *"Indien gij uw voet van de sabbat afkeert, van te doen uw lust op Mijn heilige dag..."'*

'Jezus, pa.'

'Jongen, toe, let op je woorden.'

'Elke keer als ik in mijn kerkkleren op school kom, word ik aangestaard alsof ik met een ruimteschip op het dorpsplein ben geland. *Aswad*, noemen ze me. Zwarte. Niemand die het in mijn gezicht durft te zeggen. Maar het gonst door de school. Aswad, aswad, aswad...'

'Precies daarom moet je mee. In het huis Gods zien wij elkaar allemaal in de genade van Zijn licht. Daar zijn we onder elkaar, telt alleen Zijn oordeel. Ik weet dat het moeilijk is, maar we mogen onszelf niet verliezen in het onbegrip van de Arabieren. Jij bent een Hollander. Een christen. Niet zwart, maar wit. Vergeet dat nooit. En schiet op nu. Kleed je aan. Was je gezicht. Kam je haren. Zorg dat je toonbaar bent voor Hem.'

Hans stak zijn hand uit naar zijn zoon. Christiaan zuchtte, legde zijn hand in die van zijn vader en liet zich overeind trekken.

Hij schoot in zijn zondagse goed. Zwarte broek. Zwart jakje. Wit hemd, waarvan het gesteven boordje schuurde in zijn hals. Moeder duwde hem een boterham in zijn handen. Hij rook er-aan. Alweer geitenkaas. In plakken gesneden, vermomd als bleke Gouda. Op het aanrecht stond een beker melk, ook van een geit, die Christiaan van B. in drie teugen leegdronk. Hij veegde zijn lippen af met de rug van zijn hand en liep naar de deur om zijn klompen aan te trekken.

'De duivel…' zei zijn grootmoeder toen hij haar passeerde.

'Wat zegt u, Mem?'

'De duivel.'

'Ik hoop niet dat u mij bedoelt. Ik weet het: Gij zult niet uit-slapen op de Dag des Heeren. Maar we zijn nog niet te laat. En het is de Dag des Heeren niet. Tenminste niet die van onze Heer.'

'De duivel, die Joost, slaapt nooit,' zei Mem, haar stem helder en hard als haar muisgrijze ogen. 'Heit heeft hem gezien, hè. In zijn eigenste persoon. Op volle zee. Hoe de duivel aan boord kwam, niemand wist het. Maar de kapitein, dat was een vrijmeson. En die verkopen hun ziel, hè. Heit stond in de kombuis. En de kapitein, die vrijmeson, beval hem twee maaltijden te bereiden. En twee flessen wijn open te maken. Niet één, hè, twee! De kapitein was op z'n kerkebest. Terwijl het een doordeweekse dag was, en geen dominee aan boord.'

Christiaan bewoog zijn wijsvinger achter zijn boord heen en weer. 'Die kapitein hield er vast van zichzelf een beetje te kwellen, Mem.'

'Niks!' bitste ze. 'Niks hoor! Toen Heit het eten en de wijn kwam brengen in de kajuit van de kaptein, zat daar een andere vent te-genover hem. Een lange, pikzwarte vent. En ogen, hè, ogen die brandden als gloeiende kolen. Heit voelde zich niks op zijn gemak. Nee, die twee die zaten zwijgend tegenover elkaar, de kapitein in zijn kerkebeste pak en die zwarte. Heit diende het eten op, sloeg gauw de kajuitdeur achter zich dicht en hoorde een gil. Een gíl! Heit ging voorzichtig kijken. Deur op een kier. Maar hij zag niks. De kapitein en die zwarte waren verdwenen. Maar op een van de patrijspoorten kleefde een paar druppeltjes bloed, hè. En het rook er naar zwavel. Toen wist Heit genoeg. De duivel, die Joost, heeft de kapitein gehaald. Dat was een vrijmeson. Die verkopen hun ziel.'

Mem leek niet door te hebben dat haar herinnering aan de ont-moeting van wijlen haar echtgenoot en 'die zwarte' vrijwel onop-gemerkt voorbij was gegaan aan al haar familieleden. Die moesten het verhaal al tientallen keren gehoord hebben. In betere tijden, toen er met Mem nog een gesprek mogelijk was, maar vooral ook sinds haar geest vertroebeld was geraakt en oude demonen zich er hadden genesteld. Hans had met zijn rug naar zijn schoonmoeder een sigaret gerold die hij zo meteen, als altijd, tijdens de trage wandeling naar de kerk zou oproken. Christiaan had wippend van de ene klomp op de andere zijn brood schrokkend opgegeten, terwijl Neel haar oude moeder een kapje op het hoofd had gezet en haar zwarte mantel van het haakje aan de muur had gehaald. De hele familie was opgehouden zich af te vragen wat *vrijmesons* in hemelsnaam waren. Al moest het iets heel zorgwekkends zijn.

'Kom,' zei Hans, 'de dominee wacht niet.'

Hij opende de deur van het huisje, dat zich met hel, wit zonlicht vulde. De Van Bestevaers, Hans, Neel en Christiaan, knepen de ogen tot spleetjes. Alleen Mem staarde in het zonlicht alsof ze het weg kon kijken. Neel trok haar met twee handen overeind uit haar fauteuil, een tot op de draad versleten zetel die nog uit Holland was meegekomen en aan het einde van de armleuningen kapok uitbraakte. Neel drapeerde de mantel om de smalle schouders van haar moeder en gaf haar een arm. Schuifelend stapte ze naar buiten. Hoewel de zon nog laag stond, was het al gemeen warm. Het mechanische gebeier klonk luider en scheller. De bewoners van de Johan Cruijffstraat die nog niet in de kerk zaten of onderweg waren, stapten op hun kerkebest naar buiten. Zwarte silhouetten die het licht absorbeerden. Hun klompen wierpen een springtij van stof op, terwijl ze over de onverharde weg naar het dorpsplein liepen. Ze klemden hun bijbels stevig tegen zich aan.

Hans stak zijn sjekkie aan, inhaleerde krachtig en grapte, terwijl hij de rook uit zijn mond liet ontsnappen: 'Kom op, Mem: wie het eerste bij de kerk is!' Hij haakte zijn arm in die van zijn schoonmoeder. Voetje voor voetje zetten ze zich in beweging, zo nu en dan een straatgenoot groetend.

Christiaan van B. sjokte er achteraan. Handen in de zakken,

hoofd stuurs gebogen. Dat hij iedere vrijdag tweemaal naar de kerk moest, was erg genoeg. Maar de trage wandeling die eraan voorafging maakte de kerkgang telkens tot een slepend corvee. Vader stond erop dat zij in gezinsverband ter kerke gingen. 'Stemt met de hemelkoren/het heilig feestlied in:/ook wij, ook wij behoren/ tot 's Vaders huisgezin.' Maar Christiaan vroeg zich af of de Heere het hem werkelijk kwalijk zou nemen als hij vlak voor aanvang van de viering zijn bed uit zou rollen en naar de kerk zou rennen. Hij had zich in een moment van hoogmoed zelfs weleens afgevraagd of de Heere het iets kon schelen als Christiaan de elektronische klok zou negeren, als hij zich nog eens zou omdraaien in het duister van zijn hete bedstee en zich weer af zou trekken bij de gedachte aan de naakte Layla – of althans: zoals hij vermoedde dat Layla er naakt uit zou zien. Had de Heere niets beters te doen dan presentielijsten bijhouden? Stond Hij werkelijk iedere sabbat als een nukkige conciërge op een klembord de absenties af te vinken? Luilakken en zondaars aan de linkerkant van de streep, zieken en invaliden zonder vervoer rechts? Werden de zandkaffers, heidenen tenslotte, iedere week opnieuw individueel geregistreerd? Of kwam je bij Hem pas in beeld als je was gedoopt? Het leek nogal een administratie. De Heere was alziend, Christiaan van B. had het vaak genoeg gehoord, Hem ontging niets. Maar zou Hij niet zo nu en dan een alziend oogje toeknijpen? Of domweg Zijn blik afwenden? Vermoedelijk wist Hij allang wie te Zijner tijd de rijkdom van Zijn genade mocht ervaren. En als het toch bekeken was, zou je gek zijn als je jezelf een ochtendje rukken zou ontzeggen.

Niettemin slofte Christiaan als iedere vrijdag door de stoffige straat naar de loods op het dorpsplein, dat gênante excuus voor een kerk. Zoals de Verlosser Zijn kruis droeg, zo torste hij de verwachtingen van zijn familie met zich mee. Dokter, zou hij worden. De eerste Van Bestevaer die niet op het land of op zee zou eindigen. Vader had zich alles behalve zijn sjekkies ontzegd om geld voor de studie opzij te kunnen leggen. Christiaan was de nooddeur waardoor de Van Bestevaers aan de beproevingen van het immigrantenleven zouden ontkomen. Het zou de familie te zijner tijd in staat stellen het dorp te verlaten. Er zou een huis in de stad zijn. Een artsenwoning, een tuin, met sinaasappelbomen, rozenstruiken en misschien een tuinhuisje waarin Hans en Neel hun oude dag konden slijten in nabijheid van hun kleinkinderen, die ze zouden leren hoe christen te zijn en Hollander te blijven in een vreemd land. Christen en Hollander. In die volgorde. Het waren de reddingsboeien waaraan ze zich vastklampten. De Heere zou vast Zijn schouders ophalen over een schaap dat zich eventjes aan de kudde onttrok, Hij had vast andere dingen aan Zijn hoofd. Maar vaders fundamenten zouden wankelen als Christiaan 's vrijdags toe zou geven aan het verlangen zich nog eens om te draaien.

•

De kerk was goeddeels vol toen de Van Bestevaers binnenkwamen. Achterin, bij de deur, waar zo nu en dan een zuchtje wind doorheen kwam, was geen plek meer vrij. Neel hielp Mem naar voren. Daar stonden nog twee onbezette, belendende klapstoelen. Hans wees zijn zoon op de lege bufferzetel tussen de Lindners en Van Dullemonds, die sinds mensenheugenis de schurft aan elkaar hadden (al wist niemand meer waarom) en elkaar bij de onvermijdelijke ontmoetingen binnen de kleine migrantengemeenschap zo veel mogelijk negeerden. Christiaan schuifelde in krabbengang langs de knieën van de Lindner-familie en nam zuchtend plaats, waarmee de laatste plek vergeven was. Hans liep naar achter en bleef naast de deur staan. Al snel was tegen de wanden ook geen plek meer vrij, zodat sommige gelovigen de dienst buiten moesten volgen, via de luidsprekers op het dak. Toen broeder Kavelaars de eerste akkoorden aansloeg op het orgel, een permanent ontstemd elektronisch apparaat dat ooit in een Hollandse huiskamer had gestaan, knielden zij in het zand en vouwden de handen.

Binnen liep dominee Van Neerbos naar het spreekgestoelte dat als kansel dienstdeed. Hij schikte zijn bef. Met zijn handen maande hij tot stilte. Toen er in de ovenhete kerk alleen nog geschuifel en gekuch te horen was, nam hij het woord: 'Gemeente, de eerste collecte is vandaag opnieuw ten behoeve van het luchtkoelingsapparaat. We hebben bijna voldoende ingezameld om tot aanschaf over te gaan, niettemin wil ik u aansporen, zo de beurs het toestaat, gul te geven, opdat wij de Heere God spoedig kunnen loven bij een temperatuur die meer in overeenstemming is met het Hemels Koninkrijk dan met de hel. Voorts zal de kerkenraad vrijdag, direct na het middaggebed bijeenkomen. Dit alles zo de Heer het wil en bij leven. Onze hulp en onze enige verwachting is in de naam van de Heer, die de hemel en de aarde, die trouw houdt tot in de eeuwigheid en die nooit laat varen de werken Zijner handen. Amen.'

Broeder Kavelaars sloeg opnieuw aan. Dronken akkoorden zwalkten door de ruimte. Een geluid dat nog ondraaglijker werd toen de gelovigen 'Een vaste burcht is onze God' aanhieven, op een toon die de Heer onmogelijk kon behagen. Als Hij naast alziend ook alhorend was, moesten de vrijdagen Hem een gruwel in de oren zijn. O, de offers die Hij zich getroostte!

Christiaan, gevangen tussen zuster Lindner en zuster Van Dullemond, die elkaar in volume en schrilheid probeerden af te troeven, kon de aandrang zijn gehoorgangen af te dekken met moeite bedwingen. De woorden van het lied rolden gedachteloos en monotoon uit zijn mond – 'Hoe ook de satan woedt, wij staan hem voet voor voet, wij tarten zijn geweld, zijn vonnis is geveld'. De boord van zijn hemd, nu al klam, schuurde in zijn hals. De geur van oud zweet. Prikkende ogen. Al zijn zintuigen raakten geïrriteerd. Het was alsof de Heilige Geest hem klaarstoomde voor de verlossing van de zalvende woorden die aanstonds van de kansel zouden komen. Dominee Van Neerbos had een amechtige toon van preken, zijn stem hoog, hees en vragend, zijn zinnen traag en aangeblazen. De oude baas was nooit aan het klimaat gewend geraakt en stond iedere sabbat te transpireren alsof de Dag des Oordeels was aangebroken. Wat hem er niet van weerhield minstens drie kwartier onafgebroken te preken. Hoogtijdagen als Kerstmis en Pasen uitgezonderd, greep de dominee doorgaans terug op het Bijbelboek Exodus. Er ging zelden een vrijdag voorbij waarin hij niet aan de kinderen Israëls en hun tocht uit 'Egypteland' refereerde. In zijn preken was Christus een kleine jongen die overschaduwd werd door de kolossale figuur van Mozes, met wie de dominee zich leek te identificeren. Ook Van Neerbos wilde zijn volk uit de woestijn leiden. Niet letterlijk natuurlijk. Bleek en dik als hij was kwam hij overdag zelden buiten, en alleen in de schaduw van een grote, zwarte paraplu. Iedere stap leek hem een bovenmenselijke inspanning te kosten. Hij zuchtte, steunde en jeremieerde. In zijn linkerhand hield hij permanent een zakdoek ter grootte van een kussensloop, waarmee hij zijn voorhoofd en de plooien in zijn nek depte. Het duurde nooit lang voor de lap grijs en klam als een dweil was. Het beloofde land dat dominee Van Neerbos zijn gemeente voorspiegelde lag dan ook niet aan de overzijde van de lange, hete woestijn maar in het Koninkrijk Gods.

Ook deze eredienst ging het weer over Mozes; hoe hij beschroomd zijn blik had afgewend toen de Heere in het brandende braambos aan hem verscheen. Hoe hij vreesde dat de kinderen Israëls hem niet zouden geloven als hij ze zou vertellen dat de God van Abraham, Izaäk en Jakob aan hem verschenen was. Dat was het moment waarop de woorden van de dominee vleugels kregen. Terwijl het zweet met dikke druppels over zijn gezicht gutste, ging hij, als om dichter bij God te komen, op zijn tenen staan, boog zich, voor zover zijn embonpoint het toeliet, over de kansel en sprak met luider wordende stem over Mozes' staf die als godsbewijs in een slang veranderde. Het was bepaald niet voor het eerst dat Christiaan het verhaal hoorde. Maar toen de dominee vertelde hoe de Heere Mozes opdroeg zijn hand in eigen boezem te steken, zag Christiaan voor zijn geestesoog in huiveringwekkend detail hoe

Mozes' hand misvormd en melaats uit zijn 'boezem' tevoorschijn kwam om even later weer tot een gezond exemplaar te transformeren. Door de beeldende woorden van de dominee verscheen God aan Christiaan als een lugubere goochelaar. Wat goedbeschouwd ook een wonder was.

'Neem van de wateren der rivier,' citeerde Van Neerbos de Schrift, vanzelfsprekend uit het blote hoofd, 'en giet ze op het droge; zo zullen de wateren die gij uit de rivier zult nemen, diezelve zullen tot bloed worden op het droge!'

Een slang, een misvormde hand, een plas bloed: de Heere had een macabere manier om Zichzelf kenbaar te maken. De dominee hief zijn rechterhand en priemde met zijn vinger in de lucht, terwijl hij zijn linker onderarm op de rand van het spreekgestoelte legde en zijn gewicht nog verder naar voren verplaatste. Hij hapte naar adem om zijn preek van brandstof te voorzien. Maar toen stokte zijn stem. Hij trok zijn wenkbrauwen op, keek de gemeenschap vragend aan en buitelde toen met kansel en al voorover. Met een dreun kwam hij neer op de lemen vloer. Het kruis aan de muur trilde.

Een moment was het doodstil in de kerk. Toen zette zuster Van Dullemond het op een krijsen. Waarna ook zuster Lindner een keel opzette, vanzelfsprekend harder en schriller dan zuster Van Dullemond, en ten slotte brak er een kakofonie van hysterische stemmen als een wolkbreuk los in het kerkje. Vooraan stonden broeder Remmerswaal en broeder Van Neck aan de zwarte toga van de dominee te sjorren, in een kennelijke poging hem van zijn buik op zijn rug te draaien, wat nog niet eenvoudig was. Aan weerszijden van de kerk renden andere mannen, onder wie vader Van Bestevaer, naar voren. Met vereende krachten lukte het de dominee op zijn rug te rollen. Wat het lastig maakte om bij de sluiting van Van Neerbos' befje te komen. Broeder Van Neck greep het aan de voorkant vast en probeerde het los te rukken. De kin van de dominee kwam omhoog en zijn hoofd viel achterover, maar de bef liet niet los.

De hele gemeente verdrong zich nu rond het roerloze lichaam. Vader en broeder Van Neck maanden de gemeenteleden met brede armgebaren afstand te nemen. Hun poging bleek niet opgewassen tegen de zijwaartse druk van de tientallen gelovigen die gedreven door schrik en nieuwsgierigheid tegelijk een blik wilden werpen op hun dominee. Pas toen broeder Gouzij en broeder Deeleman tegelijk over zijn lichaam buitelden en in het geval van broeder Gouzij boven op zijn omvangrijke buik terechtkwam, deinsden de gelovigen naar achteren. Vader Van Bestevaer maakte van de ontstane ruimte gebruik om zich over de dominee te buigen om te kijken of hij nog ademde. Toen dat niet het geval bleek legde hij zijn oor op Van Neerbos' borst, om vervolgens afwisselend zijn lippen op die van de dominee te drukken en hartmassage toe te passen. Zo abrupt als het rumoer in de kerk was losgebroken, zo abrupt hield het op. Met ingehouden adem keken de gelovigen toe hoe Hans van Bestevaer poogde de dominee nieuw leven in te blazen. Na tien eindeloze minuten, sloot hij met een tedere handbeweging Van Neerbos' ogen en zei: 'De dominee is dood.'

# 7.

Christiaan van B. had weleens gelezen dat het universum meer planeten telt dan er zandkorrels zijn op alle stranden ter wereld. Van het hemelse uitspansel had hij slechts een glimp opgevangen en het strand kende hij alleen van horen zeggen. Maar het zand was hem vertrouwd. Dat zat in zijn haar, in zijn klompen en in de plooien van zijn kieren. Het schuurde zijn witte huid, politoerde zijn nagels en deed zijn ogen regelmatig wateren. Dat iedere korrel die in zijn ooghoek waaide ergens in het oneindige heelal gespiegeld werd door een reusachtig hemellichaam, was zowel het bewijs van Gods grootheid als de bevestiging dat Hij geen enkele persoonlijke bemoeienis kon hebben met de nanoscopisch kleine levensvormen die op een van de zandkorrels samenklitten.

Dat Hij alleen op aarde de mens naar Zijn beeld had geschapen, was hoogst twijfelachtig. De Heere kon onmogelijk een spilzieke Schepper zijn die een woestijn aan planeten uit zijn hoge hoed toverde om op slechts één zandkorrel ruimte te maken voor zijn evenbeeld. Er moesten miljarden planeten zijn, die op hun beurt bevolkt waren met miljarden naar zijn beeld geschapenen. En dat Hij met elk onafhankelijke poliepje van dat onbevattelijk grote, intergalactische koraalrif een unieke band zou onderhouden was niet minder dan een *noekta*, een grap. Een hoogmóédige grap, bovendien. Absurd. Alsof een microbe, een van de honderdduizenden miljarden die we met ons meedragen, zich beriep op een warm, intiem contact met zijn menselijke gastheer. Het micro-organisme kon zijn drager onmogelijk kennen. En dat de mens uitgesproken opvattingen zou koesteren hoe een stafylokok of een onschuldige bifidobacterie zich moreel zou moeten gedragen, was minstens zo absurd. Niettemin had Christiaan van B. zich tijdens een slapeloze nacht in zijn hete bedstee weleens een voorstelling gemaakt van alle capriolen die zijn bacteriële flora zou uithalen om hem gunstig te stemmen. Hoe ze hun celwanden zouden bedekken om niet onzedig te lijken. Hoe ze bacteriële woordjes zouden prevelen in de hoop dat hij er een paar opving en zou antwoorden. Dat ze vroom zouden weigeren bepaalde voedingsstoffen tot zich te nemen omdat hem dat onwelgevallig zou zijn, en hij toornig of misschien zelfs wraakzuchtig op hen neer zou kijken als ze toch zo'n verboden pathogene of saprofytische vrucht tot zich zouden nemen. Hij zag microben met baarden, geschoren hoofden, hoedjes, gebedsmolens en lange jurken. Hij zag flagellerende bacillen, vastende spirillen, vibrio's in een boetekleed. Ja, hij was een god in het diepst van zijn gistende onderbuik.

En nu de niqaab en hijaab voor hem op het bed lagen, zag hij een bacterie die zich uit alle macht aan het zicht van zijn omgeving probeerde te onttrekken door juist de aandacht op zich te vestigen. Er waren in het dorp maar weinig vrouwen die in allesverhullende kleding de straat opgingen. Het was te warm voor de niqaab. Daarnaast hechtten de dorpsvrouwen te veel aan hun mondigheid; ze wilden onbelemmerd door om het even welk obstakel kunnen roddelen aan de toonbank van mevrouw El Boudifi of, belangrijker, de mannen hun vet geven als ze met zware oogleden en een trage tred van het theehuis naar de moskee liepen. Hun ogen mochten vuurspuwen, van hun lippen kon een nog veel heter gifgas rollen. Daar kon maar beter geen sluier voor hangen. De vrouwen die de gelaatsbedekking droegen, zogenaamd om in het aanzicht van Allah geen onzedige blikken van mannen uit te lokken, waren veelal jonge meisjes van wie iedereen vermoedde dat ze reden hadden om zich vromer voor te doen dan ze waren. Hun onzichtbaarheid had een nadrukkelijk exhibitionistisch karakter, dat de ergernis van andere dorpsbewoners opwekte. Net als de man die elke avond voor het slapengaan zijn voorhoofd met een stukje puimsteen opschuurde om te suggereren dat de geloofsijver waarmee hij voor Allah boog een fysiek spoor had nagelaten. Uiteindelijk was ieder openlijk vertoon van devotie een vorm van ijdelheid, een uiting van spirituele superioriteit. Zo God er al notie van nam, zag Hij dat het niet tot doel had Hem te eren maar om anderen te kleineren. De dorpelingen deden dan ook hun uiterste best dat vroom vertoon te negeren. Hoe hard de man met de gebedsvlek zijn voorhoofd ook opschuurde, niemand leek haar ooit op te merken. En de meisjes die volledig bedekt over straat gingen, waren als lucht. Er waren dorpelingen die voorwendden te schrikken als ze door een meisje in niqaab werden aangesproken. Die reageerden alsof een djinn zich vanuit het luchtledige tot hen richtte, keer op keer. De ergernis die daaruit voortvloeide bleef verborgen achter de sluier. Maar het plezier was er niet minder om. De meeste vrouwen verruilden de niqaab na verloop van tijd weer voor een gewone hoofddoek. Er was geen eer aan te behalen. Alleen de man met de gebedsvlek bleef zijn voorhoofd tot bloedens toe opschuren, in de ijdele hoop dat iemand hem zou herkennen als de trouwste dienaar van Allah, de meest barmhartige, de meest genadevolle, die het dorp kende.

Christiaan van B. opende de deur van zijn bedstee om een laatste keer te controleren of de kust veilig was. Vader was het aan het werk, moeder deed boodschappen en Mem zat met haar rug naar hem toe te soezen in vaders stoel. Christiaan duwde de deur verder open. Die piepte luider dan gebruikelijk. Althans, zo leek het. Mem richtte zich op in haar stoel. Haar stramme nek belemmerde haar over de rugleuning te kijken. 'Chris?' vroeg ze. 'Christiaan?'
 Christiaan glipte zijn slaapkamer uit. In drie passen was hij bij de voordeur, die hij met een snelle handbeweging net ver genoeg

opende om naar buiten te kunnen stappen. Langer dan vijf seconden had zijn aftocht niet geduurd. Maar aan de gil die Mem uitstootte moest hij afleiden dat-ie toch niet snel genoeg was geweest. Onwillekeurig haalde hij zijn schouders op. Niemand zou Mem geloven. Een gesluierde vrouw in de woonkamer, geloofde ze het zelf? Ja, het werd steeds gekker met Mem.

De zak waarin Christiaan van B. zich voortbewoog hing zwaar aan zijn lijf. Het zwarte textiel absorbeerde de zonnestralen, waardoor het al snel leek alsof hij zich in een heteluchtballon voortbewoog. Zijn eerste stappen buiten de deur waren aarzelend, overtuigd als hij ervan was dat alle ogen op hem gericht zouden zijn. Maar door het vizier van de niqaab, een nauwe sleuf die vrijwel al zijn perifere zicht blokkeerde, constateerde hij algauw dat het tegenoverstelde waar was. De dorpelingen, zowel Kazen als zandkaffers die hem tegemoet liepen, negeerden hem of wendden hun blikken zelfs af. En hoewel het zweet al over zijn rug parelde, werd zijn tred bij iedere stap lichter en verender. Willem iii had zijn belofte waargemaakt. De magische mantel werkte echt. Christiaan was een onzichtbare man geworden. Een nog net niet huppelende onzichtbare man. De kap op zijn hoofd en het beperkte zicht gaven hem het gevoel de wereld vanuit een geheime schuilplaats gade te slaan. Het was alsof hij in het volle zonlicht de beschutting van de nacht droeg. Verlost van de blikken van anderen keek hij gretig voor zich uit. Naar de drie jongetjes op de rug van een slome ezel, hun witte djellaba's tot hun dijen opgesjord, hun slofjes klepperend aan hun voeten. Naar de Hollandse vrouwen die, in de veronderstelling dat hij ze niet zou verstaan, met harde, honende zinnen zijn verschijning belachelijk maakten, zónder hem aan te kijken. Naar de harde gezichten van de mannen, gegroefd en gelooid door zon, zand, goedkope tabak en armoe. Hij loerde onbeschaamd naar de meisjes, die hun kleurige hoofddoeken koket op het achterhoofd droegen, waardoor hun lachende gezichten met glanzend zwart haar omkranst werden. Hij zag straathonden met gebogen koppen uit zijn blikveld wegglippen, met vlooien bedekte katten die zich uitrekten in de zon, geiten die op hoge hoefjes door het zand trippelden. De smalle opening in zijn gezichtsmasker, dat streepje licht in zijn zelfverkozen schaduw, deed hem met nieuwe ogen naar zijn geboortegrond kijken. Hij moest de neiging tot fluiten onderdrukken, hoewel zijn grijns, verborgen achter het textiel, het onmogelijk maakte de lippen te tuiten.

Bij het winkeltje van de El Boudifi's verstrakten zijn gezichtsspieren. Thuis had het nog een geweldig plan geleken, maar nu hij op het punt stond naar binnen te gaan, wist hij ineens niet meer zo zeker of zijn onzichtbaarheid zou standhouden. Aarzelend opende hij de deur. Hij maakte een snelle scan van de ruimte: gelukkig, hij was de enige klant. Hij liep de winkel in en schuifelde langs de schappen terwijl hij met een schuin oog de toonbank in de gaten probeerde te houden. De niqaab belemmerde hem het zicht. Hij wilde het vizier met twee handen opentrekken om even onbelemmerd te kunnen kijken, maar besefte dat hij zijn onzichtbaarheid daarmee zou compromitteren. Door het kralengordijn dat de winkel van de achterkamer scheidde, kwam een vrouwensilhouet tevoorschijn. Christiaan kon in de matte schemer van de ruimte niet onderscheiden of het Layla was of haar moeder. Dat ze geen enkele poging ondernam contact te maken, geen groet, geen knikje, niks, maakte het er niet gemakkelijk op. Kennelijk functioneerde de onzichtbaarheidsmantel nog optimaal. Christiaan schuifelde naar voren, in de richting van de vitrine met gekoelde dranken. Hij had de toonbank nu recht in het vizier. Zijn gezicht klaarde op in het duister toen hij in een enkele oogopslag zag dat zij het was. Zíj. Dat hij er zo-even nog aan getwijfeld had, kwam hem ineens krankzinnig voor. Hij opende de vitrine, baadde heel even in de verkwikkende kou die eruit rolde en pakte een flesje Pepsi, waarmee hij naar de wankele toonbank liep.

'500 dirham,' zei Layla, zonder hem aan te kijken.

'Heb je geen cola?' fluisterde Christiaan.

'Dat ís cola. En waarom fluister je? Ben je bang dat coladrinken haram is?'

'Zuster, ik heb keelpijn. En koude cola helpt, insjallah. Maar alleen echte cola, begrijp je.'

Layla snoof. 'Ik ben je zuster niet. En hier moet je het mee doen. 500 dirham.'

Achter zijn sluier grijnsde Christiaan al zijn tanden bloot. 'Wil jij het flesje openmaken en mijn niqaab even optillen?'

Layla draaide zich met een ruk om. 'Wát? Nee!' zei ze. 'Bekijk het. Til je eigen ding op.'

Christiaan moest hard op zijn onderlip bijten om niet in lachen uit te barsten. 'Ach, zuster,' fluisterde hij met geknepen stem, 'ik heb twee handen nodig om de niqaab tot boven mijn mond op te tillen. En ik heb zo'n keelpijn. Allah, de meest barmhartige, de meest genadevolle, zal je voor je naastenliefde belonen.'

Layla rolde met haar ogen en duwde het puntje van haar tong tegen haar onderlip. Ze opende het flesje. En trok met een vinnige beweging de schouderlange sluier omhoog. Voor het tot haar door kon dringen dat de kin die daarbij vrijkwam wit en behaard was, boog Christiaan zich voorover om Layla vol op haar mond te kussen. Hij greep de kruin van de kap en trok eraan, zodat zijn hele gezicht, tot vlak boven de wenkbrauwen zichtbaar werd. Layla plantte een hand op zijn borst en duwde hem met kracht van zich af. In een tel sprong ze achter de toonbank vandaan, klaar om dat gestoorde wijf een klap op haar gesluierde smoel te geven, toen ze recht in het gnuivende gezicht van Christiaan keek.

'Verrassing,' zei hij, niet langer fluisterend.

Layla keek schichtig over haar schouders. '*Hbil!*' hijgde ze. 'Idioot! Wat doe je? Hoe kom je aan dat… dat… díng?'

'De god van de liefde heeft het op mijn pad gebracht.'

'De god van de liefde… Je hebt het gejat, hè?'

Christiaan van B. stak zijn handpalmen in de lucht trok een gezicht dat onschuld moest uitdrukken.

'Je bent gek,' vervolgde Layla.

'Ik wil bij jou zijn. Da's toch niet zo raar?'

'Gék ben je! Wat als mijn vader of moeder…?'

'Nou,' zei Christiaan, 'dit.' Hij trok de niqaab weer over zijn gezicht, waardoor zijn triomfantelijk blik onopgemerkt bleef. Voor Layla kon antwoorden had hij het zwarte gordijn voor zijn gezicht weer opgetrokken. Hij kuste haar opnieuw. Zijn mond was droog, zijn lippen gebarsten, een film van glimmend zweet bedekte zijn gezicht. Hij laafde zich aan haar koele, vochtige tong.

Layla maakte zich van Christiaan los. 'Chris, dit is echt niet goed.'

'Wat? Je vader?'

'Babba is in het dorp, met mama. Dus dat is het niet. Nee, het is voor het eerst dat ik mij zóndig voel als ik je kus. Het lijkt net alsof ik met een meisje sta te zoenen. Een geslúíerd meisje. En dat Hij…' Ze knikte omhoog. 'En dat Hij met gefronste blik staat toe te kijken.'

Christiaan trok zijn wenkbrauwen op. 'Tja, *he loves to watch, doesn't he?* Ouwe gluurder.'

'Christiaan!' Layla deed een stap naar achteren. 'Je maakt het alleen maar erger.'

Christiaan greep haar polsen en trok haar naar zich toe. 'Doe gewoon je ogen dicht. Dan verdwijnt dat meisje vanzelf. En Allah misschien ook wel.'

Layla sloot haar ogen. Ze leunde in Christiaans omhelzing, vergat de niqaab en het alziend oog en kreeg de klant pas in de gaten toen het te laat was. Dat het een Hollandse vrouw was die de winkeldeur verontwaardigd achter zich dichtsmeet, zorgde ervoor dat de paniek van korte duur was.

# 8.

Het beeldscherm nam bijna een hele wand in beslag; een venster dat uitzicht gaf op andere werelden of een inktzwarte nacht. Aan of uit, Willem III keek nog iedere dag naar de reusachtige televisie, met afstand de grootste in het dorp, en de almaar uitdijende verzameling dvd's. Minstens een keer per week kwam de postbode nieuwe exemplaren brengen.

'Broer, moet je zien: *Creature from the Black Lagoon*,' zei Willem III, terwijl hij een dvd-hoesje omhooghield. Er stond een overbelichte zwart-witfoto op van een vent met een masker. Hij had een brede mond, diepliggende ogen en rafelige, kieuwachtige uitstulpingen aan weerszijden van zijn monsterlijke kop. 'Stukje kijken voor we gaan?'

Christiaan van B. haalde zijn schouders op. Hoe hard Willem III ook zijn best deed hem te enthousiasmeren voor die ouwe kutfilms, hij begreep nog altijd niet waarom zijn vriend ieder vrij uur doorbracht voor dat scherm. In bijna alle Kaasgezinnen werd een belangrijk deel van de leefruimte ingenomen door kasten van televisies, vaak nog voorzien van een kathodestraalbuis, die op satellietschotels waren aangesloten. Daarmee werd een directe straalverbinding met het natte vaderland onderhouden. Van 's ochtends vroeg tot 's avonds laat projecteerden de schermen onophoudelijk een caleidoscopische stroom beelden de huisjes in. Vrolijke spelshows als *Ik houd van Nederland*', waarin hoogblonde koppels met uit wit marmer gehouwen gebitten en een vertoon van moedeloos makende monterheid ouderwetse kinderliedjes zongen en spelletjes speelden, alsof niet minstens de helft van dat geliefde Holland een onbewoonbaar moeras was. Maar ook regionale journaals als het populaire *Hart van Holland*, dat stof leverde voor onderonsjes rond de waterput. Dankzij het programma werd er op het dorpsplein, in de schaduw van de minaret, regelmatig gesproken over bakfietsongelukken in Lemmer of poezen die door de vrijwillige brandweer van Spierdijk uit een boom waren gered. Wat er zich in hun eigen dorp afspeelde, lag goeddeels buiten het blikveld van de Hollandse gemeenschap. Buiten de dorpsgrens was het helemaal onbekend terrein. Maar van de onbeduidendste wederwaardigheden uit Holland bleef iedereen van uur tot uur op de hoogte.

Alleen de moeder van Willem iii kon niet altijd meepraten. Haar zoon had belangstelling voor *Ik houd van Nederland* noch *Hart van Holland* en, ernstiger, het formidabele tv-scherm helemaal uit eigen zak bekostigd. Hij was dan ook stellig van mening dat hij, en hij alleen, zeggenschap had over wat erop bekeken werd. In casu: ouwe kutfilms.

Laatst had Willem Christiaan gedwongen ruim een uur lang naar een bijna honderd jaar oude, Duitse film te kijken. *Der Golem.* Christiaan had zich bij die gelegenheid vrolijk gemaakt over het feit dat het een stomme film was, terwijl Willem iii over een vijfdelige surround sound-geluidsinstallatie beschikte. Maar al snel had hij zich verveeld achterover laten vallen op de versleten sofa, terwijl Willem filmencyclopedische weetjes bleef afvuren op niemand in het bijzonder en Willems moeder schuifelend uit het keukentje kwam om oudbakken chips en prikloze frisdrank te serveren.

'Een film zonder geluid,' had Christiaan smalend geconstateerd. 'In zwart-wit. Van een kopie die eruitziet alsof er een paar *panzer*-divisies overheen zijn gereden. Met een kleipoppetje in de hoofdrol. Ik bedoel, Drie: *really*? Zelfs voor jouw doen is dit een debiele film.'

Willem had er niets van willen weten. 'Debiel? Armzalige! Dit is meester, man, echt meester!' Dat epitheton ging op voor alle films in zijn collectie, Willem sprak het niettemin elke keer uit alsof het voor het eerst van zijn lippen rolde, en alleen voor deze specifieke film. '*Der Golem*. Broer, *Der Golem!* Dat is niet zomaar een film, dat is een... een... kathedraal, een... een piramide. Een mijlpaal uit de filmgeschiedenis. We kijken een eeuw terug in de tijd, broer. Naar een van de eerste horrorfilms ooit. Het is tijdreizen. Kijk, televisie is normaal een zwart gat, dat alle energie, verbeelding en intelligentie opzuigt; maar als je een film als *Der Golem* opzet, wordt dat zwarte gat een gateway naar een andere dimensie, broer. Ik zeg het je. Dan word je naar een andere tijd en een ander land getransporteerd. Echt meester.'

Christiaan vermoedde dat zwarte gaten niet als tijdmachines fungeerden en Willem zijn kennis over astronomische fenomenen ontleende aan een of andere Amerikaanse sciencefictionfilm uit de vroege jaren vijftig, waarin de maan bewoond wordt door halfnaakte vrouwen – en die vanzelfsprekend meester was. Willem III was van de wereld. En niet alleen vanwege de hasj die hij onophoudelijk rookte.

'Kom, broer. Laten we een halfuurtje *Creature of the Black Lagoon* uitchecken,' vervolgde Willem III. 'Gaat over een amfibisch monster dat door wetenschappers uit een lagune wordt opgedregd...'

'Een zwárte lagune, gok ik,' verzuchtte Christiaan van B.

'Jij snapt het, broer! Enne... dan wordt dat monster dus verliefd op een vrouwelijke wetenschapper. Echt meester!'

'Luister broer, we hebben helemaal geen tijd om *creatures* te checken. We moeten gaan.'

Willem III wierp een blik door het echte raam en zei: '*Easy, rider*. Het schemert, het is te licht. We hebben nog wel even. Checken we een klein stukje, oké?'

'Broer, toe… Als we aankomen is het donker. Ik heb geen zin om als een Kaas-*ja charfa* op de bank te hangen. *Let's go.* Dan kan je arme moeder nu even wat normaals kijken op dat zwarte gat van je. En als we terug zijn ligt die *blue lagoon* op je te wachten.'

'*Black!*'

'Wat?'

'*Black* lagoon. Niet blue.'

'Sorry broer, ik ben kleurendoof. Kunnen nu we alsjeblieft gaan?'

•

De ondergaande zon bedekt de bergen met een streepdun laagje helwit licht. Het is een kwestie van seconden voor ze definitief onder is. Er golft kou het dal in. De maan en de helderste sterren zijn al zichtbaar. De vleermuizen dansen hun grillige, besluiteloze choreografie. Het dorp is uitgestorven. Blauw schijnsel sijpelt door de kieren van de gesloten luiken. Willem III draagt nieuwe klompen. De verse laklaag weerkaatst de laatste scherven zon. Willems moeder heeft ze gekocht. In de medina. Bij de klompensteker die met zijn mobiele draaibank de markten afgaat in dorpen waar Hollanders wonen. Goedkoop is het niet. Maar een mens moet toch klompen hebben.

Willems klompen klossen bij iedere stap dof in het zand. Christiaan van B. draagt sneakers. Die hoor je niet. In de verte slaat een hond aan, een keffertje. Een andere hond blaft terug; een hees, stotend geluid. Aan weerszijde van het dorp, althans, zo klinkt het, reageert een derde, zachtjes, maar duidelijk hoorbaar.

'Tyfushonden,' zegt Willem III. 'Ik haat ze. Ik ben 's avonds altijd bang dat ze loslopen. Overdag kan je ze zien aankomen. Kan je ze met een stok van je afslaan. Of een steen gooien. Maar 's avonds bijten ze je kloten eraf voor je d'r erg in hebt.'

'Moet je wel kloten hebben,' sneert Christiaan.

'Broer, ik heb kloten als meloenen!'
'Pff, kikkererwten. Zachte, week gekookte kikkererwtjes.'

Als ze aankomen is het donker als de zwarte lagune. De contouren van de fabriek tekenen ondanks de duisternis scherp af tegen de nachtblauwe hemel. Er staat een manshoog hek omheen, afgezet met krullen prikkeldraad. Geroutineerd lopen Willem III en Christiaan van B. naar de toegangspoort, die met een zware ketting en een hangslot is afgesloten.

'Zie je,' zegt Willem III, 'te vroeg.'

Hij leunt ruggelings tegen het hek. De schakels van de afrastering rinkelen als een kerstliedje. Dan springt, uit het niets, een grauwende, hees blaffende herder, oren in de nek, tanden ontbloot, tegen de omheining omhoog. Voor Willem kan wegduiken, voelt hij de nagels van de hondenpoot op zijn schouderblad. De herder blijft tegen het hek springen, als een bokser die door een onzichtbare scheidsrechter bij zijn opponent wordt weggeduwd.

Christiaan schiet in de lach. 'Kikkererwten. Ik zei toch?!'

'Hou je bek, man,' snauwt Willem met een bijna onhoorbaar trillertje in zijn stem. 'Tyfushond! Af, kuthond, ga af!'

Willem begint te sissen, in een onbeholpen poging de hond tot kalmte te manen. 'Sssst! Sssssst!' Het beest begint nu echt hysterisch, met overslaande blaf te blaffen. 'Houd je bek!'

In de fabriek gaat een deur open. Een dik silhouet in de opening werpt een slanke schaduw in het tl-licht dat naar buiten valt. Als een clown op flapschoenen waggelt hij naar de poort toe, terwijl hij sussende woorden tegen de hond mompelt. De man draagt een militair ogend uniform, met een gebiesde broek die om zijn korte benen spant. Op zijn hoofd een officierspet met een glimmende, zwarte klep. Het geeft hem het voorkomen van een garnizoenscommandant. In werkelijkheid geeft de nachtwaker alleen leiding aan zijn hond. En zelfs dat gaat niet vanzelf. In zijn linkerhand draagt hij een baksteenvormig object, omwikkeld met papier, in zijn rechter een enorme zaklamp waarmee hij in de gezichten van de jongens schijnt. Christiaan van B. wendt zijn hoofd af en steekt zijn handen op.

'Soufiane! Souf, broer, doe die l'klawi lamp omlaag, man!'

De nachtwaker haalt zijn schouders op en wijst de lichtbundel naar de grond. Bij de toegangspoort laat hij de lamp in zijn broekzak glijden, waardoor de helft van zijn pafferige gezicht van onder beschenen wordt.

'Woeh! Der Golem!' grapt Christiaan van B.

Soufiane kijkt op. 'Wat?!'

'Niks broer, niks.' Christiaan lacht. Hij wisselt een steelse blik met Willem iii. 'Doe nou maar open.'

De nachtwaker steekt zijn linkerhand in zijn vrije broekzak en haalt een sleutelbos tevoorschijn. De hond staat grauwend aan het hek, krult zijn bovenlip op om zijn tanden te ontbloten. Soufiane klemt het in papier gewikkeld pakket tussen bovenarm en borst als hij zich vooroverbuigt om het hangslot te openen en de ketting los te maken. Maar voor hij de toegangspoort kan openen, trekt Willem iii hem naar zich toe.

'Souf. De hond. Pak de hond!'

De nachtwaker grinnikt; een droog, raspend geluid. Alsof hij in etappes zijn neus ophaalt. Ggggg… ggg…ggg.

'Hollandse held,' sneert hij. Hij grijpt de herder bij zijn halsband, trekt met zijn vrije hand de poortdeur naar zich toe. De hond springt op, Soufiane raakt uit balans, kan ternauwernood zijn evenwicht bewaren. De lamp glipt uit zijn broekzak, het pakketje komt los uit de omklemming van zijn bovenarm. Beide ploffen in het zand.

Christaan van B. giert het uit. 'Souf! Broer! Je bent echt de lachwekkendste crimineel die ik ooit heb gezien.'

'Wat?' zegt de nachtwaker. 'Wát zeg je?!'

'Dat je niet in de wieg gelegd bent voor de misdaad. Je moeder mag trots op je zijn.'

'*Tabon jmak!* Waarom begin je over mijn moeder, Kaas? Waarom zeg jij dat ik een crimineel ben? Jullie buitenlanders zijn criminelen, allemaal! Ik ben een eerzame nachtwaker. Hier, kijk naar mijn uniform!'

Soufiane trekt met duim en wijsvinger een plooi in het borstpand van zijn jasje, en kijkt de twee Kazen uitdagend aan. 'Wat nou crimineel?'

Christiaan toont zijn handpalmen. 'Heel indrukwekkend, broer, ik kan niet anders zeggen. Maar wat zit er in dat pak?'

'*Wollah*,' zegt de nachtwaker, 'hoe moet ik dat weten? Er zit papier omheen. Ik kan niet door papier kijken. Ik weet niks van dat pakje. Allah mag weten wat er inzit. Mijn zaken zijn het niet. Maar ik begrijp dat jullie geen verdacht pakketje van een *mojrim* willen aannemen. Ga ik weer naar binnen. Even goede vrienden.' Hij duwt het hek dicht, laat de hond los, pakt in één soepele beweging die contrasteert met zijn postuur zowel de zaklamp als het pakket uit het zand en draait zich om. Zijn rug zichtbaar rechter dan toen hij naar buiten kwam, maakt hij aanstalten op zijn schreden terug te keren. Ook de herder heeft ineens geen interesse meer voor de twee Hollanders aan de andere kant van het hek.

'Souf. Soooooooufiane. Soufie.' Christiaans stem klinkt zacht en wenkend, alsof hij een angstig poesje uit de boom wil lokken. Dan, bars en hard: 'SOUF!'

De nachtwaker draait zich om. Ziet de waaier van bankbiljetten waarmee die kutkaas zich koelte toewuift. In twee passen is hij bij het hek. Hij opent de poort, grist het geld uit Christiaans handen en duwt hem het pakket in handen. '*Alkalb*, kom!' snauwt hij tegen de hond, alvorens weg te benen naar de fabriek. De deur valt met een machtige dreun in het slot.

Christiaan van B. brengt het pak naar zijn neus en snuift. Aaah, versgeperste hasjiesj!

Willem III gnuift. 'Broer, dat was meester. Echt meester. L'klawi zandkaffer. Met z'n tyfushond.'

87

·

Door de kleine, geblindeerde ramen van het theehuis is een vuil-geel schijnsel zichtbaar. Christiaan van B. en Willem III lopen erop af, langs de bruine motorfiets die tegen de gevel geparkeerd staat, recht naar de voordeur. Dridi wil dat ze langs achteren komen, hij heeft het al tientallen keren bevolen; aanvankelijk op neutrale toon, daarna op een boze en inmiddels met de hardnekkige gela-tenheid van iemand die niet kan accepteren dat er toch niet naar hem wordt geluisterd.

Christiaan van B. vindt het onzin, die achterdeur. Is het veiliger? Wekken twee jonge Kazen die na sluitingstijd via de achterdeur binnenkomen juist niet méér argwaan? Bovendien: ze zijn toch geen personeel? Ontvangt hij zijn theeleverancier ook niet aan de achterdeur? De koffiehandelaar? De dadelboer?

Christiaan grijpt de deurklink en rukt eraan. Op slot. Hij klopt, eerst met zijn knokkels, dan bonst hij met de zijkant van zijn vuist.

'Achterom!' gebiedt Dridi's gedempte stem aan de andere kant van de deur.

Christiaan geeft nog een ruk aan de klink. 'Dridi, doe open man.'

'Achteróm!'

'Dridi, broer, als je ons niet binnenlaat maken we zoveel kabaal dat het hele dorp komt kijken, begrijp je?'

Willem III grijnst, roffelt met twee vuisten op de deur. 'HEEEEERE'S JOHNNY!'

'Doe normaal, zemmel!'

'Doe dan open, klootzak.'

Er klinkt gemorrel aan het slot. Een grendel wordt met een harde tik verschoven, waarna de deur openzwiept, Dridi zijn hoofd naar buiten steekt en, als hij heeft vastgesteld dat de kust veilig is, de twee jonge Kazen met afgemeten armgebaren naar binnen dirigeert. '*Yalla! Yalla!*'

Het theehuis wordt verlicht door een enkel, kaal peertje dat als een zelfmoordenaar aan het gestucte plafond hangt. De stoelen staan op de tafels. Aan de muur het staatsieportret van de koning, dat in alle openbare gebouwen hangt. De jonge vorst, poserend in een militair operette-uniform vol gouden tressen, epauletten en versierselen, lijkt Christiaan van B. beschuldigend aan te kijken.

Alsof-ie het weet.

Christiaan wendt zijn ogen af en loopt routineus door naar de achterkamer. Dridi moppert nog altijd. 'Hoeveel moeite kost het nou om via de achterdeur te komen? En hoe vaak moet ik dat nog vragen. Alhamdoelillah, was ik jullie vader, dan had ik jullie ervan langs gegeven. Tfoe! Respectloze stinkkazen.'

Christiaan schuift het gordijn opzij dat de achterkamer van het theehuis scheidt. Hij laat de rugzak van zijn schouders glijden, trekt een stoel onder een van de tafels vandaan en gaat zitten. 'Als ik jou was, Dridi, zou ik bij mijn vader langsgaan om je beklag te doen. "Jouw onopgevoede zoon weigert achterom te komen als hij de uit jouw fabriek gestolen hasjiesj komt afleveren." Dat zal ons leren, denk je ook niet?'

Dridi rolt met zijn ogen en strekt zijn handen ten hemel. 'Alhamdoelillah!'

Christiaan van B. legt zijn voeten op tafel. 'Krijgen we geen thee? Dit is toch een theehuis?'

'Donder op,' snauwt Dridi. 'Heb je handel of niet?'

Christiaan opent zijn rugzak, haalt het pakket tevoorschijn en sjoelt het over tafel naar Dridi. Met de gretigheid van een kind dat een verjaardagscadeautje uitpakt, scheurt Dridi het vale pakpapier los. Hij wiegt het goudbruine tablet in zijn uitgestrekte handen, brengt het naar zijn neus en snuift. 'Aaaah, koninklijke hasjiesj.'

Onwillekeurig kijkt Christiaan van B. naar het staatsieportret. De hasjiesj is gestempeld met het zegel van de vorst. De gekroonde Atlasleeuw, daaronder twee gekruiste kromzwaarden en de nauwelijks leesbare tekst *In Tansourou Allaha Yansourkoum*: Als gij Allah vereert, vereert Allah u.

Het wapen geldt als verbodsbord. De hasjiesj is voor hen die Allah niet vereren. Voor de buitenlanders. De ongelovigen. Geen onderdaan mag het aanraken. En juist daarom is de koninklijke hasjiesj zo populair bij Dridi's gasten. Die dichten het bijna mythische kwaliteiten toe. Zowel de smaak als de roes zouden onvergelijkbaar zijn met ordinaire huis-tuin-en-keukenkif. Klanten betalen er grif het dubbele voor. Als ze het zich kunnen veroorloven.

De koninklijke hasjiesj wordt aan tafel bereid. Dridi serveert het hele tablet, of wat er op dat moment nog van over is, op een zilverkleurige schaal. Als de klant het zegel heeft geïnspecteerd, snijdt Dridi met een verhit mes een stukje af, dat ter plekke wordt gewogen en vervolgens in de meest rijkversierde waterpijp wordt opgediend. De gasten mompelen er goedkeurend bij, soms klinkt er zelfs applaus. Het is een delicatesse waar mannen van ver buiten de dorpsgrens op afkomen. Wie ervan weet, zwijgt erover. Want hoewel de koninklijke hasjiesj altijd in gezelschap wordt genoten, net als gewone kif, luidt het spreekwoord: te veel monden doven de pijp. Bovendien laat de kroon niet met zijn verboden spotten. Er is alle reden voor discretie.

Dridi schuift een gevulde envelop over tafel, die Willem achteloos en zonder na te tellen in zijn zak steekt.

'Moet je niet controleren?'

'Dridi, broer, kom op. Je bent een godvruchtig mens, een gerespecteerd zakenman, een pijler waarop de gemeenschap rust. Als ik jou niet kan vertrouwen, wie in de Profeets naam dan wel?'

Dridi kijkt hem ernstig aan. 'Luister, Chris,' zegt hij, 'ik heb meer nodig. Dit...' hij tikt met drie vingers op de vette hasj, '... is er binnen een week doorheen. Ik moet steeds vaker gasten teleurstellen.'

De jonge Kaas haalt z'n schouders op. 'Kom kom, broer, niet

zo inhalig. "De boze neemt, door hebzucht aangedreven," zeg ik altijd maar.'

Willem III, die de woorden uit Psalm 37 herkent, grijnst.

'Weet je,' vervolgt Christiaan van B., 'het is te gevaarlijk. Eén plak hasjiesj missen ze niet. Twee is misschien ook geen probleem. Maar er komt onvermijdelijk een moment dat je er een te veel meeneemt. En dan heb je geen hasj maar stront, broer. Ik zeg het je. Stront.'

'Ik bied je meer geld.'

'Dan vragen we kennelijk te weinig.'

'Vraag wat je wilt.'

'Een kop thee.'

'Ik zet de ketel op het vuur!'

'Entree door de voordeur.'

'Alsof jullie ooit via de achterdeur zijn gekomen, verdomde Kaas!'

'Vijftig procent erbij.'

'Twintig!'

'Veertig!'

'Dertig!'

'Deal!'

'En je motor.'

'Wat?'

'Je motor, broer. Ik wil je motor.'

'*It's real hard to be free when you are bought and sold in the marketplace,*' mompelt Willem III tegen niemand in het bijzonder.

'Je wilt mijn motorfiets? Allah heeft je met dwaasheid geslagen! Je kan mijn kloten kussen.'

'Bedankt voor het verleidelijke aanbod, maar ik zie er toch van-af. Ik wil je motor.'

'Sahib, waarom? Die motorfiets is een oud wijf. Het zand kraakt tussen haar ketting. Ze zucht en kreunt als je haar bestijgt. Ze laat zich alleen met geweld aantrappen. Waarom, sahib, waarom wil een jonge vent als jij per se zo'n ouwe fiets?'

Sahib. Pff, het zou wat. Christiaan ergert zich aan de vanzelf-sprekendheid waarmee de baas van het theehuis hem ineens vriend noemt. Dridi is geen vriend. Hij heeft een hekel aan Kazen en maakt daar geen geheim van. Toen ze kleiner waren en weleens voor de deur van het theehuis voetbalden, kwam Dridi vaak naar buiten om ze met gebalde vuist weg te jagen – Yalla! Yalla!

Autochtone dorpsjongens mochten er ongehinderd dribbelen, passen, koppen, ja, zelfs streepharde penalty's nemen, Christiaan is het niet vergeten. Maar kwam de speler uit de Johan Cruijffstraat, dan was een tikkie terug op zijn erf voldoende om Dridi in woede te doen ontsteken. Daarbij was hij kwistig met het k-woord.

Bij een van die aanvaringen voor het theehuis was het Christiaan plotseling duidelijk geworden dat het niet zomaar een beledi-ging was, maar een specifieke. Van het ene op het andere moment drong het tot hem door dat er een kloof gaapte tussen Kazen en niet-Kazen. Dat hij 'de ander' was.

Christiaans wereld was altijd diffuus geweest, al had hij daar nooit bij stilgestaan; een caleidoscopische biotoop vol grote en kleinere, maar vooral vanzelfsprekende verschillen in taal, kleding, huidskleur en gewoontes. Hij had rossig haar, dat van Willem III was goudbruin. Christiaans huid was wit en royaal besprenkeld met donkere sproeten. Mimoun, zijn vriendje in de kleuterklas, was lichtbruin, behalve op de plekken waar een pigmentziekte wit-te verkleuringen veroorzaakte. In veel opzichten verschilde Chris-tiaan fysiek meer van de boomlange Willem dan van Mimoun, die net als Chris klein van stuk was. Toch werd Willem ook een Kaas genoemd en Mimoun beslist niet. Kennelijk was er een stil-zwijgende afspraak, waarbij sommige, ogenschijnlijk willekeurige verschillen onopgemerkt bleven en andere juist beslissend waren. Alsof er enkele eigenschappen waren die alle andere aan het oog konden onttrekken. De kameel die de dromedaris niet als gelijke ziet. Het bonte paard dat bij de schimmel alleen het ontbreken van vlekken waarneemt. De woestijnparelmoervlinder die met een grote boog om de atalanta heen vliegt omdat hij hem niet als soortgenoot herkent. Zoiets.

Vader Hans had Christiaan vanaf zijn prilste jeugd verteld over de superioriteit van de Hollanders. Die hadden de wereldzeeën getemd, exotische volkeren aan hun wil onderworpen. De machtigste handelsnatie ter wereld! De Hollander was in Christiaans hoofd een kruising tussen Poseidon, een Viking en een kruidenier. Een superieur wezen, dat geloofde hij zo. Maar dat die iets met hém te maken zou hebben, of met zijn vader, was een gedachte die nooit bij hem was opgekomen. Hij kende Holland alleen uit verhalen, stelde zich er een naargeestig moeras bij voor; drassig, koud en onbegaanbaar. Ook de zee kende hij alleen van horen zeggen. Het idee dat hij op een of andere manier verwant zou zijn aan die mythische Hollanders was ondenkbaar. Alsof iemand hem zou vertellen dat hij bloedbanden onderhield met Sjakie van de bonenstaak. Of beter: met de reus.

Ook de God waarvan vader volhield dat het de enige was, kon Christiaan lange tijd niet onderscheiden van de Schepper waar zijn onderwijzeres het altijd over had. Dat de ene steevast een andere sidekick had dan de andere, viel hem eenvoudigweg niet op. Tenslotte speelde hij ook niet iedere dag met dezelfde vriend. Dus dat God of Allah de ene dag met Jezus hing en een dag later met Mohammed was volstrekt vanzelfsprekend.

Maar waar vader hem met verhalen over heldhaftige zeebonken en het Koninkrijk Gods geen christelijke Hollander had kunnen maken, lukte Zakaria Dridi dat met één enkel woord: kutkazen.

Waarschijnlijk had hij het eerder gehoord. Het zou naïef zijn te denken dat het anders was. Toen hij ouder werd, hoorde hij het zelfs als het niet werd uitgesproken. Hij hoorde het in de blikken van dorpelingen die met plotselinge haast de straat overstaken als Christiaan hen tegemoet liep. Hij hoorde het in het defensieve gedrag van de winkelier die alles uit handen liet vallen als Christiaan binnenkwam om iedere beweging die hij maakte ostentatief gade te slaan. Zwijgend. De armen gevouwen over de vadsige zand-kafferse pens. Hij hoorde het in de beschroomde blik waarmee een Arabisch klasgenootje hem schoorvoetend kwam vertellen dat Christiaan bij nader inzien toch niet welkom was na school met hem mee naar huis te gaan. Er waren er niet veel die het nog hard-op durfden te zeggen. Willem III had er voor minder op de bek geslagen. De gelaatsuitdrukkingen en schichtige bewegingen van sommige dorpelingen klonken desondanks even luid en duidelijk.

Maar de eerste keer dat Zakaria Dridi zijn theehuis uit rende om de balletje trappende jongens uit Klein Amsterdam te verdrijven, groeide bij iedere 'kutkaas' die van zijn lippen rolde het besef dat de wereld in twee delen uiteenviel. Daar, op dat moment, werd Christiaan van B. een 'Hollandse kutkaas'.

En nu beweert Dridi ineens een vriend te zijn?

'Weet je waarom ik die oude motor wil? Omdat het kán, sahib, omdat het kan.'

Willem III maakt een knorrend geluid, verbaasd en smalend tegelijk.

Dridi's gezicht klaart op. 'Aaah,' zei hij. Hij buigt zijn hoofd een beetje, steekt zijn wijsvinger op en beweegt die zachtjes hen en weer. 'Aha! De jonge Kaas is een gehaaide onderhandelaar. Ik weet het goed gemaakt met je: 35 procent erbij. Het is mijn laatste bod.'

Willem knort. Christiaan kijkt hem lachend aan en zegt: 'Geen motor, geen hasjiesj.'

'Alhamdoelillah! Geen greintje respect. Was ik je vader, ik zou je afranselen tot je moeder je niet meer zou herkennen.'

'Kiezen of delen, broer. Jij mag het zeggen.'

Dridi's rechterhand verdwijnt in de zak van zijn djellaba. De sleutels van de motor worden gelanceerd, als een raket uit een ondergrondse silo.

'Zemmel.'

·

Hij laat zijn volle gewicht op de kickstarter neerkomen. Eén keer, twee keer, drie keer. Net zolang tot de machine tot leven komt. Hoestend. Sputterend. Raspend. Bokkend. De oude motor brult het uit als hij de gashendel opendraait. De uitlaat heeft zijn beste tijd gehad. Uit een ooghoek ziet Christiaan aan de overkant luiken openklappen. Hij laat de benzinetoevoer teruglopen om met één knikkende polsbeweging opnieuw maximaal vermogen te geven. Hij ontkoppelt, tikt de versnelling aan. Het achterwiel raakt de grond, werpt een fontein van zand op. Speldenpunten lichten op in de nacht. Weer neemt hij gas terug en dan laat hij de antieke verbrandingsmotor nog een keer aanhoudend janken. Iedere moer aan de machine trilt. Lasnaden dreigen te barsten. De motor klinkt alsof-ie het ieder moment kan begeven. Dan verandert het gejank in hikkend gepruttel. Met zijn voet klapt hij de standaard in. Hij knikt uitnodigend naar zijn vriend. Als die achterop stapt komt het stuur omhoog uit de vering. Traag zet de motorfiets zich in beweging. Hij kijkt over zijn schouder, naar de verbeten kop van de theehuisbaas. Hij roept, zo hard hij kan: 'LEVE DE KONING!' en rijdt met vervaarlijk zwabberend voorwiel de nacht in.

# 9.

Zodra de bloedcirculatie tot stilstand komt en de organen geen zuurstof meer krijgen, weten de lichaamseigen bacteriën dat het etenstijd is. De weke delen, het gemakkelijkst te verteren, zijn het eerst aan de beurt. In het maag-darmstelsel storten micro-organismen zich, als karpers in een kweekvijver, massaal op stervende cellen. Het banket van de dood is per definitie overvloedig. Er komen organische verbindingen tot stand met namen als 'putrescine' en 'cadaverine' die het ontbindingsproces een zetje geven. Bij die *Grande Bouffe* van microben, enzymen en aminozuren komen gassen vrij – ammonia, waterstofsulfide, koolstofdioxide, methaan – die het lichaam doen opzwellen. Als de druk niet wordt verminderd, bijvoorbeeld met een holle naald door de buikwand, kan die zo hoog oplopen dat een deel van de darmen door de anus naar buiten wordt geduwd. Uit alle lichaamsopeningen loopt vocht. Urine, excrementen, tranen, zweet, zaad. Alle klieren, kanalen, buisjes, zakjes en membranen zetten de sluizen open. Alleen het bloed blijft in het lichaam. Omdat het niet langer stroomt, bezinkt het in de delen van het lichaam die het dichtst bij de grond zijn, waar het de huid donker verkleurt. De optimale temperatuur voor dit proces ligt tussen de 21 en 36 graden Celsius.

Geen wonder dat de dorpelingen hun doden binnen vierentwintig uur begraven, dacht Christiaan van B.

Ook de Kazen die geen geld hadden voor een teraardebestelling in Holland, en zij die dat wél hadden maar bij leven vreesden voor het moeras dat geregeld een stoffelijk overschot met kist en al opboerde, ook zij werden zo snel mogelijk, naar lokaal gebruik omzwachteld met een witte doek, in een woestijngraf gelegd. Tijdens de vrijdagse dienst werden er een paar woorden gewijd aan de dierbare ontvallene, en dat was dat. De dood was in het dorp al even karig als het leven.

Maar de dominee, wijlen het notabelste lid van de Hollandse diaspora in het dorp, mocht niet zomaar als een willekeurige zandkaffer in de grond worden gestopt. Gelijk Abraham die in het Land Kanaän zijn vrouw Sara moest bewenen – 'Ik ben een vreemdeling en inwoner bij u; geef mij een erfbegrafenis bij u opdat ik mijn dode van voor mijn aangezicht begrave.' – verdiende de dominee een eervolle teraardebestelling in ballingschap.

Ja, ieder lid van de gemeente moest persoonlijk afscheid kunnen nemen. Daarom was zijn stoffelijk overschot opgebaard in de kerk, pal onder het Christuskruis, op dezelfde plek waar de dominee zijn laatste adem had uitgeblazen. Aan de zijkant van de kerk, in een zongebarsten, door geiten volgekeutelde strook waarvan niemand zeker wist of ze officieel bij het godshuis hoorde, hadden broeders na het werk met pikhouwelen en spades een diep maar vooral ook breed gat gegraven.

Andere broeders hadden een kist vervaardigd, wat geen gemakkelijke onderneming was geweest, omdat er alleen waaibomenhout voorhanden was van dode dadel- en olijfbomen. Onder de lintzaag van meneer Boutazout, de dorpstimmerman die zijn werkplaats welwillend ter beschikking stelde, bleven er van iedere boom hooguit een of twee planken over die lang en hard genoeg waren om de dode dominee te dragen. Het hout werd gladgeschuurd en gepolitoerd met een emulsie van castorolie en bijenwas, waardoor de oppervlakte niet alleen helder glansde maar bovendien intens naar honing geurde.

Al met al had het vijf dagen geduurd voor Van Neerbos naar zijn laatste rustplaats gedragen kon worden. Toen de kist eindelijk klaar was, werd zijn stoffelijk overschot opgebaard in de kerk. Broeder Rengers had als amateur-uitvaartondernemer gepoogd ogen en mond van de dominee dicht te lijmen, maar had alleen een tubetje kit tot zijn beschikking, waardoor Van Neerbos eruitzag alsof hij niet aan een acute hartstilstand was overleden, maar aan hevig ontstoken ogen en een exotische variant van hondsdolheid. De broeders waren het er dan ook snel over eens dat de kist gesloten zou blijven. In een poging het ontbindingsproces te vertragen was de kist op vijf koelkasten geplaatst, die met geopende deuren op de grond waren gelegd.

Dat witgoed, gevorderd uit de keukens van gemeenteleden, geen partij was voor putrescine en cadaverine, constateerde Christiaan van B. al vóór hij voet over de drempel van de kerk had gezet. Het godshuis ademde de warme, weezoete geur van verrotting, een lucht die zich bij een enkele ademtocht in zijn longblaasjes nestelde, in zijn poriën en in de slijmvliezen van zijn neus. Een stank die hem naar adem deed happen terwijl hij dat juist uit alle macht probeerde te voorkomen. Kokhalzend verborg Christiaan zijn neus in de holte van zijn elleboog.

Mem, die haar arm in de zijne had gehaakt, gaf geen krimp. Ze constateerde dat 'die Joost' er eentje had laten vliegen en begon te mompelen over het Eierlandsche Huis, wat dat ook mocht wezen, waar de doden rechtop in hun kist zouden staan, op een kerkhof waar je bij nacht en ontij de klamme hand van de dood zelf door je haren voelde woelen. 'Ja, bij het Eierlandsche Huis gebeurden wonderlijke zaken in vroeger dagen,' zei ze, terwijl ze langs de klapstoelen naar voren schuifelde om de dominee een laatste groet te brengen.

'Tararaboemdiejee,' zei Mem plechtig toen ze aan de voet van de kist stonden.

Christiaan liet het vizier van zijn elleboog zakken, een handeling waar hij direct spijt van had omdat de stank voor het altaar onverdraaglijk was.

'Wat?' bracht hij uit.

'Tararaboemdiejee.' Mem trok haar bijna onzichtbare wenk-brauwen op alsof ze wilde zeggen: kijk, dáár ligt-ie, zie je dat niet? Ze zuchtte en snoof diep.

Christiaan van B. trok zachtjes aan de arm van zijn grootmoeder, vastbesloten de kerk zo snel mogelijk te verlaten. Toen hij haar na enig aandringen zover had dat ze zich omdraaide, zag hij dat het gangpad versperd werd door zes broeders in het zwart, die met gebogen hoofd en geïmproviseerde begrafenispas het altaar naderden. Broeder Kavelaars speelde de opmaten van Gezang 179, 'Rust mijn ziel, uw God is koning', en terwijl de kerk zich met loensende orgelklanken vulde, deden Mem en Christiaan een stap opzij om ruim baan te maken voor de broeders. Hun moeizaam gesynchroniseerde, trage quickstep van de dood eindigde aan weerszijden van de kist, die ze na een gefluisterd commando en met zichtbare krachtinspanning op de schouders hesen. Gebogen onder de last van de dode dominee schuifelden ze in omgekeerde richting door het gangpad naar de deur. Christiaan zag dat er vocht lekte uit de kieren van de kist. Hij bad dat het condens was, afkomstig van de koelkasten, die nu een baken van licht vormden op het altaar. Niettemin lette hij goed op waar hij zijn voeten zette terwijl hij zich met zijn grootmoeder achter de kist, in het geurspoor van de overledene, onverdraaglijk langzaam naar de uitgang begaf. Ook alle andere gemeenteleden die het in de kerk hadden uitgehouden, sjokten met gebogen hoofd en ingehouden adem met de rouwstoet naar buiten. Daar wachtte de voltallige gemeente. Christiaan zag vader, moeder, Willem III en zijn ma. Aarzelend stak hij zijn hand op. Een begroeting die tegelijkertijd te vormelijk en ongepast leek. Vader knikte.

Voor de kerk stond een platte kar bekleed met witte, zonge-bleekte lakens, een span van vier muilezels aan de dissel. Een van de dieren balkte, met lange, gierende uithalen. Een ander ont-blootte zijn grote, gele tanden. De zes broeders schoven de kist op de kar, waarbij een van de lakens onder de bodem opkrulde. Een van de broeders begon eraan te sjorren, maar kreeg het textiel niet los. En omdat de kist geen handvatten had lukte het de andere vijf broeders ook niet hem vanaf de zijkanten, gebogen over de schutboorden, op te tillen.

Iemand zette de klokken aan. Het harde, mechanische gebeier, iedere slag identiek aan de vorige, schalde door het dorp. Meteen werden er luiken dichtgeslagen, ook aan de schaduwzijden van de smalle straatjes. De gemeente sloeg er geen acht op. Broeder Van Neck, de kennelijke voorman van de zes kistdragers, greep de ezel die links vooraan was aangespannen bij de halster. Zuchtend en krakend, op slecht geoliede wielen, kwam de wagen in beweging. Daarachter vormde zich een stoet van in het zwart geklede Hollanders, die het witte zonlicht leken te absorberen. Hun klompen roffelden in het zand. Autochtone dorpelingen die zich niet achter gesloten luiken tegen de dreun van de kerkklokken hadden verschanst, staken het hoofd naar buiten om een glimp op te vangen van het exotische begrafenisritueel. Een enkeling keek er misprijzend bij. Dat het de buitenlanders werd toegestaan vlak voor het vrijdaggebed zo'n heidens kabaal te maken was één ding, maar dat ze op de Zevende Dag met een onrein, gekist lijk door het dorp mochten sjouwen, was een belediging voor Allah en zijn Profeet, vrede zij met hem. 'Weest verachte apen,' werd er in het voorbijgaan naar de Kazen gesist.

Toch waren er ook dorpelingen die naar buiten waren gekomen om de dominee van de Hollanders te begroeten op zijn laatste reis en de *dua*, de smeekbede voor de doden uit te spreken. Meneer en mevrouw El Boudifi (maar géén Layla, constateerde Christiaan van B. tot zijn spijt), en zelfs Zakaria Dridi, de eigenaar van het theehuis, waren van de partij. Bij het voorbijgaan van de stoet brachten ze hun vingers naar hun slapen. Monsieur le Maire, de burgemeester, ging zijn dorpsgenoten voor in het gebed. Hij schikte zijn ceremoniële sjerp die hij altijd droeg, ook als er geen notabelen werden begraven, en prevelde: 'Waarlijk, aan Allah behoort wat van Hem is…'

Dridi leek tussen de rouwende Kazen iemand te zoeken en toen hij Christiaan van B. tussen hen ontwaarde, trok hij vragend zijn wenkbrauwen op. Christiaan ving zijn blik, knikte en mimede het woord 'vanavond'. Dridi beantwoordde de hoofdbeweging, en de stoet trok verder. Langs het geblindeerde huisje van de dominee aan de rand van het dorp, langs het Hollandse café waar de predikant zijn schamele wedde aan jenever had verzopen, wat zijn voortijdige dood zeker bespoedigd had, terug naar de verzengende geloofsloods waar hij zijn gemeente een kleine twintig jaar was voorgegaan en zijn vers gedolven woestijngraf.

Toen de stoet tot stilstand kwam, stopte ook het beieren van de kerkklokken plotseling. De kistdragers keken elkaar bevreemd aan. Voor zover zij wisten hadden ze de kerk leeg achtergelaten, was de héle gemeente achter hen aangelopen en had niemand de schakelaar van de klokken kunnen bedienen. Misschien was het systeem weer eens uitgevallen. Stroomstoringen waren niet ongewoon in het dorp. Maar het moment waarop de luidsprekers er het zwijgen toe deden was te exact om toeval te kunnen zijn. Iemand had ze uitgezet.

De deur van de kerk werd langzaam geopend. Er stapte een magere, rijzige man naar buiten in een zwarte toga met een helwitte bef. Zijn kortgeschoren hoofd werd bedekt door een geplooide baret. Zijn wasbleke handen omklemden een bijbel.

'Gemeente…' sprak hij. Zijn stem was zacht, maar bereikte niettemin zonder haperen de broeders en zusters die helemaal achteraan stonden. 'Gemeente. Zijn wij papen? Aanbidden wij de roomse antichrist? De kerkklokken luiden uitsluitend voor de Heere God, niet voor de mens. Dat de Heer ons tussen heidenen heeft gebracht, wil niet zeggen dat wij ons aan heidense rituelen moeten overgeven.'

'Wie is die vent?' vroeg Christiaan van B.

Hans van Bestevaer haalde zijn schouders op. Er klonk geroezemoes uit de volgstoet, zacht gegrinnik zelfs. Broeder Van Neck maakte zich los van de lijkwagen en maakte aanstalten naar de kerk toe te lopen, maar bevroor in zijn voetstappen toen de man in het zwart bulderde: 'GEMEENTE!'

Een stem die de lucht uit de longen van de rouwenden zoog. Het geroezemoes stopte abrupt. Grinniken durfde niemand nog. Zelfs Willem III, die zich in de achterste geledingen van de stoet een sigaret gepermitteerd had en ook in de kerk nooit om een grap verlegen zat, zweeg geïntimideerd.

'Gemeente. De Heer is barmhartig, maar ook rechtvaardig.'

Het laatste woord klonk omineus.

'Gedenk de zonen van Aäron, de priesters Nadab en Abihu, die de Heer een offer brachten zonder zich aan Zijn uitgesproken voorschriften te houden.'

De man in het zwart citeerde uit het hoofd en op dwingende toon: '"*Nadab en Abihu namen een ieder zijn wierookvat, en deden vuur daarin, en leiden reukwerk daarop, en brachten vreemd vuur voor het aangezicht des HEEREN, hetwelk Hij hen niet geboden had. Toen ging een vuur uit van het aangezicht des HEEREN, en verteerde hen; en zij stierven voor het aangezicht des HEEREN.*"'

'Leviticus…' fluisterde Hans de Hollander.

De man in het zwart dirigeerde de dragers met een handgebaar naar de baar. De kist zwalkte als een schip op ruwe zee toen de zes hem naar hun schouders brachten. Hun balans hervonden, maakten ze aanstalten om naar de kerk te lopen. De man in het zwart kneep zijn lippen tot een streep en schudde zijn hoofd. 'Geen lijkpredicaties.'

Broeder Van Neck keek hem vertwijfeld aan. Een knikje, nauwelijks waarneembaar, wees hen de weg naar de groeve in de schaduw van de kerk. De kist werd er op spanbanden in neergelaten. De zes zuchtten onder het gewicht. En juist toen de man in het zwart het Onzevader aanhief, begon de muezzin aan zijn oproep voor het vrijdaggebed. Onaangedaan door het heidens gejammer maakte de man in het zwart het gebed af.

'Tararaboemdiejee,' zei Mem ontdaan, toen de eerste schep woestijnzand met een doffe roffel op de kist terechtkwam.

# 10.

Op de vraag wie hem gestuurd had, antwoordde hij: 'De Heer, wie anders?' Pogingen te achterhalen waar hij vandaan kwam, liepen vast op de constatering dat wij allemaal van God kwamen en te Zijner tijd naar Hem zouden terugkeren.

Hoe hij in het dorp terecht was gekomen, uitgerekend op de dag dat de oude dominee werd begraven, het bleef ongewis. Vast stond in elk geval dat de man in het zwart de taken van zijn voorganger met vanzelfsprekend gezag op zich nam. Nadat het graf van ds. Van Neerbos was gedicht en de muezzin eindelijk zweeg, had hij de kerkdeur voor de gemeente opengehouden, onder het aanroepen van Exodus: 'Onderhoudt dan den sabbat, dewijl hij ulieden heilig is! Wie hem ontheiligt, zal zekerlijk gedood worden; want een ieder, die op denzelven enig werk doet, die ziel zal uitgeroeid worden uit het midden harer volken.'

Binnen, waar de droge, hete lucht onverminderd bezwangerd van het sterven was, liet hij de koelkasten direct weghalen. Hoewel geen paaps – noch mohammedaans – gebruik, sprak hij scherp over de liederlijke aanblik van de vijf zoemende, lichtgevende kisten op de plek waar hij God eer moest bewijzen. Nadat ze aan de zijkant van de kerk in het gelid waren gezet (de eigenaren zouden nog maanden het lijkvocht van de vorige dominee in hun gekoelde voedsel vermoeden), sprak de man het votum en de groet uit alsof hij nooit anders had gedaan (wat misschien ook wel het geval was – niemand wist het).

Het meest in het oog springende verschil met de dominee die

ze zojuist zonder enige vorm van lijkpredicatie onder de grond hadden gestopt, was dat de man in het zwart hoegenaamd geen last had van de hitte. Waar Van Neerbos vaak al vóór de preek helemaal doorweekt was van het zweet, vergoot de nieuwe dominee geen druppel transpiratievocht. Vriesdroog, bleef hij. In plaats van bloed moest er vloeibaar stikstof door zijn aderen stromen. Willem iii was de eerste die hem de Zwarte Eskimo noemde, een bijnaam die al snel gangbaar werd maar nooit in de nabijheid van de dominee zou worden uitgesproken. Dat de Zwarte Eskimo uit een blok ijs was ontsnapt nadat zijn vliegende schotel een noodlanding had gemaakt op de Noordpool, net als in *The Thing from Another World*, een 'meesterlijke' zwart-witfilm uit '51, was een suggestie waar Willem minder navolging voor kreeg, al was het omdat de poolgrens zo'n zesduizend kilometer verderop lag en niemand anders die film had gezien of daar enige aanvechting toe voelde.

Daar kwam bij: het noorden liet de Zwarte Eskimo koud. Waar de preken van de oude dominee steevast vermomde mijmeringen over het natte, koude moederland waren, sprak zijn opvolger zelden over Holland en al helemaal niet op de melancholieke toon die zelfs bij Kazen die er nooit woonden gangbaar was. Er werd binnen de gemeente hardop gefluisterd of hij er wel vandaan kwam. De tale Kanaäns rolde weliswaar van zijn dunne lippen alsof hij persoonlijk in de Dordtse Synode had gezeten, maar zijn manier van spreken gaf niets prijs over de stad, streek of provincie waar zijn wortels lagen. Zelfs terloops refereerde hij nooit aan plaatsen of personen in de delta. Of zijn familie de voeten had drooggehouden, ook dat wist niemand. Iedereen kende de anekdote dat broeder Van Neck met een roeiboot over zijn eigen kassen was gevaren. De Lindner-koe die loeiend op het wassende water was weggedreven, de aardappels die in het gekwelde grondwater waren weggerot op het land van de Siccama's, de rivier van modder die bij de Van Bestevaers door de straat was gekolkt; het waren verhalen die broeders en zusters aan elkaar bleven vertellen alsof ze gisteren hadden plaatsgevonden.

Zelfs naar de onbegrijpelijke verhalen van Mem, over 'de Middelburgse maanblussers' of 'de zeemeermin van Bergen op Zoom', werd door iedereen behalve haar familie eerbiedig geluisterd. Het was in die lappendeken van al dan niet verdichte anekdotes en familiaire mythologieën, vol bekend klinkende namen van onbekende plekken, dat de Hollandse landverhuizers elkaar vonden. Hun verhalen vervlochten met elkaar, waardoor er een mythisch, metafysisch Holland ontstond vol kolkend, stromend, gutsend, kabbelend, hozend, druppelend, golvend, plenzend, miezerend, striemend, bruisend, spattend water. Dat was wat hen verbond.

Daar waren ze thuis.

De nieuwe dominee bleef desondanks volhouden dat hij 'van God kwam', telkens als er naar zijn herkomst werd gevraagd, net zolang tot de nieuwsgierigheid van de gemeente verstomde. Hij wás er. En al snel was het alsof hij er altijd al was geweest. Geruisloos trok hij in het huisje van Van Neerbos. Daar verbleef hij achter permanent gesloten luiken. Naar de kroeg ging hij niet. En in het winkeltje van de El Boudifi's werd hij ook nooit gezien. De Zwarte Eskimo dronk noch rookte. Een enkele keer bezocht hij een zieke broeder of een stervende zuster. Verder begaf hij zich nauwelijks buiten. Eigenlijk zag je hem alleen als hij 's vrijdags voorging in de erediensten. Daar vlamde de Zwarte Eskimo.

Al tijdens zijn eerste dienst, hooguit een halfuur na de teraardebestelling van zijn voorganger, wist hij de geestdrift van de doorgaans zo ingedutte gemeente te wekken. Onzeker en verward door de vreemde wending die de toch al zo bijzondere dag had genomen, waren de broeders en zusters achter de nieuwe dominee aan de kerk in geschuifeld. Ze hadden als altijd plaatsgenomen op de klapstoeltjes. Alsof ze langzaam uit hun collectieve roes ontwaakten, zwol het geroezemoes aan. Er klonken snikken, maar ook grimmige erupties van verontwaardiging. Waarom hadden ze toegestaan dat een vreemdeling de teraardebestelling van hun geliefde dominee had gekaapt? En had hij werkelijk met de dood gedreigd als de sabbat niet geheiligd zou worden?

Hans van Bestevaer keek stuurs voor zich uit, de armen over de borst gevouwen. Neel zat naast hem, het hoofd gebogen, de ogen rood. Ze hield de hand van Mem vast. Die leek volstrekt onaangedaan door alles wat in de voorbije uren was gepasseerd. Christiaan van B. sloeg alles geamuseerd gade. De situatie mocht vreemd zijn, misschien zelfs een beetje beangstigend, saai was het in elk geval niet.

Broeder Kavelaars zette zijn orgel aan en speelde als gebruikelijk de opmaten van 'De Heer is mijn burcht'. Mem viel keurig op tijd in. Haar stem, het viel Christiaan nu pas op, klonk helder en toonvast. De rest van de gemeente hield, als op afspraak, de lippen op elkaar. Neel stootte haar moeder zachtjes aan en zei 'Sssst', waarna ook Mem zweeg.

Broeder Kavelaars en zijn wonderorgel stonden er alleen voor.

Toen zijn laatste akkoord was weggestorven, werd het doodstil in de kerk. Gekuch, schuifelende voeten, meer klonk er niet. De nieuwe dominee beende naar voren en nam het woord.

'Gemeente,' zei hij, 'de eerste collecte van vandaag is voor… Ja, waarvoor eigenlijk?' Hij keek de kerk in. 'Vergeef mij, gemeente, zó goed ben ik nog niet op de hoogte. Iemand?'

Het duurde even, maar na een paar tellen stond broeder Van Neck op.

'De opbrengsten van de collectes zijn voor een airco.'

'Een *airco*,' echode de nieuwe dominee.

'Een airco, ja.'

'Een airconditioner.' De dominee proefde de lettergrepen. 'Een luchtkoelingsapparaat. Voor in de kerk?'

'Krek wat u zegt,' antwoordde Van Neck. 'De temperatuur kan hier behoorlijk oplopen. Dat heeft u waarschijnlijk al gemerkt.'

'Nou, zeg dat wel. Weet u waar het ook warm was? In de woestijn waar Job doolde. En had Job airco? En weet u waar het warm was? Op de Horeb, waar een engel des Heeren aan Mozes verscheen in een brandend braambos. En had Mozes airco? Had de engel airco? En weet u waar het warm was? Op Golgotha, waar de Heere Jezus Christus, de zoon van God, de kruisdood stierf om onze zonden weg te nemen. En had Jezus Christus airco? Ik vraag het u nogmaals, broeders en zusters: had de Heere Jezus airco?'

De gemeente begon te morren. Vooral oudere leden, die zich de koelte van de kerk op een zomerse dag in Holland konden herinneren, mopperden hardop.

'Waarom zouden wij onszelf toestaan wat de Heere God Job, Mozes en Christus heeft onthouden? Wie zijn wij, om aanspraak te maken op datgene wat Job, Mozes en Christus zichzelf hebben ontzegd? Zij zochten de verkwikking van de koelte uitsluitend in Gods machtige schaduw. Moet dat voor ons eenvoudige zondaars anders zijn?'

Mem stond op, stak haar hand in de lucht en riep: 'Nee!'

'Ik vraag u, gemeente,' vervolgde de nieuwe dominee, 'moeten wij uitgerekend in het Huis Gods, de plek die de Heere ons zo barmhartig heeft toebedeeld, moeten wij uitgerekend dáár ons beklag doen?'

Ook anderen stonden nu op om de vraag van de dominee met een warmbloedige ontkenning te beantwoorden.

'Zijn de vertroostingen Gods u te klein, en schuilt er enige zaak bij u?'

Zeker driekwart van de gemeente stond nu en riep uit één mond: 'Nee. Nee! NEE!'

'En lezen wij niet in Korinthiërs 10: *"Murmureert niet, gelijk ook sommigen van hen gemurmureerd hebben, en werden vernield van den verderver"*?'

Christiaan van B. had geen idee wat dat was, murmureren. Toch stond ook hij op. Het was alsof hij door een onzichtbare hand van zijn klapstoel omhoog werd getrokken. De nieuwe dominee had na de ene vermaning aan het begin van de dienst zijn stem niet meer verheven. Maar de manier waarop hij het woord 'verderver' uitsprak, de r'en roffelend op zijn verhemelte onder de gesel van zijn tong, zorgde ervoor dat iedereen die niet stond, rechtop ging zitten.

'Is de temperatuur in dit beloofde land, dit belóófde land, ja, niet een herinnering aan de warmte van Gods genade en de hitte van het eeuwige hellevuur tegelijk? Belofte en waarschuwing in-een?'

'Ja. Ja! JA!' riep de gemeente.

'Moeten wij onze offeranden niet aan de Heere opdragen, in plaats van aan onszelf?'

'JA!'

'Moeten wij de Heere niet de eer brengen die Hem toekomt?'

Christiaan hoorde hoe de bevestiging die tot zijn verbazing van zijn tong rolde, werd overstemd door het 'JA!' van zijn vader, die nu ook was opgestaan en beide armen in de lucht stak, de vingers van zijn harde, gebraamde handen als waaiers naast zijn hoofd.

'GEMEENTE...' bulderde de nieuwe dominee. Zijn plots barse toon legde de gemeente acuut het zwijgen op.

Dorpsgeluiden sijpelden de kerk in. Arabische stemmen. Het geknetter van een brommer. Geblaf. Een stuk steen knerpend onder de band van een voorbijrijdende auto. Kinderstemmen. Vogels.

'Gemeente...' herhaalde de nieuwe dominee, 'wij bouwen de Heere een toren. Een toren aan dit eenvoudige huis Gods. Van elke offerande, verdiend in het zweet uws aanschijns, zullen wij stenen leggen. De een op de ander. Net zolang tot er een kerktoren is die boven de woestijn zal uitrijzen en christenmensen tot baken zal dienen. Een kerktoren van waaruit de klokken het goddeloze gejeremieer van de heidenen hiernaast zullen overstemmen. Een kerktoren die hun minaret in de schaduw zal zetten. Opdat de mensen zullen weten: hier danken de Hollanders de Heere God voor het land dat Hij hun heeft beloofd.'

'HALLELUJAH!' schreeuwde Hans van Bestevaer.

'Amen,' fluisterde broeder Van Neck met gesloten ogen. De temperatuur was in de geloofsloods tot recordhoogte opgelopen. Transpiratievocht droop als verftranen van de raamloze muren. Mannelijke gemeenteleden trokken hun zwarte dassen los. Zusters knoopten hun jakjes open. Dat het ongepast was in Gods huis, of misschien zelfs onzedelijk, om zo gekleed te gaan leek geen van hen op dit moment te deren. Hun bleke wangen kleurden rood, het collectieve verlangen naar een luchtkoelingsapparaat in elk geval tijdelijk verdampt in de hitte van het religieuze vuur.

'GEMEENTE.' De nieuwe dominee gebaarde met zijn handen tot kalmte. 'Broeders en zusters, herpakt uzelf en neemt alstublieft uwe plaatsen weer in. Wij zijn hier niet bij de pinkerstergemeente. Uit naam van de Heere God: hervind uw waardigheid.'

De dominee knikte naar broeder Kavelaars, die opnieuw 'De Heer is mijn burcht' inzette. Vier maten later vulde de kerk zich eendrachtig met gezang. De Zwarte Eskimo nam het onbewogen in zich op.

# 11.

'Toch had het wel iets moois, hè?'

'Vind je?'

'Nou ja, op een exotische manier.'

'De Kazen sjouwen een ontbindend lijk door het dorp en jij vindt dat exotisch?'

'Ik was onder de indruk van hun kalmte. Mag het?'

'Wollah! Kalmte zegt-ie. Ha! Heb je het kabaal van die ellendige nepklok gemist? Dingdong! Bimbam! Ik geloof dat het wel een uur heeft geduurd. Minstens. Al na vijf minuten heb ik Allah gesmeekt of hij aartsengel Djiebriel wilde sturen om dat l'klawi ding met zijn vlammende zwaard aan stukken te slaan. Dingdong! Bimbam!'

'Djiebriel komt jóú nog eens aan stukken slaan! Met je vuilbek.'

'Nou vraag ik je: wat is toch de obsessie van de Kazen met lawaaierige klokken? Ik bedoel, ze weten allemaal exact hoe laat hun gebed begint, want oeh, de Kazen zijn zo op de minuut, en oeh, een Kaas komt nooit te laat, nee meneer. En toch zetten ze dat ding iedere vrijdag aan. Bimbam! Dingdong!'

'Pff, alsof onze muezzin fluisterend tot gebed oproept.'

'Luister, wij Arabieren zijn anders. Wij luisteren naar ons hart en naar het lied van de woestijn. Niet naar het tikken, of erger: het slaan van de klok. Als de muezzin zijn stem niet gebruikte, zou iedereen tot het einde der dagen achter z'n glas thee blijven zitten. En de gebedsoproep is mooi, zeg nou zelf? Zeker in vergelijking met het monotone gebonk van die bellen. Bovendien hoort het hier, als de jujubeboom en de kale kutjes van onze meisjes. Wist jij dat Kaasvrouwen hun poes niet scheren? Ik heb er eens een gehad, die had gewoon een geit tussen haar benen. Haar kutje mekkerde, ik zweer het je: mèèèh, mèèèh. Maar goed, als ik de muezzin hoor, dan ruik ik mijn lieve moedertje. Het is een geluid dat ik met mijn jeugd associeer. Met geborgenheid.'

'Van een Kaaskut naar je lieve moedertje, in twee zinnen. Het is goed dat ze je niet kan horen, sahib.'

'Ach, mijn lieve moedertje kent haar zoon. Zij en Allah weten dat mijn absolute eerbied voor hen niet altijd in woorden tot uitdrukking komt, maar dat mijn ziel rein en maagdelijk is.'

'Jouw ziel is inktzwart en maagdelijk als een bejaarde *houri*.'

'Ik smeek je die kennis geheim te houden voor mijn moedertje. Allah weet alles, maar zij heeft al zoveel met mij te verduren.'

'Ga je er weer een stukje over schrijven?'

'Over mijn lieve moedertje?'

'Over die kutkazen, natuurlijk. Je favoriete onderwerp.'

'Wie moet het anders doen? Ik offer mijzelf belangeloos aan de goede zaak op. Ik zei toch dat mijn ziel rein was?'

Driss Zrika leunde grijnzend achterover. De oude bureaustoel kraakte onder zijn gewicht. De hoofdredacteur, columnist en enige verslaggever van de dorpskrant vouwde zijn handen over zijn genereus geproportioneerde buik. Hoe vaak had hij al een stukje geschreven over de Hollanders en hun idiote importgewoonten? Zrika had het aantal niet geturfd, maar een stuk of tien moesten het er zeker zijn. De lezers konden er geen genoeg van krijgen, wist hij. Hoewel ze in het openbaar volhielden dat zijn schimpscheuten aan het adres van de Kazen strijdig waren met de gastvrijheid die hun als vreemdelingen rechtens toekwam, fluisterden ze 's avonds in het theehuis, openhartig door de kif, dat ze genoten van iedere anti-Hollandse speldenprik die uit zijn pen vloeide. Toch was het niet alleen zijn tevreden spinnende ego dat hem steeds opnieuw naar de Kazen dirigeerde. In de loop der jaren had de ergernis zich in hem opgehoopt. En de zeshonderd woorden die hij voor zijn wekelijkse column ter beschikking had, fungeerden als het ventiel waarmee hij de overdruk in zijn hoofd kon reguleren. Bovendien, zoveel onderwerpen voor een vlammende column waren er niet. Het was al schrapen om iedere week de krant gevuld te krijgen.

'Weet jij nog wanneer je voor het eerst een Kaas zag?'

Abdel, de slagersknecht annex fotograaf, boog zich over zijn oude Zeiss-camera op tafel om een cakeje te pakken van de schaal die er pal achter stond. Hij propte een hele madeleine in zijn mond, nam een slok van zijn thee en haalde zijn schouders op. 'Ik kan het me niet herinneren. Ik weet niet beter dan dat ze er altijd geweest zijn. Jij?'

'Alsof het gisteren was,' zei Zrika, terwijl hij met zijn vingers door zijn stoppelbaardje harkte. De aangezichtsharen maakten een hard, raspend geluid. 'Ik moet een jaar of tien zijn geweest. Ik speelde met mijn buurjongens buiten, bij de moskee, toen de bus uit de stad kwam. De deur ging open en het eerste wat ik zag waren die l'klawi houten schoenen. Er bleek een reus aan vast te zitten, als de *ghoul* uit het sprookje, je weet wel. Hij had geel haar en een rood hoofd. In het begin waren we bang van hem. We zijn weggerend en hebben ons achter de moskee verstopt. Van om de hoek hielden we hem in de gaten. Al snel werd duidelijk dat het geen gevaarlijke ghoul was, maar eerder een zielige. Toen de bus wegreed stond hij in z'n eentje op het pleintje, in een blauw pak uit één stuk en een lange, wollen overjas. Hij bleef daar maar staan. Met een gebarsten, bruin koffertje in zijn hand. Pal in de zon. Mijn buurjongen durfde naar hem toe te lopen en vroeg hem waar hij heen moest. De ghoul verstond geen woord Arabisch. Hij grijnsde alleen. Terwijl hij helemaal niet blij leek. Na een tijdje werd hij opgehaald. Door iemand van de fabriek, denk ik. Ik ben naar huis gerend en heb mijn lieve moedertje verteld dat ik een reus had gezien. Ze gaf me een draai om mijn oren. Zei dat ghouls niet bestonden en ik niet tegen haar mocht jokken. Mijn wang heeft de hele middag gegloeid. Kutkazen…'

'Ach,' zei de fotograaf, 'mijn moeder sloeg mij ook. En daar hadden de Hollanders helemaal niks mee te maken.'

'Ik verwijt ze die klap ook niet. Ben je gek. Wat is een godvruchtige opvoeding zonder zo nu en dan een venijnige tik van je moeder?'

'Of je vader.'

'Daar denk ik dan weer minder weemoedig aan terug, sahib, maar vooruit. Nee, wat mij dwarszit aan die Kazen is dat ze – wat is het? Dertig jaar later? – nog stééds als ghouls door het dorp lopen. Kijk, die eerste reus was spannend. Exotisch. Er was een periode dat we achter hem aan liepen als we hem tegenkwamen in het dorp. We volgden hem in optocht naar de fabriek. Vaak stonden we hem aan het eind van de dag weer op te wachten. In het begin deed hij soms een poging ons weg te jagen. Dan wapperde hij met zijn reuzenhanden en riep hij onverstaanbare reuzendingen. Als hij ons uit elkaar had gedreven, hergroepeerden wij ons achter zijn rug zodra hij zich weer had omgedraaid. Als een school vissen die belaagd werd door een hongerige *rokaan*: verspreiden, hergroeperen, verspreiden, hergroeperen. Dat ging eindeloos door. Dus na een tijdje begon hij ons te negeren. Deed hij alsof het hem totaal ontging dat er tien joelende jongetjes achter hem aan liepen.'

'Toen was de lol er vast snel vanaf.'

'Wollah! Al na een paar keer was het alsof wíj naar ons werk liepen, zo saai! Maar toen wij uit zijn spoor waren verdwenen, bleef die ghoul door het dorp lopen alsof hij zich door een vacuüm bewoog. Hij zag de kinderen, maar ook de volwassenen niet. Hij kon dwars door huizen lopen, ik zweer het je. Die Kaas was geen ghoul maar een djinn. Een heel grote! En toen er later meer Kazen kwamen, deden die allemaal alsof ze alleen elkáár konden zien. "Ggggoedemiddaggggg, meneer De Gggggroot." "Ggggoedemorggggggen, De Gggggraaf." Zo staan ze tegenover elkaar hun kelen te schrapen. Ggggg. Ggggg. Bij ons op het plein, of in de winkel. Terwijl hun klokken de hele tijd beieren. Dingdong!

Bimbam! Maar vraag ze wat, en ze kijken je aan alsof jíj een onbegrijpelijke, vreemde taal spreekt. Als ze je niet negeren. Weet je: ze zijn blind en doof voor ons. Is dat je nooit opgevallen? Ze verstaan ons niet en spreken zelf dat onbegrijpelijke koeterwaals. Gggggg! Gggggggg! Ze luisteren niet als de muezzin tot gebed oproept. Ze proeven ons eten niet, ruiken onze specerijen niet. Ze horen onze poëzie niet, kennen onze verhalen en onze geschiedenis niet. Ze ontkennen ons met al hun zintuigen.'

'Voelen,' zei de fotograaf.

'Wat?'

'Voelen. Je zei dat de Kazen ons met al hun zintuigen ontkennen. Maar er zijn vijf zintuigen. En je hebt de tast nog niet genoemd.'

'Je bent gek, sahib! De Kazen moeten met hun rotpoten van ons en onze vrouwen afblijven. Vooral van onze vrouwen. Als ze onze vrouwen voelen, hebben die straks ook Kaaskutjes! Kan je het je voorstellen?'

'Sahib, je zat zo-even nog op te scheppen over al die Kaaskutjes die je hebt gehad.'

'Luister, Abdel. Ik ben een man van de wereld. Ik eet graag buiten de deur. Maar uiteindelijk moet je altijd terug kunnen keren naar de reine, onbezoedelde keuken van je moedertje.'

Abdel boog zijn hoofd en sloeg zijn hand voor zijn ogen. 'Je bent een verdorven man, Zrika. Een varken.'

Driss deed een greep in de schaal met koekjes en bracht een handvol zoete deegwaren naar zijn mond die hij knorrend naar binnen propte. Hij spoelde alles weg met gulzige slokken thee. 'En nu opgedonderd,' zei hij, 'er moet gewerkt worden.' De bureaustoel kraakte onder zijn gewicht toen hij zich erin omdraaide naar het ijzeren bureautje. Hij stak een filterloze sigaret op uit het aangebroken pakje dat voor hem lag, trommelde met zijn vingers op het bureaublad en bracht ze naar het toetsenbord van de astmatisch zuchtende computer.

RAVEN
## door Driss Zrika

*'Toen zond Allah een raaf die wroette in de aarde om hem te
tonen hoe hij kon verbergen de slechtheid van zijn broeder. Hij
zeide: O wee mij, ben ik niet in staat te zijn zoals deze raaf,
zodat ik de slechtheid van mijn broeder verberge.'*
— Vijfde soera, 'De tafel'

Zo staat het in de Heilige Koran, in het verhaal over Qabil die
zijn broer Habil doodsloeg. Christenen kennen de zonen van
Adam als Kaïn en Abel. Of de christelijke 'goden' – het zijn er
drie, vermomd als één, vraag me niet hoe het kan – ook een
raaf stuurde om 'Kaïn' (Qabil) te tonen hoe hij 'de slechtheid
van zijn broeder kon verbergen', is mij niet bekend. Ik zou
er hun 'heilig boek' eens op na moeten slaan, en dat doe je
niet voor de lol.

In ieder geval waren er afgelopen vrijdag, voorafgaand aan
het gebed, voldoende raven op de been om de Hollandse
'dominee' onder de grond te stoppen. Ze hipten in hun vale,
zwarte verentooi met zware koppen en houten poten achter
een kist aan, waarin ze het lijk van hun spiritueel leidsman
ZEVEN (!) dagen bewaarden.

Altijd hebben de Hollanders haast. Behalve als ze een 'dominee' moeten begraven. Kennelijk is dat in Holland iets waar
je rustig de tijd voor neemt. Glaasje jenever erbij, zo'n zelf-
gerold sigaretje, een lekker stukje kaas misschien. Nee, een
dode 'dominee' hoeft niet op stel en sprong naar zijn goden
in het hiernamaals. Die goden hebben tenslotte alle tijd. En
zodra een 'dominee' dood is, geldt voor hem hetzelfde. Wie
de eeuwigheid heeft, kent geen haast. Zoiets moet het zijn.
Raven zijn aaseters. Zij leven van de dood. En met het christendom is het niet anders. Christenraven zijn geobsedeerd

door het sterven. Ze aanbidden een 'god' die door mensenhanden werd vermoord. Weliswaar in opdracht van een andere 'god', nota bene de vader van het slachtoffer (arme jongen). Maar toch.

De Heilige Koran zegt: '*De vergelding van hen die God en Zijn boodschapper bestrijden en zich beijveren verderf te brengen in het land, is dat zij ter dood gebracht worden of gekruisigd.*' In het christendom daarentegen is het 'god' zelf die zijn boodschapper, zijn bloedeigen zoon, aan het kruis laat nagelen tot de dood erop volgt. Overigens werd Jezus (wij kennen hem als Isa, vrede zij met hem) niet zeven dagen lang in een houten kist door het dorp gesjouwd, maar meteen netjes begraven, waarna hij twee dagen later kwiek uit zijn graf opstond. Wat die hele executie met terugwerkende kracht een tamelijk zinloze exercitie maakte.

Toch kunnen de christenen er geen genoeg van krijgen. Hun gekruisigde 'god' is alomtegenwoordig. Ze dragen hem op de borst. Hij hangt in hun woonvertrekken. En in hun gebedshuis aanbidden ze een levensgroot kruis. De plek waar beijveraars van verderf hun verdiende loon vinden, is hun heilig. Dat is geen geloof, maar een doodscultus!

Nu is het aan Allah, de Barmhartige Erbarmer, om zich over hun dwalingen te ontfermen. Op de Dag der Opstanding moeten wij ons, insjallah, allemaal verantwoorden en het is niet aan de mens daar een voorschot op te nemen.

Maar moeten wij accepteren dat onze gastvrijheid misbruikt wordt voor hun morbide praktijken? Moeten wij toestaan dat zij op de dag die ons heilig is met een lijk door onze straten paraderen? Wij verjagen de raven uit onze boomgaarden, bekogelen ze met stenen of richten de buks op ze. Maar in ons dorp hippen ze hees krassend door de straten, op de maat van hun onophoudelijk dreunende klokken terwijl ze hun geliefde dood eren. Ongehinderd door wie dan ook.

# 12.

Het geluid van de mattenklopper die neerkwam op het landbouw-plastic was scherp en afgemeten. Een pistoolschot. Telkens op-nieuw. Het was een ouderwets rietgevlochten exemplaar, stijf en soepel tegelijk, niet te zwaar maar vooral ook niet te licht. Hans de Hollander kon zich mattenkloppers van kunststof herinneren, zich zelfs nog voor de geest halen hoe zwabberig die in de hand hadden gelegen. Het bleef hem verbazen hoe sommige betekenis-loze details in zijn geheugen gebeiteld leken, terwijl andere her-inneringen onopgemerkt verdampten, zonder een spoor achter te laten. Zo wist hij niet meer hoe de mattenklopper in zijn bezit was gekomen en waarom hij het destijds nuttig had gevonden het ding met de rest van zijn karige huisraad in te schepen. Vermoedelijk had de onbewuste associatie met woestijnstof en vliegende tapijten de doorslag gegeven.

Dat de mattenklopper hem professioneel te pas zou komen, daar had Hans de Hollander in elk geval geen moment rekening mee gehouden. Het had zelfs even geduurd voor hij doorzag dat het oerdegelijke, oud-Hollandse huishoudgereedschap een bescheiden revolutie kon veroorzaken in het productieproces van hasjiesj.

De eerste maanden maakte hij, naar voorbeeld van zijn Arabi-sche collega's, gebruik van twee twijgen: een dikke en een dunnere. Er werd hem op het hart gedrukt dat voor het resultaat het ritme waarmee hij sloeg belangrijker was dan de kracht die hij daarbij uitoefende of waarmee hij dat deed. Alsof de pollen van de canna-bisplant uitsluitend en schroomvallig tevoorschijn zouden dansen als ze daar door subtiel uitgevoerde percussie toe werden aangezet.

Na verloop van tijd wist Hans beter: het was niet anders dan dorsen. Over een brede, lage ton werd een stuk zijde gespannen, waarop de zongedroogde toppen van de cannabisplant werden uitgestrooid. Een en ander werd afgedekt met dik, hemelsblauw landbouwplastic, dat met een spanband tegen de zijkant van de ton werd strakgetrokken. Daarna was het trommelen geblazen. Met springerige syncopen werd het microscopisch fijne stuifmeel uit de planten getikt, gezeefd in het zijde, en opgevangen in de ton.

Het was een kostbaar poeder. Sinds mensenheugenis werd er uit honderd kilo gedroogde kif niet meer dan een pond stuifmeel gewonnen; het belangrijkste ingrediënt voor hasjiesj.

De Tweede Oogst, zoals het werd genoemd, was een klus die onnodig veel tijd in beslag nam vanwege de rituelen waarmee hij was omgeven. De cadans van de roffeltjes waarmee het stofgoud uit de verboden plant werd gedrumd, was loom als een zomerse namiddag in de schaduw van het theehuis. Ook Hans de Hollander voelde bij de hoog oplopende temperaturen in de fabriek geen aanvechting harder te werken dan strikt noodzakelijk.

Ware het niet dat hij aan hooikoorts leed.

Bij iedere Tweede Oogst vulde de ruimte boven de werkvloer zich met kifpollen en was het alsof Hans in een onzichtbare zandstorm terecht was gekomen. Dan begonnen zijn allengs rood kleurende ogen te tranen, liep het snot onophoudelijk over zijn bovenlip en jeukte zijn verhemelte zo erg dat hij zich moest inhouden om niet met zijn rouwgerande nagels het weke, roze vlees in zijn mond open te krabben. Zo kwam hij op het idee de mattenklopper mee te nemen. De Tweede Oogst zou er niet minder stoffig van worden. Maar misschien zou het minder tijd in beslag nemen.

Toen hij voor het eerst op de fabriek verscheen met de rieten peddel onder zijn arm, werd er door de collega's meewarig gegrijnsd, ach, die Kazen met hun merkwaardige gebruiksvoorwerpen. Maar toen hij ermee aan het werk ging, sloeg de stemming snel om. Bij elke klap was er minstens een collega die geërgerd opkeek. Het geluid, hard en meedogenloos, doorkliefde het vriendelijke getrommel van de anderen en verstoorde het ritme dat ze gezamenlijk aanhielden. Hollanders konden niet drummen, alleen heien.

Aan het eind van die Tweede Oogst was de hooikoorts van Hans de Hollander geen greintje afgenomen. Maar zijn opbrengst lag tien procent hoger dan het gemiddelde, zo bleek. Hans' ton zat zichtbaar voller dan die van zijn collega's. Wat de directie ertoe bewoog voor iedere arbeider zo'n rieten vlechtwerk te bestellen bij een Hollandse groothandel. De investering zou zich in één Tweede Oogst terugbetalen. Dat de autochtone arbeiders zo boos en weigerachtig zouden reageren, had Patron niet voorzien. Aminedinne, de voorman, zei namens hen allemaal te spreken toen hij zei dat hij een eeuwenoude traditie niet wilde bezoedelen met zo'n lomp, buitenlands apparaat. 'De Tweede Oogst is al eeuwenlang een belangrijk ritueel in onze cultuur,' sprak hij strijdvaardig. 'Onze ouders deden het, toen het nog verboden was. Onze grootouders deden het, toen het nog níét verboden was.'

Patron haalde smalend zijn neus op en wierp tegen dat er voor de jaren vijftig uitsluitend kif werd gerookt, de hasjiesj altijd al voor de buitenlanders werd geproduceerd en het helemaal niets met nationale of culturele identiteit te maken had. Maar Aminedinne hield namens alle autochtonen in de ploeg vol dat de mattenklopper een affront was voor de Arabische ziel en de voorouderlijke tradities. Ze zouden haar onder geen beding gebruiken, hoe hard de baas ook zou aandringen.

Toen de mattenkloppers eindelijk uit Holland arriveerden, werden ze direct opgeborgen in een weinig gebruikt hoekje van een opslagloods waar ze nog altijd stof stonden te vergaren. Een droevig lot voor mattenkloppers. Hans de Hollander gebruikte nog altijd zijn eigen, onverslijtbare exemplaar. Niet omdat het zijn hooikoorts verminderde, of om zijn autochtone collega's dwars te zitten en zelfs niet om Patron ter wille te zijn. Zijn extra productie was op het totaal van de Tweede Oogst verwaarloosbaar en werd allang niet meer opgemerkt. Nee, Hans de Hollander bleef zijn mattenklopper gebruiken omdat hij zijn eigen krachtige dreunen verkoos boven de tribale *paradiddles* van zijn collega's.

Bij elke klap die hij op het afdekzeil liet neerkomen, voelde hij hoe zijn rechterarm een stroomstoot naar zijn hoofd geleidde, die daar als een haperende gloeilamp oplichtte. Het was niet alleen de hooikoorts die hem parten speelde. Ook de naweeën van de nacht ervoor lieten zich gelden. Hij wreef over zijn oog en zijn gemeen kloppende achterhoofd.

Doorgaans was Hans een matig drinker. Twee, hooguit drie borreltjes. Zelden meer. Meestal was hij uit het dranklokaal vertrokken voor het echt liederlijk werd. Het duurde altijd even voor de grootste zuiplappen op stoom kwamen, hun ingewanden getraind op het verwerken van kolossale hoeveelheden jenever. Tegen de tijd dat zij starnakel waren, zat Hans al lang en breed thuis bij Neel en Mem voor de televisie *Hart van Holland* te kijken.

Maar na de begrafenis van de oude dominee en het opzwepende debuut van zijn opvolger, leken alle Hollandse mannen in het dorp bevangen door een ongeremdheid die de meesten van hen vreemd was. Toen de laatste wankele akkoorden van broeder Kavelaars labiele wonderorgel waren weggestorven, waren ze als één man van de klapstoeltjes opgestaan en de kerk uitgelopen. Alsof de hand van de Heere God ze zelf een duwtje in de rug had gegeven, marcheerden ze, zonder een woord met elkaar te wisselen, naar het dranklokaal. Pas toen broeder Siccama, de kleine kastelein, de deur van het slot haalde, zijn schort omdeed en een legioen kelkjes volschonk, werd er gesproken.

'DE DOMINEE IS DOOD. LEVE DE DOMINEE!' schreeuwde iemand. Hans kon niet zien of horen wie. De oproep werd met gejuich beantwoord. De mannen verdrongen zich rond de korte, houten bar en klokten gulzig als reigers hun eerste borreltje naar binnen. En nog een. En nog een. Broeder Siccama zette de stoffige, oude stereo aan. Statisch gekraak en een sissende ruis sputterden uit de luidsprekers, waarna Willy Alberti 'Droomland' aanhief.

Het geroezemoes van de mannen verstomde direct. Als één organisme hieven ze hun glazen. Waar hun stemmen in de kerk nog bedeesd en wankelmoedig hadden geklonken, was er in het café geen spoor van terughoudendheid meer. Op maximaal volume zongen ze mee:

'ZWERVER GIJ VINDT HIER VREDE, ZIEKE GIJ KENT GEEN PIJN.'

De jajem verdoofde de schroom. En ze hadden het al zo vaak met elkaar aangeheven, dat het zingen een automatisme was.

'DAAR WORDT GEEN STRIJD GESTREDEN, DAAR WAAR MIJN BROEDERS NOG ZIJN.'

De stem van Willy Alberti, gedragen en lyrisch tegelijk, ging kopje-onder in het vocale springtij dat de mannen opwierpen.

'DROOMLAND, DROOMLAND. O, IK VERLANG ZO NAAR DROOMLAND.'

Hans de Hollander sloeg de jenever in één teug achterover en sloot zijn ogen terwijl de jonge klare een weldadig brandspoor door zijn slokdarm trok. Hij was geen zanger. Geen man die gemakkelijk een lied aanhief, tijdens de arbeid of het wassen. Zelfs in de kerk mummelde hij zacht en ingetogen. Alsof hij bang was dat God hem daadwerkelijk zou horen en ontstemd zou zijn over de onvaste, krakende stem waarmee hij Hem lof zong. Maar nu de jajem kolkte en alle broeders als een mannenkoor van louter heldentenoren stonden te zingen, rolden de woorden op volle sterkte van Hans' lippen.

'DAAR IS STEEDS VREE, DUS GA MET MIJ MEE.'

Het dranklokaal was een voormalige schuur. Broeder Siccama, de kastelein, had er in de loop der jaren alles aan gedaan de kale ruimte tot een zo authentiek mogelijke kroeg te transformeren. Hij had de wanden poepbruin geverfd en van bij elkaar gescharreld hout een wankele bar getimmerd, waarboven hij landbouwgereedschap, een zwartgevlekte militaire kepie en een paar Arabische instrumenten had opgehangen waarvan niemand de naam kende of wist hoe ze te bespelen. De stank van geiten en carbolineum liet zich niet verdrijven en kon, als de zon op het dak stond, ondraaglijk zijn.

'SAMEN NAAR HET HEERLIJKE DROOMLAND.'

De kroeg beschikte niet over een tap. Geen gemis, omdat er in de wijde omtrek niemand fusten bier kon leveren. In het begin had broeder Siccama kratten Heineken per zeecontainer laten overkomen. Maar het volume en de bijkomende transporten maakten het bier zo duur dat je er van een gewoon loonzakje niet dronken van kon worden zonder thuis in de problemen te komen. Daarom schonk broeder Siccama na verloop van tijd alleen nog jenever. Jonge en oude. Meer smaken waren er niet.

'DAAR VINDT MEN JEUGD EN VREUGD WEER.'

Eens per twee weken reed de kleine kastelein in een tweetakt bestelwagentje met open laadruimte naar de haven om een zending Schiedamse jajem op te halen. De bevoorrading kostte hem twee dagen. Een dag heen, een dag terug. 's Nachts sliep hij, zo goed en zo kwaad als dat ging, in de laadbak, boven op de voorraad, een roestig kapmes onder handbereik. Het was er koud en oncomfortabel. Hoewel hij nog nooit een Arabier jenever had zien drinken, durfde hij het niet aan de drank onbeheerd te laten. Het volgende schip met een container uit Schiedam zou pas over twee weken aanmeren. Z'n wagentje was te klein voor een grotere lading, en Hollandse mannen waren dorstig. Er zat niets anders op dan iedere veertien dagen op en neer te rijden.

'KENT MEN GEEN ARM EN RIJK.'

Hans de Hollander voelde zich een thermometer in de volle zon, zo snel als de drank naar zijn hoofd steeg. Het leek alsof iedereen vandaag een rondje wilde geven. Terwijl iemand nog een borrel uitnodigend in zijn blikveld duwde, kantelde hij zijn hoofd om de inhoud van het voorgaande kelkje in een slok te verzwelgen. Hij sloeg zijn armen om de schouders van de broeders naast hem. Een intimiteit die even ongebruikelijk was als het volume van zijn stem en het kwik in zijn kop. Traag als de branding op een windstille dag deinde hij heen en weer. Ogen gesloten, hoofd in de nek.

'DAAR IS GEEN ZORG EN SMART MEER.'

Door de kluwen van oververhitte, in het zwart geklede mannen baande Hans zich een weg naar de bar. Een rondje. Hij moest een rondje halen. Hoe groot en voor wie, dat wist hij niet. Hij had geen idee wie van de broeders hem jenever had toegestopt. Maar hij zou zijn deel betalen. 'En hij riep tot zich een iegelijk van de schuldenaars zijns heeren, en zeide tot den eersten: Hoeveel zijt gij mijn heer schuldig?'

'ALLEN ZIJN WIJ DAAR GELIJK.'

De mannen verdrongen zich rond de bar, die ieder moment kon bezwijken onder hun gewicht. Broeder Siccama, het van zweet doordrenkte overhemd aan het tengere lijf geplakt, serveerde on- verstoorbaar terwijl hij gelijktijdig bestellingen opnam. Met deze voorraad jenever zou hij het einde van de twee weken niet halen, dat was nu wel duidelijk. Hans stak zijn hand op om de aandacht van de kastelein te trekken en tikte met de vingertoppen een dienblad aan dat boven zijn kruin werd doorgegeven.

'DROOMLAND, DROOMLAND. O, IK VERLANG ZO NAAR DROOMLAND.'

Het blad kantelde. Een lawine van glas en jenever tuimelde over zijn hoofd en schouders. Hij hoorde een godslasterlijke vloek, voelde een harde duw in zijn rug. Zijn bovenlichaam klapte naar voren. In een reflex greep hij de bar, die wankelde onder zijn gewicht. Glazen vielen om, sloegen in scherven op de vloer. Hans draaide zich om. Broeder Kavelaars, de organist. Zijn vuist schampte Hans' jukbeen. Raakte het achterhoofd van de broeder die voor hem stond.

'DAAR IS STEEDS VREE, DUS GA MET MIJ MEE.'

Het gezang werd onderbroken door barse mannenstemmen, waarna het helemaal verstomde. Er werd geduwd, getrokken, geslagen. Een willoze kettingreactie van stoten en klappen die vanuit het epicentrum aan de bar alle mannen in de kroeg in beweging bracht. Een automutilerend organisme, aangestuurd door een onzichtbare hand. Hans zag uit een ooghoek hoe broeder Siccama ruggelings en met gespreide armen tegen de bar stond, in een manmoedige maar uiteindelijk vergeefse poging tegenwicht te bieden aan de kolkende massa aan de andere kant. Toen detoneerde een vuist op Hans' rechteroog een supernova in zijn hoofd. Hij genoot van het schouwspel. Een halve seconde lang. Waarna alles zwart werd.

•

En nu stond hij met zijn mattenklopper in die zandstorm van kifpollen. Bij elke klap die hij op het landbouwzeil liet neerkomen, zag hij een elektrische ontlading door zijn bloeddoorlopen oogbollen schieten. Zijn verhemelte en tong waren van leer. Onder zijn rechteroog prijkte een auberginekleurige vlek die nog altijd groter leek te worden. Traanvocht en snot stroomden onophoudelijk over zijn jeukende gezicht. Iedere klap veroorzaakte een scheut van pijn in zijn hoofd.

Penitentie.

Hij was een flagellant, die niet zijn rug maar zijn eigen kop geselde. *Het loon van de zonde is de dood.* Maar nu leek de koele rust van het graf helemaal zo'n slecht vooruitzicht nog niet.

*Een wreker is de HEERE. Wie zal voor Zijn gramschap staan, en wie zal voor de hittigheid Zijns toorns bestaan. Zijn grimmigheid is uitgestort als vuur.*

Met alle kracht die hij nog in zich had liet hij de hittigheid Zijns toorns over zich neerdalen. De klap waarmee de mattenklopper op het plastic neerkwam, nu eerder een kanon- dan een pistoolschot, deed zijn collega's verschrikt opkijken. Hollanders, het grauw van de jajem op hun gezichten, knikten hem begripvol toe. Broeders in de zonde. De autochtonen grijnsden. De Kazen en hun alcohol, ha! *De wijn is niets anders dan een gruwel van Sjaitans makelij.* Wie nu nog niet zag dat Allah, de barmhartige, de gelovigen beschermde en behoedde, hoefde maar naar de gepijnigde hoofden van de Hollanders te kijken. Geprezen was hij.

Hans de Hollander vuurde opnieuw berouwvol een kanonschot af. De kogel trof doel in zijn hoofd. Nog een uur tot de middagmaaltijd. Daarna een middagshift die eindeloos zou duren, hij maakte zich geen illusies. Nog een schot. Anticiperend op de inslag, kneep hij zijn ogen samen. Toen liet hij de mattenklopper langs zijn lichaam zakken. Hij pakte de steel met zijn linkerhand over, bukte zich, en liet zijn rechter onder het zeil in de Tweede Oogst verdwijnen. Met geoefende vingers kneedde hij in een handomdraai een duivenei van hasjiesj, die hij in zijn broekzak liet verdwijnen. Hij schikte het landbouwplastic, greep het instrument van zijn boetedoening, en haalde met verzengende kracht uit.

*Dewijl zij in elkander gevlochten zijn als doornen, en dronken zijn, gelijk zij plegen dronken te zijn, zo worden zij volkomen verteerd, als een dorre stoppel.*

# 13.

De motorfiets: een Motobécane z2c, van Franse makelij. Eéncilinder, 125 cc kopklepmotor. Zwevend zadel van bruin leer waarin de zon diepe barsten heeft gebrand. Een koplamp als een soepterrine. Een niervormige brandstoftank, afgesloten met een vuistgrote dop van verweerd chroom. De banden zijn zongebleekt en gecraqueleerd. De rubbers zijn in de loop der decennia hard geworden. En de uitlaat zwabbert. Was-ie in een klamme Noord-Franse schuur gestald of, God verhoede, in de eeuwige Hollandse miezer, dan zou er niets van de machine zijn overgebleven dan klonten roest. Maar de woestijn heeft de motor als een mechanische mummie geconserveerd. Zelfs op de plekken waar het zand de lak heeft weggebeten is er geen corrosie zichtbaar. De machine piept en kraakt en schuurt. Er hebben zich zandkorrels genesteld tussen alle bewegende delen. Een hogedrukspuit en een ruimhartige hoeveelheid olie zouden wonderen doen. Maar hij rijdt, de Motobécane.

Nog altijd.

De oudste dorpelingen houden vol dat de motorfiets aan de laatste prefect heeft toebehoord. Volgens de overlevering reed die er steevast volledig geüniformeerd op rond. Kniehoge laarzen, kepie, handschoenen, heupholster met daarin de gevreesde Lefaucheux-revolver. Een modern ruiterbeeld, tot leven gekomen als het mobiele symbool van koloniaal gezag. Toen het front de prefectuur naderde, was hij de woestijn ingereden. Hij had zich gemakkelijk door het terugtrekkende leger kunnen laten evacueren, niettemin was hij zo verknocht aan de Motobécane dat hij hem niet had willen achterlaten. Maar bij zijn heldhaftige vluchtpoging was hij vergeten de tank te vullen, de ondergeschikte die daarvoor verantwoordelijk was had allang de benen genomen, waardoor de prefect nog geen kilometer buiten het dorp abrupt tot stilstand was gekomen. De bevrijders troffen hem aan terwijl hij in hemdsmouwen de motor door het mulle zand duwde. Zijn uniformjasje en handschoenen hadden ze eerder al op het bandenspoor aangetroffen. Toen ze hem inhaalden, had hij met twee handen naar zijn holster gegrepen, waardoor de motor omviel. Toen de prefect met kepie en al onthoofd werd, lag hij ingeklemd tussen de hete woestijn en zijn geliefde Motobécane. De bevrijders hadden hem zo achtergelaten. Een motorrijder zonder hoofd onder een motor zonder benzine. Want de oorlog wacht op niemand en voor de vijand, een ongelovige bovendien, waren de vale gieren een passende laatste eer.

Welke dorpeling de motorfiets uiteindelijk gevonden heeft en of er toen nog iets van de prefect over was, weet niemand meer. Zakaria Dridi kende de verhalen, maar had verzuimd zijn vader bij leven naar de herkomst van de machine te vragen. De zaken waarmee je opgroeit hebben geen geschiedenis. Die zíjn er domweg.

Tot ze er niet meer zijn.

'Hoe kom je aan die brommer?'

'Motor.'

'Brommer, motor. Mij om het even. Ik wil weten hoe je eraan komt.'

'Gewoon.'

'Wat gewoon?'

'Nou, gewoon. Gehad.'

'Jij hebt zomaar een brommer gekregen?'

'Motor.'

'Motor. Je hebt zomaar een motor gekregen. Van wie?'

'Ehm... Van iemand uit het dorp.'

'Je hebt een brom… een mótor gekregen van iemand uit het dorp. Zomaar?'

'Nou ja, ik heb een klusje voor hem gedaan.'

'Dat moet een behoorlijk klusje zijn geweest, als je het mij vraagt.'

'Het is een heel oude motor, hè.'

Neel van Bestevaer liet haar blik over de machine glijden. Bromfiets, motorfiets. Hoewel ze er beslist geen kijk op had, kon ze zien dat het geen nagelnieuw apparaat was. Het zag er vaal uit. Stoffig ook. Zat geen glans meer op. Misschien dat er met een goeie poetsbeurt nog iets te redden viel. Hoewel er niet veel eer aan leek te behalen. Maar het functioneerde. En een rijdende brommer, motor, of wist-zij-veel, leek zelfs in de staat waarin het ding verkeerde een wat al te ruimhartige beloning voor 'een klusje'.

Haar zoon had vaker van die ongerijmdheden. Bij het uitmesten van zijn stinkende kalverhok had ze ooit een pak papiergeld gevonden. Een maandloon, minstens. Toen ze verhaal ging halen, vertelde Christiaan dat hij het geld in bewaring had voor een schoolvriend, geen Hollander, ze zou zijn naam toch niet kennen, die het 'even moeilijk had'. Ook toen had Neel nadere uitleg gevraagd en was Chris ontwijkend geweest. Maar hij had haar wat geld toegestoken. Genoeg om boodschappen van te doen. Met de complimenten van de eigenaar. Bewaardersloon, had Chris gezegd. Het kwam háár toe. Tenslotte was het háár huis. Of Chris ook zo ruimhartig was geweest als ze het geld níét had gevonden, waagde Neel te betwijfelen. Waarom haar zoon dat kleine fortuin in bewaring had gekregen en van wie, het waren vragen waar ze bij nader inzien geen antwoord op wilde. Ze had de biljetten aangenomen en in de zak van haar schort gestopt. Het leven was al duur genoeg. En het was een heel oude brommer. Mótor.

Christiaan van B. had de hele middag al geprobeerd wheelies te trekken, wat helemaal zo gemakkelijk nog niet was. Hij rukte aan het stuur terwijl hij de gashendel volledig opendraaide, maar het voorwiel kwam niet langer dan een seconde van de grond los, hoe vaak hij het ook probeerde. Misschien had de Motobécane onvoldoende vermogen of te veel massa voor acrobatiek. Dat de nieuwbakken motorcoureur voor stunts wellicht onvoldoende techniek in de vingers had, was een mogelijkheid waar Christiaan vooralsnog geen rekening mee hield. Keer op keer stuurde hij de motorfiets de Johan Cruijffstraat in, onvermoeibaar pogend het gewicht naar de achteras van de motor te verplaatsen. Zijn pogingen hadden geulen gevormd op de plekken waar het achterwiel zand had opgespoten. Bij sommige huizen langs het parcours werden de luiken na een aantal pogingen met misbaar gesloten. Bij andere en soms dezelfde woningen gingen de deuren open en kwamen er jongetjes naar buiten. Steeds als Christiaan passeerde, duwden zij hun vingers dieper in hun oren en lachten gebitten bloot die ondanks het ontbreken van een enkele melktand niet feller konden stralen. De motor jankte, de uitlaat knetterde, de jongens klapten in hun handjes, blij, blij, blij.

Ook Geesje zat grijnzend voor haar deur. Steeds als Christiaan voorbijkwam, stak ze haar vergroeide handen in de lucht en zei: 'Jeuh! Jeuh!'

Ofschoon zijn stunt steeds mislukte, was de coureur zelf extatisch. Eerder had hij weleens een brommer bestuurd. Hij wist hoe te koppelen en te schakelen. Maar niets had hem kunnen voorbereiden op de euforie die de oude Motobécane in hem los wist te maken. Het geluid, die prehistorische brul, rauw en hees. De paardenkrachten die hij met zijn rechterhand kon aansporen of temperen (met een beetje oefening en geduld zou dat steigeren ook nog wel lukken). De acceleratie en snelheid. De verkoelende wind in zijn haren. Hij was een dompteur. Een leeuwentemmer. In staat krachten te bedwingen die vele malen, groter, sterker en gevaarlijker waren dan hijzelf. Staal, vuur en zwaartekracht voegden zich in een handomdraai naar zijn wil.

Hij was Prometheus.

De woestijn, die zich altijd als een eindeloze, onneembare barrière rond het dorp had uitgestrekt, had ineens een einder gekregen. Christiaan kon er naartoe rijden. Hij kon er overhéén rijden. Zomaar. Zonder toestemming te hoeven vragen. En zijn verbeelding reed als kwartiermaker vooruit. Naar de stad, waar hij zichzelf met Layla achterop, haar armen stijf om zijn middel, over de campus zag rijden. Naar de oceaan, waar ze iedere avond vanaf het strand zouden gadeslaan hoe de zee de zon verzwolg. Hij kon naar het zuiden, naar de leeuwen, de negers en de jungle. Hij kon naar het noorden, naar de regen, het moeras, de Vikingen en de Middelburgse maanblussers. Naar Holland.

De wereld lag voor hem open; Christiaan had nog geen meter buiten het dorp afgelegd, toch was ze ineens begaanbaar.

Toen de mannen terugkwamen van de fabriek, verdrongen ze zich rond Christiaan van B. en zijn motorfiets. Ze overspoelden hem gretig met vragen waar hij het antwoord niet op wist. Hoeveel pk's? Hoeveel cc? Hoeveel N-m (wat de fok was een Newton-meter)? Wat was de maximumsnelheid? In hoeveel seconden accelereerde-ie van nul naar honderd? Het duizelde Christiaan en tegelijk vervulde het hem met trots.

'Ik kan hem wel voor je afstellen,' zei broeder Lindner.

'Je moet de carburateur uitvijlen,' meende broeder Van Neck.

'Dat mag je met zo'n ouwetje nooit doen,' mengde broeder Remmerswaal zich in het gesprek.

De mannen zakten door de knieën om de motor te inspecteren, lieten hun vingertoppen over de brandstoftank glijden, testten de veren door met hun volle gewicht op de bagagedrager te duwen. De Motobécane kreunde. Broeder Remmerswaal glipte zijn huis in en kwam even later terug met een busje olie. Broeder Lindner vroeg of hij er even op mocht zitten. Grijnzend zwaaide hij zijn been over het zadel.

Het goedkeurende gekeuvel van de mannen werd plotseling onderbroken door een dwingende stem.

'Dat is Dridi's motor, toch?'

Hans de Hollander doorbrak de cirkel van nieuwsgierigen rond de Motobécane. Christiaan van B. gaf geen antwoord.

'Wat moet jij daarmee?' vervolgde zijn vader.

'Gehad.'

'Gekregen, bedoel je.'

'Gekregen, ja.'

'Van Dridi?'

Christiaan knikte halfslachtig.

'Ik wist niet dat jij en Dridi kameraden waren.'

De jongen schokschouderde. 'Dat zijn we ook niet. Ik heb een klusje voor hem gedaan, da's alles.'

'Een klusje?'

'Een klusje, ja. Ik heb hem een paar keer geholpen. Niks bijzonders. Dingen sjouwen, beetje schilderen, een klusje. Toen heeft-ie mij die motor gegeven. Hij deed er toch niks meer mee, zei hij.'

'Weet jij hoelang ik zou moeten werken om zo'n motorfiets te kunnen kopen?'

Christiaan haalde opnieuw zijn schouders op. 'Het is een heel oud ding, hè. Een wrak eigenlijk. Een afdankertje.'

Hans liet zijn blik misprijzend op de motor rusten. Toen draaide hij zich om, duwde broeder Van Neck opzij en beende naar huis. Hij liet de deur met een harde klap in het slot vallen.

De zon was nog net zichtbaar boven de bergen. Het was een kwestie van minuten voor het donker zou zijn. Christiaan van B. gaf nog één keer vol gas terwijl hij met alle macht aan het stuur rukte. Even was hij bang dat het zou afbreken. Maar het voorwiel kwam los van de grond en in een vloeiende beweging, alsof hij nooit anders had gedaan, kwam hij overeind uit het zadel. Hij trok het stuur verder naar zich toe. Hij kon het gejuich van de buurjongetjes door het geraas van de uitlaat horen toen hij op één wiel voorbijreed. Hij gaf nog een dot gas. Het stuur kwam nog verder omhoog, waarna de motor achterwaarts over de kop sloeg en abrupt stilviel. In de collectieve schreeuw van de jongens vochten schrik en opwinding om voorrang. Christiaan van B. piepte. De klap op zijn rug had alle lucht uit zijn longen geslagen. Maar terwijl hij vergeefs naar adem hapte en hij de maan en de eerste sterren aan de donkerblauwe hemel zag, brak er op zijn gezicht een monumentale grijns door.

# 14.

De enige beschutte plek in de omgeving is de enorme arganboom. Die is groot genoeg om je achter te verschuilen. Maar onopvallend is-ie niet. De boom draagt vrucht. Sappig, rijp fruit. En de geiten hebben het gevonden. Zeker tien dieren zijn in de boom geklommen en bewegen zich als stijve, reumatische apen door het loof, terwijl ze zich tegoed doen aan de vruchten.

Christiaan van B. heeft het vaker gezien. De boom staat bij de eerste bushalte buiten het dorp en de geiten zijn er altijd. Toch blijft het een onwerkelijk gezicht. Zelfs de autochtone vrouwen die de uitgekakte pitten oogsten om er olie uit te winnen, kunnen hun ogen er nog altijd niet afhouden. Wonderen wennen niet. En dat is het: een wonder. De geiten hebben de wetten van de schepping doorbroken, zich een domein eigen gemaakt dat niet voor hen bestemd was. Kennelijk heeft de Heer een oogje toegeknepen. Misschien wel omdat ook Hij het een aardig gezicht vindt. Soms, als een van de geiten een hoefje verkeerd zet of te ver doorloopt op een buigende tak, dondert er een uit de boom en wordt de natuurlijke orde hersteld. Maar ook als de magie plotsklaps wordt doorbroken, is dat een reden om te kijken. Als de bus zo meteen stopt, zullen alle inzittenden automatisch pogen een glimp van de arganboom op te vangen. En toch is het de enige plek waar hij zich kan verschuilen. Misschien had Christiaan van B. toch op een andere plek moeten afspreken. Al kan hij zo snel geen alternatief bedenken waar ze de nieuwsgierige ogen van de dorpelingen met zekerheid kunnen ontlopen.

Een steeds groter wordende werveling van okerkleurig stof aan de einder kondigt de komst van de bus aan. Christiaan duwt de motor de weg af en ploegt hem door het zand naar de arganboom. De geiten tonen geen enkele belangstelling als hij de Motobécane in de schaduw van de boom op de standaard zet. Als de bus stilstaat, zal geen inzittende de machine kunnen zien. Maar de reiziger die een blik vooruitwerpt of bij het optrekken achteromkijkt, moet een glimp kunnen opvangen. Het is een risico waaraan Christiaan van B. niet meer kan ontkomen. Terwijl de geiten boven zijn hoofd onverstoorbaar verder grazen, omhelst hij de boom. Hij drukt zijn wang tegen de bast, fixeert zijn aandacht op de bus die deinend naderbij komt. De geiten mekkeren. Zo nu en dan regent het plaatselijk zwarte keutels, die in het zand neerploffen. Voor zover de laaghangende takken dat toelaten schuifelt Christiaan langs de stam, analoog aan de beweging van de bus, om uit het blikveld van de inzittenden te blijven. Hij hoort de chauffeur terugschakelen, het toerental van de diesel oplopen en weer afnemen, en ten slotte stationair gepruttel. Hij hoort de deuren met een geeuw open- en dichtklappen, waarna de bus in beweging komt en kalmpjes accelererend zijn koers vervolgt. Als het geluid bijna is verstorven, durft hij uit de schaduw van de boom te stappen. De zon is verblindend. Hij knijpt zijn ogen tot spleetjes en maakt met zijn vlakke hand een afwerend gebaar tegen het witte licht. Een handjevol zonnestralen wordt geblokkeerd door een silhouet dat zijn perifere zicht instapt. Het zegt: 'O, daar ben je! Ik was even bang dat je me vergeten was. Dat ik een halve dag in de hitte op de bus naar huis moest wachten en babba had moeten vertellen dat die verplichte inschrijfdag op de uni bij nader inzien toch niet doorging.'

Layla heeft zich voor de gelegenheid zedig gekleed. Enkellange rok. Kuitlange overjas. Hoofddoek. In morsige kleurschakeringen die het licht verdoffen zodra het erop valt. Het contrast maakt haar nog mooier dan ze al is. Er dansen groene vlekken op Christiaans netvlies, toch kan hij het zien. In drie stappen is hij bij haar. De oplettendheid die hij zojuist nog in acht nam, is verdwenen zodra hij haar kust. Haar mond is mollig. Ze smaakt naar rijpe abrikoos. Het is maar goed dat de geiten dat niet in de gaten hebben, denkt Christiaan, ze zouden haar bespringen.

Zo staan ze, minutenlang, onbevreesd in het helle licht. Dan drukt Layla hem een zoen als een uitroepteken op de lippen en maakt zich los uit zijn omhelzing.

'Ik stik de moord in dat ding,' zegt ze, terwijl ze de overjas van haar schouders laat glijden.

Christiaan neemt de jas van haar aan, wiegt hem als een zuigeling in zijn armen. 'Zaten er eigenlijk bekenden in de bus?'

'Nou en of. Het leek wel alsof het halve dorp besloten had uitgerekend vandaag naar de medina te gaan. Ze zullen zich intussen wel afvragen waar ik gebleven ben. Ik vermoed dat niemand me heeft zien uitstappen. Ze zaten allemaal naar die stomme geiten te kijken. Mèh, mèh. Daar heeft mijn zoete Kaasje goed over nagedacht.'

Layla grijpt Christiaans hand en geeft er een ruk aan.

'Kom, laat zien, die motor van je.'

Ze lijkt teleurgesteld. 'Wat een oud barrel. Weet je zeker dat-ie ons houdt? Dat-ie niet midden in de woestijn de geest geeft? Mag ik?'

Christiaan kijkt haar bevreemd aan. 'Mag je wat?'

'Nou, een stukje rijden.'

'Een stukje rijden? Zelf?'

'Zélf, ja, insjallah. Je moet niet denken dat ik zomaar bij je achterop stap. Eerst zelf zien of dat antieke wrak een beetje betrouwbaar is. De woestijn is groot en gevaarlijk. En er komt niet overal een bus, hè.'

'Kan je rijden dan?'

'Babba had vroeger een motor. Hij heeft het mij geleerd toen ik veertien was. "Zelfstandige meisjes zijn mobiele meisjes", zei hij altijd. Maar ik denk eigenlijk dat ik een surrogaatzoon was. Bij gebrek aan een echte. Je moet mijn langeafstandsschot eens zien.'

Ze sjort haar rok met twee handen omhoog. Als ze haar lange, kapucijnerbruine been over de machine zwiept, kan Christiaan heel even haar onderbroek zien. Er staan bloemen op, kleine rode bloemen. Roosjes? Het enige damesondergoed dat hij ooit eerder zag, was dat van Mem en moeder. Grote, katoenen lappen, ondanks de bleek grauw geworden. Ze hingen altijd binnen te drogen, aan een uitklaprek in de keuken. De andere was hing aan de lijn boven de straat. Droog in een halfuurtje. Maar moeder was, net als de andere vrouwen, vastbesloten haar onderkleding niet tentoon te stellen.

Layla zit wijdbeens op de motor, haar bovenlichaam voorovergebogen, handen aan het stuur. Ze trapt op de kickstarter. De motor produceert een kortstondig, droog geknor.

'Barrel,' mompelt Layla, terwijl ze haar voet nog eens, vinniger ditmaal, op de starter laat neerkomen. De motor sputtert maar slaat niet af. Ze schakelt en laat de koppeling opkomen. Soeverein rijdt ze de schaduw uit, het licht in, dat weerkaatst op haar blote benen. Ze manoeuvreert zelfverzekerd door het zand, steekt tijdig een voet uit als de motor dreigt te kapseizen. Ze stuurt de weg op en blijft even stilstaan om haar hoofddoek te fatsoeneren. Dan geeft ze gas. Het achterwiel slipt door de acute energieoverdracht onder haar weg. Ze corrigeert met achteloos tegenstuur en is weg. Haar benen onbedekt. Een eventuele tegenligger zou de roosjes van verre kunnen zien. Christiaan van B. ziet alleen Layla's rok, die haar, klapperend in de wind, geagiteerd lijkt te achtervolgen. Ze remt, keert en rijdt in haar eigen spoor terug. Benen, rozen, rok, glimlach die de helft van haar gezicht inneemt; Christiaan vergeet adem te halen als ze meanderend door het zand op hem af rijdt. Ze stuurt het voorwiel tussen zijn benen, buigt zich voorover om de benzinetoevoer dicht te draaien en zegt: 'Gaat best. Voor zo'n oudje.' Christiaan van B. zucht, lang en diep.

•

Hoelang het rijden is, weet hij niet precies. Hij heeft vader weleens horen zeggen dat het 'een halve dag gaans' was, een uitdrukking die een Bijbelse klank had – 'Zo togen zij drie dagreizen van de berg des Heeren; en de ark des verbonds des Heeren reisde voor hun aangezicht drie dagreizen, om voor hen een rustplaats uit te speuren'. Maar of dat te voet, met de bus of per auto was, had hij er nooit bij verteld. Christiaan weet alleen dat hij naar het westen moet en vertrouwt erop dat ze er in een paar uur zullen zijn. Zelfs als ze om het halfuur stoppen om van plaats te wisselen.

Het staal van de bagagedrager biedt geen enkel comfort en de vering van de Motobécane heeft haar beste tijd gehad. Ieder hobbeltje, elk heuveltje, ieder gat in de onverharde weg is een aanslag op de billen.

De vrachtwagens die hen met een zekere regelmaat tegemoet rijden, claxonneren allemaal als Layla de motor bestuurt. Bij de eerste glimp van een tegenligger, een stofwolk, een weerkaatsende zonnestraal, probeert Christiaan van B. Layla's dijen te bedekken met de stof van haar opwaaiende rok. Niettemin blijft de aanblik van een gehoofddoekte, jonge vrouw, de tank van de motor tussen haar gespreide benen, te veel voor de chauffeurs. Als Christiaan stuurt, is er nauwelijks contact met de truckers. Een gewisselde blik, een knikje hooguit. Maar kennelijk is de Internationale Bond van Vrachtwagenchauffeurs statutair overeengekomen dat een motorrijdende vrouw begroet moet worden met aanhoudend getoeter. Het is een intimiderend, bronstig geluid. Alsof niet de bestuurder maar de truck zelf geil is. Layla geeft geen krimp. Ze lijkt de vrachtwagens te zien noch te horen, houdt haar blik strak op de weg, gespitst op onvolkomenheden die de motor uit balans kunnen brengen. Christiaan, achterop, heeft zijn wang tegen haar rug gedrukt. Zijn handen rusten op haar dijen, heet van de zon, om te voorkomen dat haar rok meer opwaait dan strikt noodzakelijk. De constante trilling van de motor en het schokkende achterwiel in combinatie met de warme meisjeshuid onder zijn vingers, resulteert in een erectie. Christiaan raakt bevangen door de dwanggedachte dat zijn stijve in de veer van het zwevende bestuurderszadel bekneld raakt. Eén flinke kuil en het is definitief uit met de pret nog voor die goed en wel begonnen is. Maar als hij zijn billen naar achter schuift, dreigt hij van de bagagedrager te glijden.

Vader mocht graag vertellen over die keer dat hij in een koude, Hollandse winternacht moeder was verloren, zonder er erg in te hebben. Het motorgeluid van zijn brommer en hun bevroren lippen had hen het spreken onmogelijk gemaakt, en door de dikke lagen kleding voelde hij niet hoe haar greep verslapte toen hij bij het verlaten van een fietstunneltje gas gaf en de brommer onder moeders kont wegreed. Ze was op straat gesmakt en, nou ja, moederziel alleen in het donker achtergebleven terwijl het rode achterlicht van vaders brommer uit haar blikveld verdween. Haar geschreeuw had hem niet bereikt. Bij een kruising, 'minstens vijf kilometer verder', zoals hij met gevoel voor geografische dramatiek vertelde, had hij zich omgedraaid om haar te vertellen dat ze er bijna waren. Moeders afwezigheid zorgde voor een kortstondige kortsluiting in zijn hoofd. Het contrast tussen wat vader vanzelfsprekend dacht aan te treffen en de lege bagagedrager was zo groot dat zijn hersenen er de contouren van zijn meisje op projecteerden. Haar afwezigheid kreeg vorm. Waar zij had gezeten, zat nu haar geest. Die verdampte acuut toen hij rechtsomkeert maakte en terugreed terwijl hij haar bleef roepen. Het leek uren te duren voor hij haar in het licht van zijn koplamp zag opduiken: geknepen ogen, slierten haar die onder het pothelmpje tevoorschijn kwamen, armen om het lijf gevouwen tegen de kou. Ze rilde en stapte, trekkend met een been, zwijgend weer achterop. En nog altijd als vader erover vertelde, elke verjaardag was het raak, werden haar lippen dun en wit.

Christiaan van B. drukt zich nog wat steviger tegen Layla's rug en klemt zijn armen om haar middel. De witte zon staat hoog aan de wolkeloze hemel. Er is alleen schaduw waar ze hem zelf opwerpen. De hitte is genadelozer dan de kou, het licht onontkoombaarder dan het duister. Hier moet je niet alleen achterblijven. Niet te lang.

Zolang ze rijden is alles goed. De luchtverplaatsing verkoelt het zweet op hun lijven. Door de pulserende leegte die hen omringt is het alsof ze stilstaan. Ze zweven roerloos in een vacuüm, Layla en hij, landen alleen als ze van plaats wisselen, zijn zich uitsluitend van elkaar bewust, en niets anders, tot hun cocon aan flarden wordt gereten door de claxon van een grote, geile vrachtwagen die op hen afstormt met het kennelijke voornemen hen te pletten, te walsen, uit te smeren over het wegdek, hun botten verpulverd, hun ingewanden tot moes gereden, hun lichaamssappen verdampt, gereduceerd tot poeder, tot koolstofatomen die zich mengen met het zand en het stof. Ze zouden samen de woestijn zíjn. Om elkaar heen dansen als een zandstorm hen oppakte. Bij elkaar rusten als de wind weer ging liggen.

De misthoorn van een zestienwieler wekt Christiaan van B. uit zijn dagdroom. Layla mindert vaart en stopt. Ze laat de motor stationair draaien, vertrouwt er niet helemaal op dat de machine probleemloos opnieuw zal starten als ze het contact verbreekt. Ze wrijft het stof van haar benen, wist zo de handafdrukken die Christiaan op haar huid heeft achtergelaten en schikt haar rok, trekt haar hoofddoek los. Ze schudt het zand uit het textiel en zo goed en kwaad als dat gaat uit haar haren. Christiaan legt de punten van zijn zwart geblokte keffiyeh routineus rond neus en mond. Hij neemt het stuur van Layla over en stapt op. Het uitgedroogde leer van het zadel, nog warm van haar onderlichaam, voelt na het staal van de bagagedrager zacht en comfortabel als een donskussen. Voor zolang het duurt. Christiaan wacht tot Layla's armen zich rond zijn middel sluiten en trekt langzaam op. Uit het verdwijnpunt van de weg voor hem doemt de zoveelste truck op.

Wervelend stof, zonlicht dat weerkaatst op de verchroomde delen, het steeds luider wordende gerommel van naderend onweer. Even later passeert de vrachtwagen met donderend geweld. Maar de claxon zwijgt.

●

Hun schaduw wordt al lang. Christiaan van B., gebogen over het stuur van de Motobécane, voelt het begin van paniek in zijn buik ontkiemen. Wat als vader zich vergist heeft in zijn 'halve dag gaans'? Wat als hij zelf een misrekening heeft gemaakt? Hij is een onervaren rijder, heeft geen benul van wegen of navigatie. Hij meent te weten dat er maar één weg naar het westen gaat en als hij op de zon koerst, rijden ze in de goede richting. Alleen duurt het nu wel erg lang. De zadelpijn heeft zijn schouderbladen bereikt en de gedachte door het donker te moeten rijden boezemt hem angst in. Als de vrachtwagenchauffeurs hun verstralers aanzetten om zich een weg te banen door de inktzwarte woestijnnacht, zijn ze dan nog in staat het vuurvliegjeslicht van hun koplamp waar te nemen? Die is groot, maar het schijnsel is zwak. Het idee overreden te worden is minder romantisch naarmate de kans erop groter wordt. Het alternatief, de nacht doorbrengen in de woestijn, is al even angstwekkend. De nachten zijn koud. Ze hebben geen enkele beschutting, anders dan elkaar en de kleren die ze dragen. Hij heeft zelfs geen lucifers of aansteker meegenomen. Een vuur maken om warm te blijven en de beesten op afstand te houden, is uitgesloten. Tenzij Layla nog een oude bedoeïenentruc kent, iets met vuurstenen, takjes of de verhoornde staarten van ratelslangen, maar daar durft hij niet op te rekenen. Nee, het is zaak voor het donker te arriveren.

De zorgen vallen van hem af als hij niet veel later een helderwitte streep aan de einder ziet. Eerst kan hij het niet thuisbrengen. Als de streep groter wordt en een zweem van fonkelend blauw prijsgeeft, spert hij zijn ogen open: het kan een luchtspiegeling zijn, maar als de woestijn geen loopje met hem neemt is dat het zonlicht dat weerspiegeld wordt in de zee! Hij moet zichzelf bedwingen niet beide handen in de lucht te gooien. Het zou bitter zijn zo vlak voor het reisdoel te verongelukken. Hij mindert gas, tikt met zijn linkerhand Layla aan.

'Kijk!' mompelt hij vanachter zijn keffiyeh. 'Kijk dan!'

Hij brengt de motor tot stilstand, klapt de standaard uit en laat Layla afstappen voor hij zelf uit het zadel komt. Even staan ze sprakeloos te kijken naar het einde van de wereld. Dan laten ze zich ruggelings in het zand vallen.

'Ik ga zwemmen!' roept Layla.

Christiaan van B. grijnst. 'Weet je hoe dat moet dan?'

'Hoe moeilijk kan het zijn?'

'Ik ga varen!'

'Heb je een boot dan?'

'Ik vraag gewoon een visser. Schipper mag ik overvaren, ja of nee?'

'Overvaren?'

'Ja. Nee. Gewoon. Of ik een stukje mee mag. Ik zal hem zeggen dat ik een echte Hollander ben. Een man van hout en staal. Met wind in de kop en zout water in de aderen. Bedwinger der oceanen. Een zeeman. De visser zal de loopplank voor mij uitleggen. Hij zal mij een voedzame, Hollandse maaltijd bereiden van rotte haring en tot moes gestampte aardappels.'

Layla slaat haar handen voor haar mond. 'Getver.'

'Daarna zullen wij buitengaats gaan en op een dag gaans, als wij de viswateren hebben bereikt, de netten uitgooien. De Heere zal ons ter wille zijn met een – hoe heet dat? – roedel, nee, een schóól vissen, die het schip haast doet kapseizen als we ze binnenhalen. Het volk zal juichen als we de vangst aan land brengen. En de dankbare visser zal zeggen: 'Hollander, jij mag zo vaak overvaren als je wilt.'

'Ik zou met jou nog geen beekje durven overvaren, zeeman. Jij heb geen zout water in je aderen, maar zand. Je boot zou zinken. Je netten zouden scheuren. De vissen zouden in hun vinnetjes klappend van het lachen om je heen zwemmen. "Ha ha, die Hollander."'

Layla vouwt haar handen onder Christiaans kin en kust hem op de droge, gebarsten lippen. De smaak van abrikoos en zout. Hand in hand kijken ze naar het wit en het blauw. Dan stappen ze weer op. Layla aan het stuur. Christiaan van B. achterop. En al snel neemt het lijnenspel aan de horizon grilliger vormen aan. De contouren van kranen, schoorstenen en loodsen groeien voor hun ogen. Traag opstijgende en weer dalende containers, bevestigd aan tuigjes van naaigaren. De silhouetten van schepen die hun blikveld binnenvaren. De woestijn lijkt onder de banden van de Motobécane te verdwijnen. De vegetatie neemt bij elke meter toe en wordt steeds groener. Er duiken geiten op, die langs de kant van de weg aan rattige struikjes knagen terwijl de trucks op luttele meters langsdenderen. Er verschijnen hutjes van leem en stro, stallen, schuren, akkers. Hoe dichter ze bij de haven komen, hoe groter de afstand tot de einder wordt. De motor zwoegt een heuvel op, krakend en steunend onder het gewicht van de twee passagiers. Als ze de top bereiken, knijpt Layla abrupt in de remmen. Zo hard dat Christiaans hoofd tegen haar rug knalt. Hun adem stokt. Eerst de hare, een fractie later de zijne.

De zee.

De zee.

De zee… De zee begint waar de woestijn eindigt. Er voltrekt zich een wonder aan de vloedlijn. Het zware, bijna kleurloze zand transformeert precies op die plek in pulserende schakeringen van licht en kleur, waarin alles voortdurend in beweging is en waarvan je geen detail kunt waarnemen omdat het verdwenen is voor je het kunt registreren. De zee lijkt niet op de plaatjes. De zee is een constante metamorfose en die verdwijnt zodra je haar vastlegt. De zee lijkt ook niet op de filmpjes. De zee heeft geen kader, laat zich niet vangen in een aspect ratio van 4:3 of 16:9. Zou Willem iii de zee zien, dan gooide hij zijn dvd-verzameling bij het oud vuil. De zee wordt gekadreerd door de beperkingen van het menselijk zicht. Daar waar het oog het opgeeft en in arren moede de hemel dan maar waarneemt, rolt de zee gewoon verder. Geen camera doet recht aan de schoonheid van het licht dat door het transparante water geabsorbeerd wordt en tegelijk op de golven weerspiegeld. De zee drinkt zonnestralen, slikt ze door en spuugt ze weer uit. De zee kleurt het witte licht blauw. Het blauw van de edelstenen die in de medina worden verkocht. Turkoois. Lapis lazuli. Opaal. Saffier. De kleurexplosie van de amethist die zich openbaart zodra de grauwe, pokdalige rots waarin het edelgesteente schuilgaat doormidden wordt gekliefd. De Grieken gebruikten amethist als talisman tegen dronkenschap. Maar de aanblik van de vloeibare variant – kolkend, bruisend, kabbelend; aangeraakt door God zelf – benevelt Christiaan en Layla in een oogopslag.

De zee…

De laatste kilometers worden in een roes afgelegd. Ze laten de haven rechts liggen, rijden het strand op. De Motobécane valt bijna om als de standaard wegzinkt in het zand. Een platte kei biedt uitkomst. Dan rennen ze de branding in, waar ze over de golven springen en het zout op elkaars lippen proeven en zien hoe de zon de zee in brand zet alvorens aan de einder te doven.

# 15.

Stapvoets rijden ze langs de zij aan zij geparkeerde vrachtwagens. Veel ruimte om te manoeuvreren is er niet. Christiaan van B. koerst op de vuile lamp aan de gevel, waaromheen tientallen zwarte insecten fladderen. 'HOTEL LE -ARADIS', staat er in vaal Latijns schrift op de muur. Het zand heeft de P in de loop der jaren onleesbaar geschuurd. Le -aradis is een koloniaal overblijfsel, een tastbaar memento aan een tijd waaraan hooguit een paar oudjes nog werkelijke herinneringen hebben. Rode baksteen, hoge kozijnen met openslaande deuren en gietijzeren balkons die elk zinnig mens alleen in acuut suïcidale toestand betreedt.

Op weg naar de ingang, een deur met melkglazen inzet beschermd door krullerig siersmeedwerk, houdt Layla plotseling stil.

'Weet je zeker dat we dit gaan doen?'

Christiaan van B. haalt zijn schouders op. 'Hebben we keus? Tenzij jij terug wilt rijden natuurlijk.'

Layla kijkt om zich heen. Het is donker. De witte maan en de buitenlamp van Le -aradis verlichten een kaal terrein. De droogte heeft zwarte barsten in de aarde gekerfd, bezaaid met drollen en proppen krantenpapier. Ze hadden de nacht aan het strand willen doorbrengen. Gewoon, omdat ze niet weg wilden. Zandvlooien, vastberaden steekvliegjes en een kille nevel die over zee naar land rolde, dwongen hen van dat voornemen af te zien. Nu staan ze voor de deur van een herberg met een gesloten deur, een vuile insectenlamp en poep op de stoep. Layla grijpt Christiaans hand. Samen laveren ze, de ogen gefixeerd op de bevuilde grond, naar de ingang. Christiaan schraapt zijn keel, recht zijn schouders en duwt de deur open.

De lobby van Hotel Le -aradis: een gehavende mozaïekvloer, een houten trap die elegant de duisternis in krult, een kooilift met de mededeling 'buiten gebruik'. De receptionist, een jonge man met glimmers in zijn oren en een kapsel waarin ieder haartje afzonderlijk in model gedrapeerd lijkt, kijkt voetbal op een oud maar groot plasmascherm. Als hij de nieuwe gasten bemerkt, haalt hij zijn voeten van zijn bureau en maakt zich met kennelijke tegenzin los van de televisie.

'*Salam aleikum*,' zegt Christiaan, 'wij zijn meneer en mevrouw Van Bestevaer. Uit Holland.'

'Toeristen zeker?' De receptionist klinkt geamuseerd. 'Bagage?'

'Eh… Nee. Geen bagage.'

'Paspoort?'

'Is dat nodig?'

De man achter het bureau haalt zijn schouders op. 'Vijfduizend dirham voor een uur. Vijftigduizend voor een hele nacht.'

'Wat?'

'Cash. Vooruit te betalen.'

Christiaan kijkt naar Layla. Ze draait met haar ogen en knikt bijna onmerkbaar. Christiaan trekt een stapel bankbiljetten uit zijn kontzak, pelt er vijf briefjes van tienduizend vanaf en legt die op het versleten bureaublad. De receptionist grist een sleutel van een bord aan de muur. 'Uitchecken om tien uur,' zeg hij, terwijl hij zijn blik weer op het scherm richt, 'condooms en schone handdoeken bij de receptie.'

Condooms?

Layla moet de neiging om weg te benen en de nacht alsnog tussen de vlooien, de vliegen en de drollen door te brengen de kop in drukken. Ze probeert Christiaans blik te vangen, maar die wendt zijn hoofd af. Hij zou toch niet…? Christiaan pakt met een snelle beweging de sleutel en bekijkt het vetleren label dat eraan bevestigd is. Kamer 206. Het hotel kan toch onmogelijk meer dan tweehonderd kamers hebben? Hij kijkt naar de receptionist, kucht om zijn aandacht te trekken, toont hem het label tussen duim en wijsvinger.

'Broer...'

'Zesde kamer, tweede verdieping.'

Het is donker op de trap. De treden kraken onder hun voetstappen. Op de overloop van de eerste verdieping is een streep licht zichtbaar. Die wordt breder als een kamerdeur open zwiept. Er stapt een vrouw naar buiten. Donker, stijl gemaakt haar, kohlzwarte ogen, een zweem van lippenstift op en rond haar mond. Als ze Layla ziet, breekt haar gezicht open in een lodderige glimlach. Haar gebit heeft betere tijden gekend.

'*Habiba*,' zegt ze. Ze spreidt haar armen stiefmoederlijk, alsof ze Layla om de hals wil vallen. '*Habibati*, wat ben je jong. Wat ben je mooi.'

De vrouw doet een paar stappen naar voren. Christiaan ruikt haar adem. Een geur die hij nog nooit bij een autochtone vrouw heeft geroken, die hij alleen kent van de Hollandse mannen uit het dorp. Van vader, als hij op donderdagavond thuiskomt. Van de broeders die wankelend uit de kroeg komen, en op weg naar huis kinderen, niet noodzakelijk de hunne, in de wang knijpen en optillen. Het is de weezoete geur van ruzie, van barse stemmen en onberekenbare incidenten. Hij doet een stap terug. Layla, achter hem, grijpt zijn schouders.

'Ach, habiba, habibati, waarom zo bedeesd? Waarom zo verlegen?'

Plotseling verhardt het gezicht van de vrouw. Er openbaren zich diepe rimpels in haar gezicht die eerder niet zichtbaar waren. Van stiefmoeder tot Medusa; een metamorfose die minder dan een seconde in beslag neemt. Haar hand schiet naar voren. Ze moet een telescooparm hebben. Layla duikt weg achter Christiaans rug, voelt vingers in haar hoofdhuid klauwen, hoe een plukje haar wordt losgerukt. Christiaan geeft de vrouw een duw, roept: 'Donder op, wijf!'

In de deuropening verschijnt het silhouet van een dikke man, die hinkend op een been in zijn onderbroek probeert te stappen. 'Alles in orde hier?' raspt hij.

De vrouw houdt Layla's hoofddoek tussen duim en wijsvinger omhoog, alsof het een gebruikte luier is. 'Zustertje hier,' zegt ze misprijzend, 'zustertje hier meent dat ze een vromere *houri* is dan ik. Dat Allah een oogje voor haar dichtknijpt omdat het zustertje d'r haar zo zedig bedekt. Maar in het paradijs zijn alle houri's gelijk.'

Juist als de vrouw de hoofddoek op de grond wil laten vallen, grist Christiaan hem uit haar handen. Hij grijpt Layla's hand en samen rennen ze omhoog, naar de tweede verdieping. Het gelach van de vrouw en de man stijgt op in het trappenhuis als ze in het schemer van de overloop hun kamer proberen te vinden. 206... 206... 206! Christiaan frommelt de sleutel in het sleutelgat, voelt het slot ontgrendelen. Hij duwt de deurklink omlaag en trekt Layla met een onbedoeld elegante beweging de kamer binnen. Met zijn heup doet hij de deur dicht en draait hem op slot. Zijn rechterhand beweegt als een spin over de muur om de lichtknop te vinden. Maar als de plafonnière aanschiet, fluistert Layla: 'Alsjeblieft, laat het licht uit.' Christiaan van B. dooft de lamp en drukt zijn meisje tegen zich aan. Hij voelt haar hart bonzen, hard en gejaagd. 'Die vrouw,' zegt hij. 'Ik wist niet...' Onwillekeurig trekt hij met zijn schouders. 'L'klawi kuthoer.'

Layla drukt haar wang tegen zijn borst en zwijgt.

Blauw maanlicht valt door de klapdeuren naar binnen. Een tweepersoonsbed, twee nachtkastjes, een wastafel. Een stilstaande ventilator met schoepen als de schroef van een scheepsmotor aan het plafond.

'Hé,' zegt Layla, plotseling opgewekt. Ze maakt zich los uit

Christiaans omhelzing en loopt naar de balkondeuren. 'Hoor je dat?'

Het deurbeslag is stroef. De banaanvormige hendel knarst als zij hem naar haar middenrif beweegt. De deuren, daarentegen, klappen gesmeerd open. Nu hoort Christiaan het ook. De branding. Een kalme, gedempte donderslag die zachtjes versterft en weer opklinkt. Het regelmatige gesnurk van een reusachtig maar goedmoedig dier.

Layla zet aarzelend de bal van haar rechtervoet op het balkon, om die meteen weer terug te trekken als het smeedwerk begint te kraken.

'Pas op,' fluistert ze, als Christiaan achter haar komt staan en zijn armen om haar heen vouwt. 'Zie je?'

Achter de vrachtwagens en de bomen en de loodsen en de kranen ligt de oceaan. Het maanlicht wordt op de golfjes in stukken gehakt. Zwarte schepen liggen in de haven aangemeerd. Een enkel vissersbootje pruttelt onaangedaan de nacht in. En het reusachtige, goedmoedige dier snurkt.

Als de vissersboot in de duisternis is verdwenen, ploffen Layla en Christiaan hand in hand, ruggelings op het bed.

'Hoe schoon is uw uitnemende liefde, mijn zuster, o bruid,' mompelt hij, terwijl hij naar de roerloze ventilator staart. 'Hoeveel beter is uw uitnemende liefde dan wijn.'

Layla proest. 'Wát zeg je?'

'Ach, niks. De Bijbel.'

'De Bijbel zegt dat liefde als wijn is? Volgens de Koran zou de liefde in dat geval haram zijn.'

'Je vader zou het ongetwijfeld beamen. Net als de mijne. Hoewel die het niet "haram" zou noemen.'

'Neem maar een slokje dan. Ze kijken geen van beiden.'

Christiaan rolt op zijn schouder en buigt zich over haar heen. Haar lippen wijken onder de zijne. Haar tong is zacht en warm. Hij kust haar hals, woelt met zijn gezicht in haar krullen, fluistert in haar oor: 'Uw lippen, o bruid, druppen van honingzeem. Honing en melk is onder uw tong, en de reuk uwer klederen is als de reuk van Libanon.'

Ze giechelt nu. 'Honingzeem, pff. Je bent een vleier, Kaasje. Heb je dat allemaal voor de gelegenheid uit je hoofd geleerd?'

'Ik heb het honderden keren gelezen. Mijn favoriete Bijbelboek. Anders dan alle andere. Ik wist niet dat ik zoveel van die shit uit mijn hoofd kende. Ik flap het er zomaar uit.'

'Zeker omdat je vindt dat mijn kleren stinken. Naar Libanon. Ben je weleens in Libanon geweest?'

Hij wil haar antwoorden, maar Layla legt haar hand op zijn mond. 'Natuurlijk stinken mijn kleren na een dag op de motor, vind je het gek? De jouwe stinken net zo hard.'

Ze richt zich op en worstelt haar jas onder zich vandaan. Ze trekt Christiaan aan zijn revers overeind en sjort het jack over zijn schouders. Dan knoopt ze haar bloes in een vloeiende beweging los, met de vingers van een horlogemaker. Ze draagt een witte beha, bedrukt met roosjes. Christiaan hapt naar adem. Als hij uitademt zegt hij: 'Uw twee borsten zijn gelijk twee welpen, tweelingen van een ree, die onder de leliën weiden.'

'Welpen? Van een ree? Wat is een ree? Ik durf te wedden dat die God van jou nooit een vrouw heeft gehad. Hier, is dit een ree?'

Ze trekt het behabandje over haar schouder en wipt haar linkerborst uit de beschermende cocon omhoog. Een geometrisch perfecte halve sfeer, glimmend in het strijklicht, met donkere, compact samengetrokken areola. Als Christiaan eindelijk de moed heeft gevonden haar te bevoelen, is zijn aanraking huiverig en licht. Alsof haar borst van kristal is en hij vreest haar te breken. Ze legt haar hand op de rug van de zijne en duwt teder maar gedecideerd in haar vlees. Het is zacht en stevig, koel van boven, warm en klam op de plek waar zijn hand op haar ribben rust. Het vlees voegt zich naar zijn aanraking, bolt op aan weerszijden van zijn vingers, wist zijn handafdruk zodra hij haar loslaat. Christiaan is verstijfd van angst en opwinding, ademt door zijn open mond, alsof zijn longcapaciteit ineens gehalveerd is. Hij denkt aan welpen noch reeën, raakt bedwelmd door een elektrische roes. De enige vrouwenborst die hij eerder voelde was die van Juliana, in een verduisterd klaslokaal. Voor een pakje sigaretten had ze hem toegestaan haar gigantische tieten te betasten. Zelfs in het harnas waarin ze omhoog werden gehesen hadden haar haverzakken bleek en papperig aangevoeld. Nu Layla's borst in zijn hand ligt is hij er ineens van overtuigd dat Juliana op dezelfde plek een ander lichaamsdeel heeft. Oppervlakkig en van grote afstand zijn er overeenkomsten, maar wat ze in hem losmaken kan niet meer van elkaar verschillen. Het moet iets anders zijn.

'Proef me,' fluistert Layla. Ze draait zich op haar zij, beweegt haar schouder naar zijn hoofd. Zijn lippen, rafelig en gebarsten, wijken vanzelf als ze haar tepel in zijn mond duwt. Zijn instinct zegt hem te zuigen, maar een ander deel van zijn reptielbrein grijpt in. Hij is geen baby. De jonge vrouw die hem haar borst aanbiedt is niet zijn moeder. Zijn zintuigen, zijn zenuwstelsel, zijn hersenen: op dat exacte moment wordt alles herschikt, opnieuw geformatteerd. Vanzelf plooit hij zijn lippen rond de knoop in zijn mond, beschildert haar transparant met het puntje van zijn tong. Hij knijpt zijn lippen samen, walst haar, bijt haar. Tot zijn verbazing gaat het allemaal vanzelf. Zoals niemand hem uit hoefde te leggen hoe hij kind moest zijn, zo heeft hij geen gebruiksaanwijzing nodig om man te worden. Layla's adem hapert een moment. Dan laat ze een langgerekte zucht ontsnappen. Christiaan mompelt: 'Hoe schoon zijt gij, en hoe lieflijk zijt gij, o liefde, in wellusten!'

Zijn vingers beschrijven haar lichaam; de harde welving van haar schouder, het zachte vlees van haar onderarm, de ribbenkooi die als een heiligdom haar hart omsluit, de 'ronde beker' (het Hooglied blijft in zijn hoofd rondzingen) van haar buik. Als zij haar vingers vluchtig over zijn buik laat gaan, trekken de spieren van zijn onderlichaam in een spasme samen. Wat schilderkunst

moet zijn voor het zicht, muziek is voor de oren en Mems stamp-
pot met echte Hollandse rookworst voor de smaak, is seks voor de
tast, bedenkt hij zich. Het is een openbaring. De gêne voor zijn
magere lijf en zijn dunne armen, de huiver voor de ongenaakbare
schoonheid van het hare: ze ebben steeds sneller weg om plaats
te maken voor een orkaan die in zijn borst aanzwelt, een natuurkracht die zich niet laat temperen. Zijn hand glipt onder de rand
van haar rok. Haar onderbroek is klam onder zijn vingertoppen.
Ze duwt zijn hand weg. Ze duwt zijn hand terug. Hij verzucht:
'Uw buik is als een hoop tarwe, rondom bezet met leliën.' Zij plukt
aan de sluiting van zijn broek. Het lukt haar niet met een hand de
knoop door het knoopsgat te wurmen. Pas als hij zijn buik intrekt
lukt het haar zijn broek te ontknopen. Haar hand verdwijnt tussen
zijn benen. Hij kreunt, snuift, steunt en kermt dan:

'Au, godverdomme, Jezus! Fok, hé!'

Een stekende pijn verspreidt zich vanuit zijn scrotum richting
zijn liezen en maag. Layla trekt geschrokken haar hand terug en
komt overeind. Haar onderarmen bedekken haar borsten, haar
vingers raken haar onderlip. 'Doe ik het verkeerd?' vraagt ze verschrikt.

'Nee. Nee. Nee, natuurlijk niet. Je bent geweldig.'

'Ik heb geen… Ik heb nog nooit… Nou ja, ik kan er helemaal
niks van. Het spijt me.'

'Nee. Nee, habiba. Dat is het echt niet. Het ligt niet aan jou.
Misschien heb ik te lang achterop gezeten. Zijn ze beurs.'

'Ze? Je… eh? Beurs? Als vijgen? Heb je eróp gezeten dan?'

'Nou, nee, ik zit gewoon op mijn kont, net als jij. Toch? Maar,
nou ja, ik weet ook niet wat er aan de hand is. Vergeef me. Je had
je er vast iets anders bij voorgesteld. Misschien ben je, nou ja,
gewoon te veel vrouw voor mij.'

Layla grinnikt. 'Te veel vrouw, pff. Wat is dat voor onzin? Komt
dat ook uit de Bijbel? Eerst die reeën en die wijn en die honing-
zemen. En nu ineens "te veel vrouw". Ik ben geen vrouw. Ik ben

een meisje. Jóúw meisje. Kom bij me. Ik zal heel voorzichtig zijn met die beurse vijgen van je.'

Ze trekt haar rok over haar heupen, rukt zachtjes aan de onderkant van Christiaans pijpen tot zijn broek over zijn voeten glipt. Hij draagt een klein, oranje jongensonderbroekje dat zijn moeder jaren geleden voor hem gekocht moet hebben en dat nóg krapper oogt vanwege zijn stijve lul die de stof omhoogduwt. In haar fantasieën was het altijd een intimiderend moment geweest, de confrontatie met de *zeb* van een man. Maar de verboden vrucht blijkt een gebutste vijg en de opwinding die door haar lichaam giert, transformeert haar lang gekoesterde angst tot een huiveringwekkend verlangen. Ze haakt haar vingers achter het elastiek van het jongensonderbroekje en manoeuvreert zorgvuldig langs zijn blauwe ballen. Met een routineuze beweging ontdoet ze zich van haar eigen ondergoed. Ze schopt het broekje uit bed, herhaalt zacht: 'Kom bij me.'

Christiaan van B. rolt boven op haar. Hij kijkt hulpeloos. 'Ben ik niet te zwaar?' vraagt hij hijgend. Ze glimlacht en schudt van nee. Ze voelt zijn zeb tussen haar dijen. Hij beweegt als een blinde die zich met zijn geleidestok een weg naar de ingang probeert te banen. Hij kermt als ze hem een handje helpt en de aanraking van haar pink een scheut van pijn door zijn beurse vijgen jaagt. 'Zachtjes. Voorzichtig,' fluistert ze. Christiaan steunt op zijn handen, torent boven haar uit, durft zijn onderlijf nauwelijks te verroeren. 'Kom,' zegt ze. Behoedzaam duwt hij zijn zeb in haar tabon. Layla knijpt haar oogleden stijf dicht als Christiaan aarzelend tegen haar maagdenvlies duwt. Ze grijpt zijn billen en forceert hem naar binnen. De pijn snijdt door haar buik. Ze kermt. Christiaan houdt onmiddellijk op met bewegen, hangt roerloos boven haar. Ze zegt: 'Alsjeblieft, niet stoppen nu.' Ze bijt op haar onderlip en hoopt dat de pijn bij iedere stoot minder zal worden. De pijn verzacht wat, toch put ze meer vreugde uit de aanblik van de man, háár man, en het magische idee dat hij ín haar is, dan uit de daad zelf. Layla laat haar handen over Christiaans rug glijden, zet haar vingers in zijn harde billen, ziet hoe de myriade van sproeten op zijn gladde, witte bovenlichaam een diepe glans krijgen door de film van zweet die zich erop aftekent. Het ritme van zijn heupen loopt synchroon met de golfslag van de branding. Bij elke stoot voelt ze dat ze te klein is, te nieuw. Ze laaft zich aan de violente natuurkracht die haar lijf absorbeert bij iedere schok die het breekt. Ze kantelt haar hoofd naar achteren als hij zijn gezicht in haar hals begraaft en hij zich met de gretigheid van een vampier vastzuigt. Hij wurmt zijn handen onder haar billen, trekt haar bekken omhoog in een poging nog dieper in haar door te dringen. De branding kan zijn tempo niet meer bijbenen. Het lukt Layla niet langer zich schrap te zetten tegen de barrage van stoten die haar lichaam moet opvangen. Ze kan niet anders dan meegeven, zich laten optillen door de golven die haar overspoelen. Bij iedere beweging wordt de lucht uit haar longen geperst. Ze hapt hijgend naar adem. Hij steunt alsof hij een basaltblok moet verplaatsen. Er ontsnapt een kreet aan haar lippen als hij haar nog dieper openstoot, en verkrampt boven haar kromtrekt. Even vreest ze dat de rigor hem zal breken. Maar dan vloeit de pijn uit zijn blauwe ballen in haar weg en blust haar bloedende tabon. Hij implodeert. Zijn lichaam wordt zacht. Hij rolt van haar af. Verzucht ademloos: 'Ik ben een muur en mijn borsten zijn als torens. Toen was ik in Zijn ogen als een, die vrede vindt.' Het maanlicht kleurt zijn jongensgezicht blauw. Het grote, goedmoedige dier snurkt. En Christiaan van B. ook.

·

Het schemert nog als Layla en Christiaan uit Le -aradis wegglippen. De receptionist ligt voorovergebogen op zijn bureau te slapen, zijn hoofd in de kromming van zijn elleboog. Het televisiescherm toont grijze sneeuw. Het geluid staat uit. Christiaan legt de kamersleutel behoedzaam op het bureau. Er is geen reden zo bedeesd door de foyer te sluipen. Hij heeft betaald en het interieur van de hotelkamer zette beslist niet tot diefstal aan. Maar de stilte van het vroege uur en het uitgestorven gebouw geven Layla en hem onwillekeurig het gevoel dat ze clandestien zijn en zo stilletjes mogelijk de benen moeten nemen. Buiten worden ze verwelkomd door een magere hond die ze roerloos aankijkt terwijl hij een dampende drol uit zijn bibberende onderlijf perst. Layla heeft haar hoofddoek strak onder haar kin geknoopt, Christiaan heeft de punt van zijn keffiyeh om zijn mond gewikkeld. Maar als de kleine man, die onder een stapel bedauwde dekens op de lading van zijn vrachtautootje tussen de trucks op het parkeerterrein ligt te slapen, gewekt wordt door het geluid van de motor die hortend en stotend tot leven komt, herkent hij zijn jonge dorpsgenoten in een oogopslag.

# 16.

De vader van broeder Van Dullemond was een eigenzinnig man. Toen een novemberstorm het dak van de oude varkensstal had geblazen, besloot hij dat er een nieuw dak moest komen, een dat tegen de elementen gewapend zou zijn. Een taak die hij niet aan buitenstaanders toevertrouwde. De oude Van Dullemond had een hekel aan vreemden op zijn erf en al helemaal aan opgedofte types uit de stad. Voortvarend ging hij zelf aan de slag. Op de plek waar de oude stal, feitelijk niet meer dan een houten schuur, al generaties had gestaan, verscheen onder zijn grote, harde handen een varkensbunker die wel tweehonderd beesten kon herbergen. De jonge Van Dullemond, destijds niet ouder dan een jaar of tien, had zijn vader geassisteerd bij de bouw. Hij had beton gestort, gemetseld, gevoegd, betegeld, troggen en strontgoten aangelegd. De Van Dullemonds waren voor geen kleintje vervaard.

Het water leverde het overtuigende bewijs dat een stadse aannemer of – Heere God bewaar ons! – architect geen beter werk had kunnen leveren. Waar op andere boerderijen muren en zelfs complete gebouwen waren weggespoeld, stond de nieuwe varkensstal op Van Dullemonds erf nog recht overeind. Toen het water zakte bezweek alleen de deur onder de druk van binnenuit. Tientallen gezwollen varkenskadavers spoelden op een machtige golf het terrein op. Omdat het destructiebedrijf de boerderij niet kon bereiken en het land bij iedere spade die in de grond ging met water volliep, bleven de beesten geruime tijd rond het huis liggen. Broeder Van Dullemond kon de stank nog altijd ruiken, maar herinnerde zich vooral de stilte. Hij was opgegroeid met het geluid van de varkens. Ze knorden, gromden, boerden, hoestten dag en nacht, konden gierend uithalen, als kapotte sirenes. Het was een constante kakofonie, waarin momenten van tevreden gebrom op onvoorspelbare momenten doorbroken werden door snerpend gegil. De jonge Van Dullemond sliep er 's avonds mee in en werd er 's ochtends mee wakker, het begeleidde zijn dromen en gebeden. Hoewel hij dat pas hoorde toen de varkens zwegen. Ze lagen met open bekken, grijnzend op het erf. De kraaien dreven hun snavels in hun oogjes. De vliegen hielden een jamboree boven hun wit verkleurde lijven.

Het waren gebeurtenissen die broeder Van Dullemond nooit zou vergeten. De verstomde varkens. En hoe een betonmolen te bedienen.

Ze hadden een oud exemplaar gevonden in de boomgaard van een tandeloze dorpeling. Met een kleine moker hadden ze dikke klonten betonsediment uit de trommel moeten loskloppen, waardoor het apparaat nu oogde alsof het een verkeersongeluk had overleefd. Iedere omwenteling ging gepaard met een angstaanjagend, schrapend geluid, dat het gerommel van het grind bijna overstemde. Maar het werkte en dat was het belangrijkste. Nu was het vooral zaak de specie vochtig genoeg te houden. Door de hitte droogde het mengsel snel, wat het lastig te hanteren maakte. Na het storten moest er direct in de massa worden geprikt om de luchtbellen eruit te verwijderen, waarna onmiddellijk geëgaliseerd moest worden.

Broeder Van Dullemond, die vanzelfsprekend de rol van voorman op zich nam, had het allemaal nog in de vingers. Beton storten, in verband metselen: kennelijk was het als fietsen. Als je het eenmaal onder de knie had raakte je het nooit meer kwijt. Maar zo vanzelfsprekend als de techniek was, zo lastig bleek het om aan geschikt bouwmateriaal te komen. De totale opbrengst van de collectes was lang niet voldoende. De kerkgemeente zou nog jaren moeten doorcollecteren om aan een bedrag te komen dat zelfs maar een beetje zou volstaan. De dominee wilde daar niet op wachten. Was Mozes niet voortvarend aan de slag gegaan toen de Heer hem opdroeg de tent van samenkomst op te richten? Had hij gewacht tot er voldoende sjekels waren ingezameld? Was hij naar de top van de Sinaï gekomen om Hem te zeggen: 'Heer, U moet nog even geduld hebben. Zodra we de financiën op orde hebben, bent U de eerste.' Nog altijd viel de schaduw van de minaret over de kerk, wat de Heer een gruwel moest zijn. De te bouwen toren zou niet alleen een baken voor de gelovigen zijn en de afstand tot Zijn Koninkrijk verkleinen, maar strategisch ook zo geplaatst worden dat hij de goddeloze lichtblokkade die de moskee opwierp zou absorberen. Dus moest er gebouwd worden. En snel.

De bekisting werd gezaagd uit hetzelfde waaibomenhout waarin de oude dominee was begraven. Het was onmogelijk er rechte planken van te vervaardigen, waardoor het beton aan de zijkanten niet pas lag en door grillige uitstulpingen werd ontsierd. Als wapening had broeder Van Dullemond al het ijzer gebruikt dat hij kon vinden. Gordijnrails. De spiraalbodem van een bed. De bumpers en grille van een gesloopte auto. Schroot waarvan de herkomst niet meer te achterhalen was. Met weemoed dacht hij terug aan de geruststellende geometrie van de gevlochten rasters waarmee zijn vader de vloer van de varkensstal had gewapend, aan de pallets met rotshard gebakken betonklinkers op het erf.

De stenen waar hij nu mee moest werken waren onregelmatig van vorm, poreus en verweerd. Bij de voorbereiding van het project hadden de klinkers voor de meeste hoofdbrekens gezorgd. Broeder Van Dullemond had Hollandse stenen willen importeren, ware het niet dat het de hoeveelheid die ze nodig hadden zo enorm was, dat ze alleen op het transport al leeg zouden bloeden.

De ruïne van het Franse fort, net buiten het dorp, bood uitkomst.

Aanvankelijk beperkten de Hollanders zich tot de losse stukken metselwerk in het zand. Met beitels bikten ze de stenen los, waarna de specieresten zo goed en zo kwaad als dat ging werden verwijderd. Toen alle bruikbare delen waren verwerkt, begonnen ze aan de muren van het verlaten Jericho. Grote brokken ploften in het zand. De bakstenen werden met beitels losgebikt, waarna de vrouwen en kinderen de voegresten er af probeerden te schrapen.

De oogst van het beuk- en hakwerk was pokdalig en leproos. De onregelmatige vlakken sloten slecht op elkaar aan, waardoor de stenen in wankel verband op elkaar lagen. Van strak metselwerk was dan ook geen sprake. Ondanks de loodlijnen die broeder Van Dullemond had gebruikt, oogde het eerste resultaat als een illustratie uit *Hans & Grietje*: een bont patchwork, bijeengehouden met artistieke, mollige of juist streepdunne voegen. En als broeder Van Dullemond zijn ogen toekneep en door zijn wimpers naar de bouwput keek, zagen de contouren van de toren er redelijk strak uit. De muren, verzonken in diepe greppels rond de betonvloer, kwamen inmiddels tot borsthoogte. De omtrek van de toren-in-aanbouw was bescheiden, net groot genoeg voor een man die via houten ladders omhoog zou klimmen om de elektronische klok te onderhouden.

De autochtone dorpelingen zagen het tot voor kort geamuseerd aan. Het curieuze bouwwerkje van de Kazen was vooral onderwerp van speculatie. Sommigen vermoedden dat de raamloze kubus een schijthuis zou worden. De loods waarin ze hun goden aanbaden werd niet ontheiligd door sanitaire voorzieningen, dus zoiets moest het wel zijn. Al verklaarde dat niet waarom het gebouwtje zo'n zwaar fundament had. Ook een afvoer ontbrak vooralsnog.

Andere dorpelingen meenden dan ook te weten dat het een tempeltje in aanbouw was. Christenen aanbaden beelden, wisten zij, beeltenissen van hun goden en profeten. Die werden vaak ondergebracht in speciaal daartoe gebouwde huisjes die ze 'kapel' noemden. Er waren nog oudjes in het dorp die het zich van voor de onafhankelijkheid konden herinneren. Die zo'n christelijke god met eigen ogen hadden gezien: een man met een baard en lang, golvend haar, gekleed in een lange, geplooide *thoub*. Maar de enkeling die weleens in het Hollandse gebedshuis was geweest, wist dat daar geen beelden stonden, alleen een houten kruis. Bovendien leek de opening die in de zijkant van het nieuwe gebouwtje als toegang was uitgespaard te smal en te laag voor grote beelden. Misschien dat het naar binnen zou worden getakeld, vlak voor het dak erop ging. Maar ook dat was speculatie.

Aanvankelijk zorgden de werkzaamheden hooguit voor ophef omdat de Kazen met ontblote bovenlichamen stonden te werken. Vrouwelijke moskeegangers wendden zedig hun blik af zodra ze een glimp opvingen van het glimmende, roodverbrande mannenvlees. Hoewel niet iedereen zich kon inhouden. De kijkers-dissidenten veroorzaakten spanningen in de moskee, kleine oprispingen van onvrede die aanvankelijk niet voorbij de glad gestucte muren van het godshuis kwamen. Terwijl de onregelmatige percussie van hamers, troffels en beitels wel degelijk tot het vrijdaggebed doordrong. Tot dan wist de Hollandse gemeenschap niet beter dan de sabbatsrust op vrijdag te heiligen. Ze was gewoon na de eredienst in een zwarte processie naar huis te schuifelen om daar achter gesloten luiken met de Bijbel op schoot de tweede kerkgang af te wachten.

Maar de nieuwe dominee had hen bevrijd uit hun vrijdagse ledigheid. Hun ballingschap, zo preekte hij, maakte het onmogelijk de zondagsrust te bewaren. En omdat de vrijdag niet de echte dag des Heeren was maar een heidense sabbat, stond het hun vrij in het zweet huns aanschijns arbeid te verrichten. Temeer omdat de vrucht van hun transpiratie geen brood, maar de heerlijkheid Gods was.

Na de ochtenddienst stroomden de broeders handenwrijvend naar buiten. Het was zwaar werk. De steel van het pikhouweel veroorzaakte bloedende blaren op hun vochtige handen. En steeds als broeder Siccama in zijn vrachtwagentje een nieuwe lading stenen aanvoerde, steeg er onder de mannen een collectieve zucht op. Menigeen moest 's avonds een extra kelkje jajem wegwerken om de zeurende pijn in de onderrug te bestrijden. Zo diende broeder Siccama gelijktijdig de Heer en zijn eigen omzet. Waar de vrijdagse verveling voorheen ondraaglijke vormen kon aannemen, ging het lichamelijke ongemak van de bouwput met een vanzelfsprekende opgewektheid gepaard. Er werd gelachen, gezongen zelfs. Rond het middaguur brachten de zusters de lunch, die met smaak in de schaduw van de werd kerk gegeten. Waar broeder Van Dullemond de technische leiding op zich had genomen, fungeerde de dominee als spiritueel voorman. Zeker twee keer per dag kwam hij uit de kerk tevoorschijn om de vorderingen te inspecteren. Hij was gul met complimenten, deelde met koele hand schouderklopjes uit en sprak bemoedigende Bijbelteksten over de zegeningen van noeste arbeid. Tijdens de tweede eredienst ploften de broeders neer op de klapstoelen om uit te puffen. Sinds het begin van de bouw was het niet ongewoon gesnurk te horen tijdens de psalmen. Toen een zuster haar ronkende echtgenoot met een vinnige elleboogstoot bij de les hield, onderbrak de dominee zijn preek om te zeggen dat een man niet uit de slaap der rechtvaardigen gewekt mocht worden. Wie de Heer had gediend in de bouwput, loofde Hem ook met gesloten ogen.

Toen het metselwerk manshoogte had bereikt en het werken op de ladder de voortgang vertraagde, regelde broeder Siccama een steiger. De mikado van stalen pijpen van de laadbak van zijn vracht-wagentje was van verre hoorbaar toen hij aan kwam rijden. Siccama moest een aantal maal heen en weer omdat hij de onderdelen van de stellage niet in een keer kon vervoeren. Terwijl hij rechts-omkeert maakte voor de volgende lading, begon de metselploeg aan de bouw. Al snel torende het staketsel van de steiger boven de muren uit en werd zichtbaar wat de Kazen van plan waren. De reactie bleef niet lang uit.

TOREN

## door Driss Zrika

*'En Farao zei: "O leiders, ik erken geen God voor u naast mij;*
*stook voor mij een vuur O Hamaan, om stenen van klei te bak-*
*ken en bouw een toren, opdat ik moge opklimmen naar de God*
*van Mozes want waarlijk ik beschouw hem als een leugenaar.'*
— Achtentwintigste soera, 'De vertelling'

Ach ja, de Hollanders en hun als geloof vermomde doodscultus. Ik kan mij de tijd herinneren dat ze er niemand mee
lastigvielen. Dat het vrijdaggebed nog niet werd ontheiligd
door het ondraaglijke geluid van hun beierende klokken. Dat
ze hun bloeddorstige riten uitvoerden in de beschutting van
hun eigen woning. Achter gesloten luiken. Gecamoufleerd
door de schaduw bewogen ze zich onopgemerkt, of in elk
geval bescheiden door het dorp. En dat was maar goed ook.
Met hun witte koppen, zwarte vodden en houten hoeven
was het alsof Sjaitan zelf door de straten ging. Onze kinderen
kregen er nachtmerries van en de geiten gaven dagenlang
alleen zure melk als ze op vrijdag een Hollander tegen het
lijf waren gelopen. Maar zure melk en angstig kroost waren
kleine offers die wij, althans: sommigen van ons, bereid waren voor onze gastvrijheid te brengen. Ook de christenen zijn
een volk van het Boek, tenslotte.
Maar de Hollander is een inhalig type. Geef hem een maaltijd, en hij vreet alle schalen leeg voor de gastheer een hap
heeft kunnen nemen. De gastvrijheid waar wij ons terecht
op beroepen, is voor de Hollander aanleiding zijn smoel vol
te proppen, terwijl hij boerend en scheten latend naar de
keuken klost om te kijken of er nog meer te vreten is.
Monsieur le Maire, in al zijn naïeve goedheid, besloot hen
de loods naast de moskee te gunnen, opdat zij hun goden er

konden aanbidden. Op het plein moest een nieuw Jeruzalem verrijzen. Een heilige plek voor alle volkeren van het Boek. Vermoedelijk is dat de reden waarom we de burgemeester (had ik al gezegd dat hij naïef is?) nooit zien: hij is nog altijd op zoek naar een jood die zich hier wil vestigen om tussen de moskee en de kerk een synagoge te bouwen.

Maar hoe meer je de Hollander voert, hoe gulziger hij wordt. We hebben het lawaai van hun gebedsoproep moeten accepteren. En sinds zij het lijk van hun 'dominee' door de straten hebben gesleurd, slapen de kinderen helemaal niet meer en geven de geiten niet langer melk.

Toch is het kennelijk nog altijd niet genoeg. Want als de Hollanders de keuken hebben leeggevreten, storten ze zich op de koelkast. We hebben met eigen ogen kunnen constateren dat ze naast hun kerk iets nieuws bouwen. Nee, lui zijn de Kazen niet, dat moet je ze nageven. Als slaven-uit-vrije-wil staan ze halfnaakt te zwoegen aan een constructie waar velen van ons met een zekere welwillendheid naar hebben gekeken. Ach, die malle Hollanders en hun bakstenen heimweehuisje. Zo moesten ze er in Amsterdam ook uitzien, nietwaar?

Maar het gebouw is geen onschuldige annexe, geen klompenhok of kaasschuur. Het is de aanzet tot een kerktoren, zoals je die in Europa ziet. Het heeft er alle schijn van dat het blikvervuilende gedrocht even hoog wordt als de minaret die al sinds mensheugenis over ons waakt, of, Allah verhoede! zelfs hoger. Leer mij de Kazen kennen.

Honden bakenen hun territorium af door erop te pissen. Ze lichten hun poot op en laten het lopen, om een zogenoemde geurvlag te plaatsen. De Kazen, van nature dol op alles wat stinkt, zijn bezig in het hart van onze gemeenschap een enorme geurvlag te plaatsen. Net als de Farao in de Heilige Koran bouwen zij een passage naar het Paradijs om Allah, de Barmhartige Erbarmer, voor leugenaar uit te maken. Staan wij toe dat de christenhonden een steen geworden middelvinger uitsteken naar de gemeenschap, de koning en Allah zelf?

●

De krant met daarin Dridi's snijdende column verscheen, als altijd, op donderdag. Een dag later, de eerste eredienst was net afgelopen, zagen de mannen hoe een stokoude, zwarte Peugeot het terrein kwam oprijden. Een enkele Hollander sloeg proestend een hand voor zijn mond. Want Monsieur le Maire was een zachtaardig man, maar verzot op decorum. De afstand tussen de *Mairie* en de kerk was met een wandelingetje van vijf minuten te overbruggen. De secretaris annex chauffeur van de burgemeester had minstens twee keer zo lang nodig om de dienstwagen in gereedheid te brengen. De auto moest in de stalling, waar hij liefdevol werd onderhouden, van zijn stofhoes worden ontdaan, waarna hij werd voorgereden en Monsieur le Maire met enige ceremonieel rechts achterin plaatsnam. Dat een ritje in het dorp nooit meer tijd in beslag nam dan hooguit enkele minuten, had de burgemeester er nog nooit van weerhouden. Hij was nou eenmaal gesteld op de uiterlijkheden van het ambt. Het driedelige, zwarte kostuum naar Europese snit, dat om zijn lijf zwabberde, de sjerp in de nationale kleuren, het mahoniehouten empirebureau met de inleg van afgesleten vilt; het was alsof de bezetter met zijn bezittingen ook zijn koloniale autoriteit inderhaast had achtergelaten.

De Peugeot kwam piepend en krakend tot stilstand voor de kerk. De chauffeur annex secretaris stapte uit, liep om de wagen heen en opende het achterportier. De kleine gestalte van Monsieur le Maire kwam gebogen overeind en zette een voet op de treeplank van de auto. Zijn broekspijp rustte in mollige vouwen, als de nekplooien van een schildpad, op zijn voet.

De mannen in de bouwput richtten zich op van hun werk en zagen hoe de burgemeester uitstapte. Hij knikte hen toe en begon met de handen op de rug aan een inspectieronde. Bij de tweede omwenteling hield hij plotseling stil en bracht een gekromde wijsvinger naar zijn mond, alsof hij de kwaliteit van het metselwerk wilde bestuderen. Monsieur le Maire oogde niet alsof hij ooit twee stenen op elkaar had gestapeld, laat staan dat hij een halfsteensverband van een klezoor- of kettingverband kon onderscheiden. Niettemin nam hij er de tijd voor. Peinzend. Pulkend aan het puntje van zijn lip. Een vlakke hand op zijn achterhoofd. Daarna vroeg hij broeder Leering, die met een troffel snel drogende specie naast hem stond, waar hij de dominee kon vinden.

Broeder Leering keek hem verschrikt aan. 'Huh?'

'De dominee,' zei broeder Siccama, 'hij zoekt de dominee.'

Broeder Leering begon te hakkelen. 'Uhm… *there*, Monsieur le Maire, there, naar de, eh…'

'Kerk,' zei broeder Siccama.

'Yes, *kerk*,' beaamde broeder Leering, zijn stem gekleurd door zowel wanhoop als opluchting. Hij maakte gebaren alsof hij een vliegtuig naar de startbaan moest dirigeren.

De burgemeester knikte vriendelijk en bewoog zich naar de ingang van de kerkloods. Voor hij die bereikt had, verscheen de dominee in de deuropening. Vol ornaat: nachtzwarte toga, smetteloos witte bef, baret, spiegelende schoenen, onbezoedeld door stof of zand. De dominee bracht zijn rechterhand naar zijn hart, boog licht en zei: 'Monsieur le Maire, wat een onverwachte eer. Had ik van uw komst geweten, zou ik u op passender wijze hebben ontvangen. Ik hoop dat u onze gebrekkige gastvrijheid niet euvel wilt duiden. Het is al lastig genoeg die van u en uw gemeenschap te evenaren, laat staan onvoorbereid. Maar als u ons de onwaardige omstandigheden vergeven wil, mag ik u dan binnen noden?'

De burgemeester viel even stil. Niet eerder had hij een Hollander in zulke vloeiende, accentloze volzinnen horen spreken. Toen hij zich na twee tellen hervonden had, antwoordde hij: '*Smahli*, mijn excuses, ik wil u niet in verlegenheid brengen. Ik had u van mijn komst moeten verwittigen, *sajidi* dominee. Maar ik heb dringende zaken te bespreken.'

De dominee boog opnieuw en hield de deur open. 'Treed binnen, Monsieur le Maire. Wees welkom in ons bescheiden godshuis.'

Het was lang geleden dat de burgemeester voor het laatst voet in de kerk had gezet. Hij was vergeten hoe kaal het daar was. Er lagen geen tapijten en de wanden van de loods waren niet gedecoreerd. Achter in de ruimte was een verhoging met daarop een sobere *minbar*, van waarachter de dominee de gelovigen moest toespreken. Daarachter de grimmige aanblik van het manshoge, ruwhouten kruis, dat eruitzag alsof er ieder moment een cohort Romeinen naar binnen kon marcheren om er een jood aan vast te timmeren. Een huivering tintelde over de rug van de burgemeester.

De dominee ging hem voor over het gangpad tussen de rijen met klapstoelen. Vooraan gebaarde hij Monsieur le Maire te gaan zitten en vroeg hem of hij koffie dan wel thee wilde. Er was in de kerk geen gelegenheid die te zetten. 'Nee, dank u,' zei de burgemeester, 'een andere keer maak ik graag gebruik van uw gastvrijheid, ook om nader kennis te maken. Maar nu zijn er drukkender zaken. Leest u even goed Arabisch als u het spreekt?' Uit de binnenzak van zijn kostuum haalde hij de krant. Er verscheen een ernstige, bedrukte blik op het gelaat van de dominee.

'Ik heb het gelezen... Christenhonden...'

'Ja, daar ging Dridi volledig buiten zijn boekje. Verschrikkelijk.'

'Mijn mensen zeggen dat ze in al die jaren nog nooit zoiets hebben gehoord.'

'Het is onverdraagzaam en onvergeeflijk.' De burgemeester hief zijn handen ten hemel. 'En dat over een volk van het Boek. De Profeet zegt: "Wie het Paradijs wil betreden moet zijn gasten eerbiedigen." Werkelijk, onvergeeflijk. Daar is het laatste woord niet over gesproken, dat kunt u van mij aannemen.'

'U bent een eerzaam, rechtschapen man, Monsieur le Maire,

167

een sieraad voor het dorp en een ware vriend van de Hollandse gemeenschap. Onze gebeden gaan vanavond naar u uit.'

De burgemeester vouwde zijn handen kruiselings voor zijn onderlijf en zei: 'Maar hij heeft wel een punt.'

'Een punt?'

'Dridi heeft een punt. Die toren. Ik kan mij niet herinneren dat u daar een vergunning voor heeft aangevraagd, geachte dominee.'

'Wij bouwen op het erf van de kerk, Monsieur le Maire. Geen centimeter erbuiten. Ik heb daar persoonlijk op toegezien.'

'Ik vertrouw op uw woord, dominee. Ik beschuldig u ook niet van landjepik. Maar het dreigt nogal een gevaarte te worden. En in mijn eigen gemeenschap is er gemor hoorbaar. Niet alleen in de krant.'

'Dat verdriet mij, Monsieur le Maire. Wij hechten aan een cordiale verstandhouding met de oorspronkelijke bewoners. Wij willen niet de indruk wekken dat wij misbruik maken van hun gastvrijheid.'

'Maar?'

'Vergeef mij, maar wat?'

'Nou, zo'n enorm religieus bouwwerk. Direct naast de moskee. Midden op het plein. Het oogt nogal, hoe zal ik het zeggen? Nogal overheersend, ja.'

'Monsieur le Maire, ik verzeker u: uit de diepe eerbied die u en uw gemeenschap rechtens toekomt, hebben wij voor een rank ontwerp gekozen, bescheiden in omtrek. Er past één man in. Kleiner kon niet. Het formaat onderstreept juist de diepe eerbied en genegenheid die de Hollandse gemeenschap voor de uwe voelt.'

'Er is waardering voor de intentie, waarde dominee. Al zal niet iedereen ervan doordrongen zijn. Wat de dorpelingen zien is een invasief bouwwerk op de plek die aan de nieuwkomers geschonken is.'

'Exact. Op ons eigen terrein. Ik zie daar streng op toe.'

'Dominee, u gaat wellicht wat al te gemakkelijk voorbij aan de gevoeligheden van de mensen die hier al generaties wonen.'

'Sta mij toe u een vraag te stellen, Monsieur le Maire. De gemeenschap heeft ons in al haar gastvrijheid dit kleine stukje land toebedeeld. Met welk doel?'

'U vraagt naar de bekende weg. Met de bedoeling uw gemeenschap een plek te gunnen waar zij op waardige wijze haar religieuze plichten kan vervullen.'

'Een kerk. U heeft ons een kerk toegestaan.'

'Zo mag u het formuleren.'

'En zoals de moskee niet compleet is zonder minaret, zo kan een kerk niet zonder toren.'

'Uw kerk heeft anders jarenlang zonder gefunctioneerd. Uw voorganger, vrede zij met hem, heb ik er nooit over gehoord.'

'Mijn voorganger, moge de Heer over zijn ziel waken, geloofde dat hij zijn volk terug zou leiden uit de diaspora. Hij meende dat zijn kerk een tijdelijke voorziening was. Een gebedshuis voor passanten. Een religieuze oase waar de karavaan even de tenten kon opslaan, waarna zij spiritueel gelaafd verder zou trekken. Maar ook u, Monsieur le Maire, weet dat het water niet zakt. De Hollanders keren niet meer terug. Ze hebben hier hun bestaan opgebouwd. Hun kinderen zijn hier geboren, net als u, als ik het wel heb. Hun heimwee zal hier worden begraven. Mijn gemeenschap is uw gemeenschap geworden, Monsieur le Maire. De Tent van Samenkomst wordt morgenvroeg niet afgebroken en op de rug van een kameel gebonden.'

'Tent? Welke tent?'

'Ik bedoel dat dit…' De dominee spreidde zijn armen. 'Dat dit de kerk van de Hollanders blijft. De toren is ons anker, of beter: onze boomwortel in de gemeenschap, zo moet u het zien.'

'Als u zich in de aarde had geworteld, zoals iedere normale boom, zou niemand bezwaar hebben gehad. Uw wortel strekt zich uit in de lucht, als een takloze stam.'

'Het is een spirituele worteling, waarmee wij ons zowel aan deze

grond als aan de Heer verbinden. Was u het niet die ooit de vergelijking met de Eeuwige Stad trok? Welnu, in uw kleine Jeruzalem
is deze kerk de Al-Aksa-moskee. Wilt u de burgemeester zijn die
pal vóór de Al-Aksa gaat staan? Of de burgemeester die hem ten
prooi laat vallen aan duistere, primitieve sentimenten?'

'Ik vind het een verwarrende analogie, waarde dominee. Maar
u weet dat ik de volkeren van het Boek een warm hart toedraag en
dat ook de Hollandse gemeenschap haar geloof ten volle en in alle
vrijheid moet kunnen belijden.'

'Dus u staat toe dat wij ons hier wortelen?'

'Ik zal niet degene zijn die de boom velt. Laten wij het daarop
houden.'

De dominee en Monsieur le Maire zwegen. De ruimte vulde zich
met het schraperige geluid van de betonmolen en de stemmen
van de mannen die in de bouwput een oud-Hollands liedje zongen: 'Heb je éven voor mij, maak wat tijd voor mij vrij.' Toen de
muezzin vanuit de minaret aan de gebedsoproep begon, stond de
burgemeester op. 'En toch,' zei hij, 'toch had u mij om toestemming moeten vragen.'

Zonder te groeten draaide hij zich om en beende naar buiten,
waar zijn secretaris/chauffeur hem naast de auto stond op te wachten. Monsieur le Maire stapte in. De chauffeur/secretaris nam achter het stuur plaats. Stapvoets reed de Peugeot in dertig seconden
van de kerk naar de moskee. Toen de burgemeester daar uitstapte,
droeg hij een gehaakt wit mutsje. Broeder van Dullemond volgde
zijn bewegingen met een geamuseerde blik. Hij dacht aan zijn
vader, aan dode varkens en stak zijn troffel in de specie-emmer om
een nieuwe rij stenen op te zetten.

# 17.

De kassen hadden geïmporteerde stalen skeletten, bedekt met insectengaas en doorschijnend plastic folie. Hoewel het materiaal zo strak gespannen was dat de wind er moeilijk vat op kreeg, was er in de kassen vaak het geklapper van zeil hoorbaar. Het was een geluid dat Hans de Hollander onwillekeurig aan het haventje deed denken en fantoomklanken in hem opwekte: het gekrijs van meeuwen, het montere 'ping' van tuig dat tegen een aluminium mast wordt geslagen, het gekabbel van golfjes die op de kademuur breken. De geluiden konden zo levensecht zijn dat Hans, als hij met gesloten ogen stond te luisteren, zich even thuis waande. Het was een pijnlijke illusie, een fata morgana waarvan hij wist dat-ie in een oogwenk zou verdampen. Dan transformeerde het oude Hollandse haventje in de hete, klamme kas waar het licht, gefilterd door de bleekgele kleur van het folie, een ziekelijke atmosfeer creëerde en de lucht bezwangerd was door het opiate parfum dat de kif verspreidde.

De planten stonden strak in het gelid naast elkaar, opgebonden met henneptouw, permanent gelaafd door het druppelinfuus van een ingegraven irrigatiesysteem en bemest met geitenstront. In parallelle zaaibedden stonden bijna oogstrijpe planten en halfwasse kwekelingen naast elkaar. Steeds als de toppen van de volwassen planten waren geknipt, werden de stelen uitgestoken en verwijderd, waarna er direct opnieuw werd ingezaaid om een constante oogstrotatie te garanderen.

Hans was graag in de kas. Ook met open ogen. Ondanks de

hitte, het licht en de geur was het een vertrouwde plek, Hollandser dan het ersatz-bruine café van broeder Siccama. Er werd niet getrommeld in de kassen. Er waren geen erupties van opgewonden conversatie in het Arabisch. De ordelijke formatie van de planten had een kalmerend effect op zijn gemoed, net als het zenboeddhistische karakter van het werk. Het opbinden, snoeien, bemesten en oogsten van de cannabis voltrok zich in volstrekte rust die de warmte draaglijk maakte. Hans de Hollander kon er zijn gedachten laten varen. Hij mijmerde over rivieren, die kalm en gedragen naar zee stroomden. Over Rijnaken en bruggen. Over beschoeiing en rietkragen. Over molens en polders. Dijken en gemalen. Over water dat zich naar de wensen van de mens liet dresseren.

*En als zij, die de ark droegen, tot aan de Jordaan gekomen waren, en de voeten der priesteren, dragende de ark, ingedoopt waren in het uiterste van het water (de Jordaan nu was vol al de dagen des oogstes aan al haar oevers);*

*Zo stonden de wateren, die van boven afkwamen; zij rezen op een hoop, zeer verre van de stad Adam af, die ter zijde van Sarthan ligt; en die naar de zee des vlakken velds, te weten de Zoutzee, afliepen, vergingen, zij werden afgesneden. Toen trok het volk over, tegenover Jericho.*

*Maar de priesters, die de ark des verbonds des Heeren droegen, stonden steevast op het droge, in het midden van de Jordaan; en gans Israël ging over op het droge, totdat al het volk geëindigd had door de Jordaan te trekken.*

'Hé, Hollander.'

Hans schrok op uit zijn gedachten. Voor in de kas stond Soufiane, de bewaker. Hij haakte een wijsvinger in de kraag van zijn wollen uniformjasje en bewoog die heen en weer. Zijn aangelijnde hond keek onaangedaan opzij.

'Het spul staat er weer goed bij, hè,' zei Soufiane, terwijl hij een oogstrijpe top door zijn mollige duim en wijsvinger liet glijden. Hij bracht zijn hand naar zijn neus en snoof nadrukkelijk. 'Aaaah, dat ruikt als goeie kif. Toch jammer dat het verboden is, vind je ook niet?'

'Wat moet je, Soufiane? Ik ben aan werk.'

'Ik zie het. En ik ben ook de laatste die je ervan af wil houden, geloof mij. Maar ik kom je halen. Patron wil je spreken.'

'Patron? Waarom?'

'Dat zal Patron je zo meteen vast zelf uitleggen. Dus als je zo vriendelijk wilt zijn.'

Hans legde zijn snoeischaartje neer en knoopte zijn klamvochtige, geribde jakje dicht. Patron. Hij had hem twee keer eerder ontmoet. Op zijn allereerste werkdag had Patron hem kort toegesproken. Hans had er geen woord van verstaan, maar had vastberaden geknikt toen hij dacht dat Patron klaar was. Later had de baas hem uitgenodigd de mattenklopper te demonstreren. Patron had hem goedkeurend op de schouder geslagen en hem toegelachen alsof hij een kind was dat een kunstje had verricht. Nadien had Patron nooit meer een woord met Hans gewisseld, buiten het plichtmatige '*mabrouk el-Aid*' dat hij iedere werknemer jaarlijks aan het einde van de vastenmaand toewenste als hij hun een doosje dadels toestopte. Patron liet zich hoogst zelden zien. Hij zat op zijn kantoortje, waar hij de hele dag aan de telefoon doorbracht. Wat hij daar besprak en met wie wist niemand.

Hans volgde de bewaker en zijn hond naar buiten. De zon raakte hem als een vuistslag, die hij met een vlakke hand voor zijn ogen afweerde. Ze liepen het omheinde kassenterrein af, de fabriek in. Aminedinne, de voorman, keek Hans in het voorbijgaan vragend aan. Hij trok zijn wenkbrauwen op en maakte een opwaarts knikje met zijn hoofd. Ook andere collega's keken verbaasd. Hans trok zijn schouders op en plooide zijn mond tot een grimas. Hij wist het ook niet.

Patrons kantoor kleefde als een zwaluwnest in een hoek boven in de fabriekshal. Een raampartij keek uit over de werkvloer. Hans kon hem zien zitten, voorovergebogen aan zijn bureau, de hoorn van de telefoon tussen oor en schouder. Soufianes hond maakte pas op de plaats toen ze de smalle, met spijlen afgezette wenteltrap bereikten. De bewaker knoopte het uiteinde van de lijn onder aan de trapleuning vast en gebaarde Hans dat hij voor moest gaan. Halverwege de trap hield de Hollander even stil en keek over zijn schouder, naar de gezichten van zijn collega's twee meter lager. Daarna vervolgde hij zijn weg omhoog, zijn klompen dreunend op de stalen treden van de bibberende trap. Toen hij het plateau bovenaan had bereikt, klopte hij beheerst op de deur. Niet te hard, niet te zacht. Niet te lang, niet te kort. Drie afgemeten klopjes. Er kwam geen reactie. Hans klopte nogmaals. Iets harder. Vier klopjes. Uit het zwaluwnest klonk een geërgerd 'JA?!' Hans opende de deur en liep tegen een muur van Egyptische sigarettenrook aan. Patron, de telefoonhoorn nog altijd aan zijn oor geklemd, dirigeerde Hans met een driftig vingertje de ruimte in. Soufiane volgde zonder iets te zeggen en posteerde zichzelf in de hoek van het kantoor. Zwijgend wachtten beide mannen tot Patron zijn gesprek beëindigde en de hoorn op de haak legde.

'Zo, Hollander.'

'Patron.'

'Hoe is het in de kassen?'

'Er staan mooie planten bij, Patron.'

'De planten staan er mooi bij, bedoel je?'

'Ja, Patron. Dikke toppen.'

'Jij houdt echt van die planten, hè?'

'Het zijn mooie planten.'

'Je bent niet de enige die er gek op is.'

'Nee, Patron.'

'Dan is het vast heel verleidelijk om ervan te stelen?'

De zenuwen die Hans waren opgekomen toen hij plotseling en zonder enige verklaring naar het kantoortje van de baas werd gesommeerd, accelereerden tot regelrechte paniek bij het horen van dat ene woord. Stelen. Beschuldigde Patron hem werkelijk van diefstal? Hans voelde de slagader kloppen in zijn hals. Transpiratie prikte in zijn haarlijn. De adrenaline die door zijn bloedbaan schuimde, bemoeilijkte hem het denken. Het was alsof zijn fysiologie Patrons beschuldiging beaamde.

'Luister, Hollander,' vervolgde Patron, 'we hebben het hier niet over een handje kif. Dit is serieus. Er verdwijnen hier kilo's hasjiesj. Poef! Weg! Zomaar. En ik heb reden aan te nemen dat jij daar meer van weet. Is het niet, Soufiane?'

Hans keek de bewaker vol ongeloof aan. 'Wat? Ik ben een dief? Hoe komen jullie erbij? Ik heb gestolen nog nooit van mijn leven. Ik ben een eerlijk mens!'

Patron knikte naar Soufiane. Die gebood Hans zijn armen op te tillen en begon hem met zijn kleine, mollige handen te fouilleren. Hij moest op zijn tenen gaan staan om Hans' schouders te betasten.

'Wat denken jullie? Ik heb verborgen kilo's onder mijn hemd?'

Soufiane bepotelde iedere centimeter van Hans' bovenlijf met haast wellustige grondigheid. Alsof de Hollander over exotische, typisch Europese lichaamsopeningen zou beschikken, verborgen spelonken van vlees waarin hij moeiteloos kilo's hasj kon laten verdwijnen. Hans grinnikte. Maar zijn lach verdampte op zijn lippen toen hij Soufianes hand over een bobbel in zijn broekzak voelde gaan.

'Maak je zakken leeg,' beval de bewaker.

Hans voelde zijn armen verslappen. Roerloos vielen ze langs zijn lichaam.

'Leegmaken!'

Patron ging rechtop zitten, boog over zijn bureau, vastbesloten niets te missen. De Hollander, het hoofd gebogen en hevig zwetend, liet zijn hand in de zakopening glijden en haalde een balletje hasj tevoorschijn, niet groter dan een flinke knikker, dat hij met neergeslagen ogen aan Soufiane overhandigde. De bewaker legde bewijsstuk A ter inspectie op Patrons bureau. Die greep het balletje en rolde het tussen duim, ring- en wijsvinger onder zijn neus heen en weer. 'Is dit alles?' Er klonk teleurstelling in zijn stem. 'Ik mis nog – wat zal het zijn? – een kilo en negen ons. Minstens. Misschien kan je gewoon opbiechten waar het spul is, Hollander. Dat scheelt dure tijd en moeite.'

'Ik, ik…' stamelde Hans. 'Het is niet van mij.'

'Jij, jij, jij,' bauwde Patron hem na, 'maar het komt wel uit jouw zak.'

'Nee, nee. Ik rook nooit. Dit is voor mijn buurvrouw. Zij is ziek. Ik niet.'

'Die buurvrouw zit straks in de gevangenis, Hollander. Roken is illegaal, hè. En diefstal ook.'

Hans keek zijn baas met een hulpeloze blik aan. Hij wilde hem alles vertellen. Over het achterkamertje in het theehuis en de keer dat hij daar tegen de vlakte was gegaan. Over zijn allergie voor kif en de kromme vingers van Geesje. Over de kif die iedere dag mee naar buiten werd gesmokkeld door iedereen die er de hand op wist te leggen. En over zijn onschuld. Hij zocht steeds paniekeriger naar woorden die zich als schuwe dieren verscholen hielden in de luwte van zijn bewustzijn. Hij hoorde zichzelf haperen. Zijn tong, verhemelte en lippen spanden tegen hem samen. Ze vormden klanken die hooguit bij benadering uitdrukten wat hij wilde zeggen. Zijn woorden waren verstekelingen die over zijn lippen van boord sprongen en een veilig heenkomen zochten. Hij was de slechtste advocaat die hem toegewezen had kunnen worden. Een half-alfabete stamelaar die hakkelend naar woorden zocht waarover hij niet beschikte en die zo nodig geen pleitnota kon schrijven omdat hij het schrift niet machtig was. Zijn verdediging bestond uit halve zinnen, grammaticale struikelpartijen en mislukte formuleringen die de premisse van schuld hooguit versterkten. Hans de Hollander was een geletterd man. Een man van het woord.

Een man van de Schrift. De Statenvertaling had hem met een rijk vocabulaire beloond. Brandoffer. Versmaadheid. Wederspannig. Goedertierendheid. Garven. Verkloeken. Heirscharen. Spieshout. Weversboom. Cijnsbaar. Hittigheid. Betuiningen der kudde. De wijn der geboeten. Oversten des heirs en ruiteren. *Uw zaad zal de poort zijner vijanden erfelijk bezitten.*

Maar zijn raadsheer was een stumper. Een boterbabbelaar. Machteloos. Impotent. Niet in staat Hans' noodlot af te wenden of de gevolgen ervan te verzachten. In luttele minuten verschrompelde Hans tot half de man die hij daarvoor was.

'Ik heb het niet gedaan. Ik ben onschuldig,' klonk het slotpleidooi.

'Jij bent ontslagen, dat is wat je bent,' sneerde Patron. Hij grijnsde naar Soufiane, die een valse lach teruggaf. 'Pak je spullen en vertrek, Hollander. Er is hier geen plaats voor dieven. Al stelen ze kruimels. Jullie Kazen nemen alles wat op jullie pad komt, Zrika schreef het afgelopen week nog. Maar niet hier, Hollander, niet hier. Hoor je me?' Patron rolde het balletje hasjiesj opnieuw door zijn vingers waarna hij het, simsalabim, in de binnenzak van zijn jasje liet verdwijnen.

De monosyllabische klanken die Hans nu uitbracht vormden zelfs bij benadering geen woorden meer. Soufiane greep hem bij zijn bovenarm en souffleerde hem naar de deur. Voor Hans de trap op werd geduwd, hoorde hij achter zich hoe Patron de hoorn van de haak nam en de draaischijf van de telefoon in beweging zette. Soufianes hond snuffelde aan Hans' kruis. Bij elke trede die de Hollander afdaalde bekroop hem sterker het gevoel dat hij een schavot besteeg. De mannen op de werkvloer hadden hun werk neergelegd en keken hem aan. In de spiegeling van hun blikken zag hij dat zijn gezicht boekdelen sprak. Hij wilde zich van de trap laten vallen. Schreeuwen. Vechten. Vloeken. Schelden. Maar de moedeloosheid verzwaarde zijn passen en benam hem zijn stem. Willoos liet hij zich door Soufianes dikke handje voortduwen, de hond kwispelend naast hem, hijgend met de tong uit de bek, naar de gedeukte, grijze locker waar hij zijn schamele bezittingen bewaarde. Toen hij het smalle deurtje van het slot haalde, inspecteerde Soufiane de inhoud plichtmatig. De bewaker liet zijn hand langs de voering van het jasje glijden dat aan een haakje in het midden hing, bekeek de inhoud van Hans' broodtrommel en roerde met zijn arm in de duisternis op de bodem. 'Pak je spullen en geef de sleutel aan mij,' beval hij Hans. De Hollander gehoorzaamde, liet zich met de jas over de arm en de gevulde broodtrommel in zijn hand naar buiten duwen, de fabriek uit, het zand op, de zon in. Met geknepen ogen en gebogen hoofd kloste hij op zijn klompen naar het hek. Soufiane opende de poort voor hem. Met een zacht maar overbodig handje in de rug duwde hij hem naar buiten. De schakels van het rasterwerk rinkelden toen de poort weer in het slot viel.

Hans de Hollander stond roerloos in de woestijn en bad dat de zon zijn stijf bevroren middenrif zou doen smelten, het ijswater in zijn buik zou opwarmen. Maar de stralen hadden hun kracht verloren, waren niet in staat de verlammende onderkoeling van zijn lichaam te verlichten. Moeizaam zette hij zich in beweging. Wankel, alsof het zand onder zijn klompen meegaf, zette hij koers naar het dorp. Bij iedere stap moest hij zichzelf bedwingen niet om te keren. De troost van de woestijn lonkte over zijn schouder. Na hooguit een paar uur zou de dorst hem vellen. Hij zou een duin vinden met een reepje schaduw. De hitte zou hem de zoete vergetelheid van een delirium brengen, waarna hij met een hoofd vol klapperende zeilen, krijsende meeuwen, kabbelende golfjes en het montere 'ping' van tuig dat tegen een aluminium mast slaat het bewustzijn zou verliezen.

*Ben ik dan een zee, of walvis, dat Gij om mij wachten zet?*
*Wanneer ik zeg: Mijn bedstede zal mij vertroosten, mijn leger*

*zal van mijn klacht wat wegnemen; dan ontzet Gij mij met*
*dromen, en door gezichten verschrikt Gij mij. Zodat mijn ziel*
*de verworging kiest; den dood meer dan mijn beenderen. Ik*
*versmaad ze, ik zal toch in der eeuwigheid niet leven; houd op*
*van mij, want mijn dagen zijn ijdelheid. Wat is de mens dat*
*Gij hem groot acht, en dat Gij Uw hart op hem zet. En dat*
*Gij hem bezoekt in elken morgenstond; dat Gij hem in elken*
*ogenblik beproeft?*

Wat moest Neel denken als hij straks thuis zou komen? Zou hij de
stem van Mem kunnen verdragen? Durfde hij Christiaan onder
ogen te komen? Een ontmande echtgenoot, een gezagloze vader,
niet langer in staat zijn gezin te onderhouden, veroordeeld om
tot in lengte der dagen naar het zenuwslopende geouwehoer van
zijn schoonmoeder te luisteren, terwijl de televisie herhalingen van
*Hart van Holland* uitbraakte. Hoe dichter hij bij het dorp kwam,
hoe meer beproevingen er in het verschiet lagen.

Met loden klompen passeerde hij de dorpsgrens. De moskee.
De kerk. De bouwput. De Johan Cruijffstraat. Hij strompelde er
als vanzelf aan voorbij, zonder oog te hebben voor het scharminkel
van een hond en de al even magere jongetjes die achter hem aan
liepen. Voortgeduwd door een onzichtbare hand liep hij zonder
nadenken naar het café, waar hij net zo lang op de deur sloeg tot
broeder Siccama opendeed. Het kostte wat overredingskracht om
zo vroeg op de dag binnen te komen en geserveerd te worden.
Maar een kastelein is vertrouwd met alle stadia van wanhoop op
de gezichten van zijn gasten. Broeder Siccama zag dat de dorst
van broeder Van Bestevaer levensbedreigend was. Zwijgend liet hij
hem binnen. De Heer stelde broeder Van Bestevaer op de proef,
daar twijfelde de kastelein niet aan. Hij dacht aan de zoon en dat
zandkaffermeisje van hem, hoe ze gelijk een dief in de nacht dat
hoerenhuis waren uitgeglipt. Siccama had het al die tijd voor zich
gehouden. Een kastelein klapte niet gemakkelijk uit de school.

Zijn beroepseer dicteerde hem discretie. Wie jajem schonk, hield de lippen op elkaar. Het waren zijn zaken ook niet. Niettemin begon het op hem te drukken; maakte zijn zwijgzaamheid hem niet medeplichtig? Moest hij broeder Van Bestevaer toch niet inlichten over de zedeloosheid van zijn stamhouder?

Hans nam plaats op een van de krukken, klampte zich vast aan de wankele bar en stak zijn wijsvinger op. Broeder Siccama schonk hem een borrel in. En hield daar pas mee op toen Hans een paar uur later laveloos van zijn kruk lazerde.

# 18.

Schuld is een geestverschijning. Een bleke, klamme schim die zich blijft opdringen zolang je haar aanwezigheid blijft ontkennen. In een lege ruimte kan ze zomaar uit de schaduw stappen en je met holle, dode ogen aanstaren. Net als je denkt dat je haar te slim af bent, voel je haar koude blik over je rug glijden. Hoe harder je haar probeert te verdrijven, hoe manifester ze wordt.

Christiaan van B. liep haar overal tegen het anorectische lijf. Ze leunde tegen de kerk. Ze zat op zijn motor. Ze liep met hem mee als hij Willem III bezocht om een of andere ouwe kutfilm te bekijken. Christiaan probeerde haar te verjagen met kif. Maar die bezwering had meestal een averechts effect. Ze leek mee te liften op de zoete rook die hij, als een duiker die bovenkomt, diep zijn longen inzoog, en verborg zich in de krochten van zijn geest om tevoorschijn te komen zodra de roes hem weerloos had gemaakt; zijn armen te zwaar om te vechten, zijn benen te zwaar om te vluchten. Dan kneep ze in zijn hart en legde ze haar ijskoude hand op zijn buik.

En nu stond ze in de kamer, naast vader, die onderuitgezakt in een stoel lag. Vader snurkte. Zijn gulp stond open en zijn hemd was omhooggekropen, waardoor zijn witte buik zichtbaar was, bleek en pafferig als een aangespoelde vis. Hij stonk naar jenever en oud zweet. Zijn ongeschoeide voeten rustten op het zelfgemaakte houten krukje. Het flakkerende licht van de televisie deed hem afwisselend wit, blauw en rood oplichten. Mem en moeder zaten op het gebloemde tweezitsbankje. Ze dronken koffie. 'Niet uit een glaasje, maar uit een kopje,' zoals Mem met ijzeren volhar-ding bleef herhalen. Ze slurpte en steeds als ze het kopje naar haar lippen bracht, druppelde er bruin vocht van het schoteltje dat ze eronder hield. Moeder depte de uitdijende vlek op Mems boezem met een wit zakdoekje dat ze speciaal voor dat doel onder hand-bereik hield. De afgelopen dagen had ze het meermaals gebruikt om haar eigen ogen te deppen. Ze kon Hans' woede hebben, zijn verbitterdheid en zelfs zijn dronkenschappen. Haar angsten over de nabije toekomst – waar zouden ze van leven? Hoe moesten ze de huur betalen? – kon ze dempen, afdekken en wegzetten. Maar steeds als ze Hans, haar 'schouders-eronder-en-niet-lullen-Hans', haar 'de-Heere-heeft-een-plan-met-ons-allen-Hans', haar 'je-moet-niet-bij-de-pakken-neerzitten-Hans', ja steeds als ze haar grote, blonde Viking van een echtgenoot starnakel en uitgeteld in zijn stoel zag liggen, sprongen Neel de tranen in haar ogen.

De enige die onaangedaan bleef door de rampspoed die de Van Bestevaers had getroffen, was Mem. Tussen twee lekkende, lauwe slokken koffie (uit een kopje, niet uit een glaasje) mummelde ze: 'Zwaar van lijf. Schoon van wijf. Vlees en boter in de hand. Dat zijn de Heeren van Holland.'

'Ma!' bitste moeder. Mem, het schoteltje nog altijd onder haar kin, keek haar dochter opgewekt aan. 'Mijn zanggeluid, mijn to-verrijmklank stuit,' sprak ze op docerende toon.

'Ma, alstublieft, voor één keer!'

'De zwellende vloeden der zee in hun woeden. Zo dankt de zeeman het lijf...'

'MA!'

'... aan het Witte Wijf.'

Neels elleboog schoot uit en raakt Mem in haar ribben. Mems koffie golfde over de rand van haar kop, via het schoteltje op haar enorme borsten. Ze begon direct te huilen, een klaaglijk, aanzwel-lend geluid, als het geloei van de zuidwester: 'Huuu. HUUUU.'

Neel sloeg haar handen voor haar mond. Terwijl ook zij in snikken uitbarstte, begon ze het borstpand van haar moeders bevlekte jurk te deppen.

'Huuu, HUUUU!'

Op het televisiescherm zong een vrolijk lachende man een traditioneel Hollands liedje: 'KEDENG KEDENG, OEHOE.'

'Huuu, HUUUU!'

'Ma, blijf zitten, ik ga even een bakje water halen.'

'KEDENG KEDENG, OEHOE.'

Hans schrok knorrend wakker uit zijn alcoholische sluimer. En de geestverschijning naast hem keek Christiaan van B. uitdrukkingloos aan.

'Huuu! HUUU!'

Christiaan griste zijn sleutel van tafel en snelde zonder iets te zeggen de deur uit. Hij stapte op zijn motor, ontgrendelde het contactslot en moest tien keer trappen voor de motor aansloeg. De grote koplamp projecteerde een landingsbaan van licht op het zand, die Christiaan, driftig accelererend, volgde, de Johan Cruijffstraat door, langs de kerk en de moskee, het dorp uit, de woestijn in. Toen hij de fabriek passeerde gaf hij vol gas, opgejaagd door een holle blik die in zijn rug bleef prikken.

Na een minuut of tien rijden hield hij stil, de Motobécane hikkend tussen zijn dijen. De lichtjes van het dorp waren tot laaghangende sterren verschrompeld. Een kille bergwind blies krullen in het zand. Christiaan tuurde de zwarte nacht in, dacht aan de oceaan en Le -aradis. Aan een schip waarop hij kon aanmonsteren. Als matroos of dekzwabberaar of ketelbinkie of hoe dat aan boord ook mocht heten. Hollanders waren vast gewild, met hun zeebenen. Hij zou het dorp en de woestijn achter zich laten. Hij zou het zand verruilen voor het water, de havens van Sebastopol, Yokohama en San Francisco aandoen en altijd in beweging zijn. Nooit meer het dorp. Nooit meer het zand. Weg van alles.

Maar Christiaans maritieme fantasieën werden doorbroken door een bekende, koude hand die zich om zijn hart sloot. Hij keerde de Motobécane om en reed op vol vermogen terug naar het dorp. Met knarsende remmen kwam hij voor het huisje van Willem III tot stilstand. Door het kleine, diepliggende raam scheen bibberend, grijs licht. Christiaan van B. trok de sleutel uit het contactslot, steeg af en klopte op de voordeur. Willems moeder deed open; een lange, bezemsteeldunne vrouw met grijsblond haar en een aardappelneus. Ze stond gebogen in de lage deuropening, alsof ze door de enge woning werd verfrommeld.

'Mevrouw Drie,' begroette Christiaan haar zo opgewekt mogelijk, 'hoe gaat het met u?'

'Ach, jongen,' antwoordde ze, 'ach, jongen… Wim zit binnen.' Sloffend op haar slippers ging mevrouw Drie hem voor naar het bedompte woonkamertje, dat kleurloos was gemaakt door het lichtbad van de zwart-witfilm op Willems jumboscherm. Willem lag op het versleten tweezitsbankje dat haaks op de tv stond, zijn hals in een vreemde hoek tegen de ene armleuning, zijn benen bungelend over de andere. Heel comfortabel zag het er niet uit. Willem stak zonder zijn ogen van het scherm af te wenden zijn hand op, waarna hij met een druk op de afstandsbediening het beeld pauzeerde om Christiaan te begroeten.

'Broer!'

'Djiez, sahib. De fok zit je nou weer te kijken?'

Op het scherm was een leger van ruiters zichtbaar, gekleed in witte gewaden en gezichtsbedekkende puntmutsen, waarin ooggaten waren geknipt. Ook de paarden droegen een wit dek en hoofdbedekking. Het oogde als een bevroren spookleger.

'*The Birth of a Nation*,' zei Willem, 'de Genesis van de speelfilm.'

'De Génesis van de speelfilm, toe maar.'

'Ja, broer. 1915, de belangrijkste speelfilm aller tijden. Drie uur lang, met een glanzende heldenrol voor de Ku Klux Klan. Meester.'

'Het spijt me dat ik je blanke filmfeestje kom verstoren, maar ik moet je spreken.'

'Spreek, broer. Zeg het me.'

Christiaan maakte Willem met een nauwelijks zichtbaar knikje attent op mevrouw Drie en zei: 'Zullen we even naar buiten gaan?'

Willem ging rechtop zitten en glimlachte naar zijn moeder. 'Ma, ga even in de keuken zitten, oké?'

Mevrouw Drie zuchtte en slofte de kamer uit. Toen ze de keukendeur achter zich had gesloten, zei Christiaan van B.: 'Broer, ik kan het niet langer voor me houden.'

Willem leunde achterover, kantelde zijn hoofd op zijn schouder. 'Wat kan je niet voor je houden,' vroeg hij afwachtend.

'Dat van ons, broer. En Dridi. Ik moet mijn verantwoordelijkheid nemen. Begrijp je?'

'Verantwoordelijkheid? Broer, waarvoor?'

'Drie, mijn vader is ontslagen!'

'Broer, dat is jouw verantwoordelijkheid toch niet? Je zei dat-ie betrapt was met een bolletje hasjiesj.' Willem grinnikte. 'Zo vader, zo zoon.'

'Het is niet grappig, man. Ze hebben iedereen gecontroleerd omdat ze weten dat er spul verdwijnt. Dat is onze schuld.'

'Fok dat. Wij hebben geen schuld. En ik al helemaal niet, broer. Als je pa dat stukkie niet op zak had gehad was er niets aan de hand geweest.'

'En zonder ons handeltje was hij nooit gecontroleerd. Ik moet het hem zeggen.'

'En dan? Krijgt-ie z'n werk terug? Strijkt Patron over z'n hart? "O, dus je zoon haalt hier de kilo's weg en jij pikt alleen de kleine stukjes? Had ik dat eerder geweten."'

'We hebben geen geld meer, Drie! Straks hebben we niks meer te vreten.'

'Dan is het maar goed dat we zo hard met Dridi onderhandeld hebben, broer. Hoe is het met je motor?'

Christiaan ging naast Willem op de bank zitten en legde voorovergebogen een hand op zijn voorhoofd. 'Ik kan hem gewoon niet onder ogen komen, Drie. Terwijl hij er bijna altijd is. Hij gaat naar de kerk en naar de kroeg. De rest van de dag zit hij in zijn stoel. Ik kan het niet aanzien, broer.'

'En als je het hem vertelt, wat dan? Komt je pa dan fluitend overeind uit zijn stoel? Om jou bij Patron aan te geven? Zodat hij weer aan het werk kan? Fok dat, broer! Als je dat doet, ontneem je hem alles.'

'Dat heb ik al gedaan!'

Willem III boog zich voorover naar zijn vriend. 'Luister: jij bént alles voor hem. Zeker nu hij de rest kwijt is.'

'Hoe de fok weet jij dat? Je hebt zelf niet eens een vader.'

'Dat hij er niet is, betekent niet dat ik hem niet heb, broer. Maar als je wilt weten hoe ik het weet: Jackie Coogan en Charlie Chaplin in *The Kid*, broer. Meester. *Ladri di Biciclette, Fietsendieven*, Vittorio de Sica, mooiste film ooit gemaakt. Buster Keaton in *Steamboat Bill, Jr. Shane!* Je hebt geen vader nodig om dat te weten. Maar ik weet wel dat de trots van een vader zijn zoon is. En hoe trots is-ie nog op jou, denk je, wanneer jij opbiecht dat jij, de toekomstige dokter van de familie, een ordinaire crimineel bent die er ook nog eens voor gezorgd heeft dat hij zijn werk kwijt is? Broer, je zou hem slopen, geloof me. Kijk, ik hoef de schijn niet op te houden. Integendeel. Ik weet niet waar mijn pa uithangt. Maar ik hoop dat hij sterft in de wetenschap dat ik nooit ergens voor heb willen deugen. Dat ik een luilak ben. Een vechtersbaas. Een misdadiger. Een zoon om zich voor te schamen.'

'Broer! Wat de fok? Waar heb je het over? Jij bent dat allemaal niet. En je moeder dan?'

Willem III grijnsde. 'Moederliefde is onvoorwaardelijk. Je weet toch. Maar beloof me: geen woord aan je pa, oké? Dat mag je hem niet aandoen.'

Christiaan van B. zweeg. Het duizelde hem. Willem III had nooit veel woorden aan zijn vader vuilgemaakt en Christiaan had nooit echt naar hem geïnformeerd. Drie senior, Willem II, was er domweg niet. En wat moest je zeggen over iemand die er niet was? Het verbaasde Christiaan dan ook dat de oude Drie, de grote onbekende, zojuist in Willems monoloog was opgedoken. Nota bene om hem iets duidelijk te maken over zijn eigen pa. Maar instinctief wist Christiaan dat Willem gelijk had. Een bekentenis zou zijn vader breken. Zijn schuld verplichtte hem er in alle talen over te zwijgen, om de last van zijn bezwaarde geweten in stilte te dragen en de koude hand die zich ook nu weer om zijn hart sloot manmoedig te aanvaarden.

'Hadden we verder nog iets te bespreken?' vroeg Willem III.

Christiaan schudde van nee.

'Ma. MA!' riep Willem. 'Je kan uit de keuken komen, hoor. En neem je wat te drinken mee? Chris heeft dorst.' Hij drapeerde zijn benen weer over de armleuning van het bankje en richtte de afstandsbediening op het scherm. De bevroren spookruiters kwamen geluidloos tot leven. 'Moet je opletten,' zei Christiaan. 'Nou gaan ze de kaffers een lesje leren. Meester.'

•

De Motobécane, nog warm van het ritje in de woestijn, startte in één keer. Christiaan reed stapvoets, in het spoor van zijn koplamp, van Willems huisje naar de kerk. Pal voor de loods klapte hij zijn kickstand uit en stapte af. De deur van de kerk was open. Mat, blauw maanlicht viel door de opening naar binnen, in de verder aardedonkere kerk. De aanblik van zijn eigen schaduw, lang en dun in het gangpad tussen de klapstoelen, overvloeiend in het duister, vervulde Christiaan met weerzin. Langzaam, het hoofd gebogen, bewoog hij zich naar voren en knielde neer voor het kruis. 'Hemelse vader vergeef mij,' prevelde hij, 'want ik heb gezondigd.' Meer kon hij niet uitbrengen. Verdere woorden waren overbodig. De Heere der Heirscharen, alziend als Hij was, kende al Christiaans transgressies, keek recht in zijn ziel. Iedere half geformuleerde gedachte, vluchtig als benzine, kwam bij Hem als een in

187

marmer gebeitelde boodschap aan. Voor de Heere kon Christiaan zich niet verstoppen, niets veinzen of verbergen. Bij Hem kon hij zijn schuld niet ontlopen of verzachten. Tegelijk zou Hij ook weten dat Christiaans berouw oprecht was. Hij boog voorover, bracht zijn voorhoofd naar de koude, lemen vloer en vleide zijn handen ernaast. Ondergedompeld in de duisternis, aan de voet van het kruis, verloor hij alle gevoel voor tijd en ruimte. Hij bewoog zich in het niemandsland tussen hemel en aarde, onzichtbaar voor iedereen, behalve de Heere.

Een weldadige bries streek door Christiaans haren. Zelfs met gesloten ogen kon hij zien dat het licht werd. Hij voelde een grote, koele hand op zijn rug. Nooit eerder had hij de genade Gods zo lijfelijk ervaren.

Een bronzen stem zei zacht: 'Jonge broeder Van Bestevaer.'

Christiaan van B. opende verwachtingsvol zijn ogen en werd verblind door het licht. 'Fok!' Alle lampen in de kerk stonden aan. En naast Christiaan, geknield op een knie, zat de Zwarte Eskimo. 'Jonge broeder, heeft de Heer je aangeraakt?'

'Jezus, dominee! Ik schrik me dood.'

'Die bewering wordt gelogenstraft door je blasfemische woorden, jonge broeder. Gij zult Zijn naam niet ijdel gebruiken.'

'Excuus, dominee. Ik dacht dat ik alleen was.'

'Wie met de Heere is, zal nooit meer alleen zijn. En ik zag de motorfiets voor de deur staan. Maar is er soms iets dat je hart bezwaart, jonge broeder? Dat je op dit uur het kruis zoekt is vast niet zonder reden, is het wel?'

'Ach, dominee,' antwoordde Christiaan van B., 'ik weet niet waar ik moet beginnen.'

'Begin maar gewoon bij het begin, jonge broeder. Dat deed de Schepper tenslotte ook.'

# 19.

De ram is groot en sterk. Zijn hoorns krullen imposant op zijn slapen. Het kost moeite hem om te duwen. Hij buigt zijn kop als hij bij de hoorns wordt gevat, terwijl hij zijn hoeven weerbarstig in het zand duwt. Zijn aanhoudende geblaat wordt enigszins gedempt door de koude hand op zijn bek. Er volgt een worsteling. Man tegen dier. De ram bokt, stoot met de ammonieten op zijn kop maar raakt alleen lucht. Hij weet zijn snuit uit de mensenhand los te rukken en gilt als hij ten slotte zijn balans verliest en op zijn zij smakt. Zijn trappelende poten, dun en breekbaar in vergelijking met zijn imposante lijf, worden met geroutineerde bewegingen twee aan twee vastgebonden, waarna hij weerloos, ruggelings op het leem ligt, zijn hals en zachte, roze onderlichaam onbeschermd. Van angst leegt hij simultaan blaas en darmen. Warme urine druipt over zijn buik, zwarte kogeltjes schieten uit zijn anus. Het dier spert zijn donkere ogen wijd open, instinctief bevreesd voor wat komen gaat. Zijn kop wordt aan een hoorn tegen de grond gedrukt, een snel kloppende ader komt aan de oppervlakte onder de strak gespannen gladde huid. Het mes, nog geen uur geleden braamloos gewet, is zo scherp dat het een boomblad in de val kan doorklieven. Er is een enkele, beheerste snede nodig om de ader te openen. De ram schokt, spartelt, stuiptrekt. Tot zijn bloeddruk zo laag is dat hij buiten westen raakt. Dan is het stil. Het bloed kolkt geruisloos in een houten kom die onder de wond is geduwd. Er drijven belletjes op de rode spiegel, die een voor een, en soms gelijktijdig knappen. Als het hart ermee ophoudt en de stuwing stopt, lekken er nog een paar druppels in de kom. De ram staart met troebele ogen naar het ruwhouten kruis.

Het mes wordt vlak onder het borstbeen in het karkas gestoken, de borstplaat met een krachtige haal gespleten. Hart en longen, in een drab van geronnen, zwart bloed, worden als eerste verwijderd. Daarna wordt de punt van het mes voorzichtig, tussen twee vingers, in het onderlijf gestoken, waarna de buik soepel wordt opengeritst. Het spijsverteringkanaal ligt nu helemaal bloot. Door de transparante maagwand is onverteerd gras zichtbaar. Het is niet per se nodig de anus los te snijden en af te binden. Het vlees van de ram zal niet worden geconsumeerd. Het maakt niet uit of het besmet wordt met de bolletjes feces die in het darmkanaal zijn achtergebleven. Maar de routine doet het werk. Met een duim wordt de kringspier omhooggetrokken, losgesneden en afgebonden. Het mes glijdt nu van anus naar kin, waardoor het karkas volledig geopend is. Het wordt op zijn zij gelegd en met twee scheppende handen wordt het hele spijsverteringskanaal naar buiten getrokken. Aan een touw wordt het kadaver naar het altaar gesjouwd. Een bloedspoor markeert zijn laatste tocht. Er staat een ladder tegen het kruis. De uiteinden rusten op de horizontale balk. Ondanks de verwijderde ballast, die dampend op de vloer ligt, valt het zwaar het karkas op de ladder aan één hand omhoog te trekken. Voor het touw achter de punt van het kruis wordt geslagen, dreigt de ladder om te slaan. En zodra de geïmproviseerde lier in werking treedt, is er het risico dat het kruis van de muur loskomt. Desondanks hangt het beest na verloop van tijd. De touwlus onder de voorpoten, kop op de borst en tong uit de bek. Onder aan de ladder liggen hamer en nagels klaar. De eerste spijker wordt vlak onder de hoef van de rechtervoorpoot in het hout geslagen, daarna is de linker aan de beurt. Een poging de achterpoten aan de staande balk te spijkeren blijft vruchteloos. De ram hangt met zijn pootjes in de lucht. De man op de ladder rukt er zachtjes aan om te controleren of het kadaver stevig hangt. Dan daalt hij de ladder af. Als hij het schapenhart van de vloer heeft gepakt en in de kom met bloed heeft ondergedompeld, klautert hij opnieuw omhoog. Met het druipende hart schildert hij van rechts naar links een Arabisch woord op de wand boven het kruis. Hij moet nog tweemaal de ladder af en weer op om het te voltooien. De hiëroglyfen tranen, maar zijn helder leesbaar.

*Kuffar.*

Ongelovigen.

Bij de deur kijkt de man nog even om. Hij snuift diep. De stank van vetzuur en zwavel.

'Lam Gods...' sneert hij.

Met een hand kleverig van het geronnen bloed opent hij de deur. Buiten klinkt het geronk van een trekker, de broze xylofoon van vallende klinkers. Hij glimlachte – wie zei dat ze niet konden samenwerken? – en glipte weg in de nacht.

# 20.

Broeder Kavelaars was degene die het ontdekte. Als altijd was hij vroeg opgestaan om voor het werk begon zijn hondje uit te laten. Het was een onooglijk mormel, dat hondje, een uit zijn krachten gegroeide, langharige rat met voortandjes die over zijn onderlip krulden. Kavelaars had Lazarus, zoals hij het beest had gedoopt, uitgemergeld en vuil bij het fort gevonden en mee naar huis genomen. Daar had hij de pup met geduld en toewijding van een zekere dood gered. Maar een vals kreng was het altijd gebleven. Dat was de belangrijkste reden waarom Kavelaars het voor dag en dauw uitliet. Niet alleen hadden de zandkaffers een hekel aan honden en vonden ze het krankzinnig dat hij er een aan een stuk touw meevoerde, maar Lazarus blafte en hapte met zijn gemene tandjes naar iedereen die ze tegenkwamen. En Kavelaars was een man die de confrontatie liever uit de weg ging.

Die ochtend begon Lazarus plotseling aan zijn lijn te trekken toen ze, nog in het schemerdonker, aan de wandel waren. De hond leidde zijn baasje naar de kerktoren-in-aanbouw, alsof hij zich instinctief aangetrokken voelde tot de stenen die ooit zijn nest hadden gevormd. Kavelaars sjokte willoos achter zijn hondje aan, hield abrupt stil toen hij de kerktoren voldoende genaderd was om de ravage in ogenschouw te nemen. De kerktoren was gekrompen. In een nacht was hij minstens de helft kleiner geworden. En de muren, die de broeders keurig langs loodlijnen hadden opgemetseld, lagen er ruïneus bij, alsof een middeleeuws leger er met een stormram bressen in had geslagen. De steigers waren goeddeels gesloopt en geblakerd. Kavelaars, van de eerste schrik bekomen, snelde naar de toren, bond Lazarus vast en klom omhoog in een steigerdeel dat nog voldoende intact was. Hij wierp een blik in de toren en zag dat die gevuld was met stukken metselwerk die met kracht uit verband waren geslagen. Kavelaars begon te beven. Het was een luguber gezicht. Een massagraf voor klinkers. Kavelaars klauterde met bibberende handen naar beneden, maakte de hond los en snelde in looppas naar de woning van de dominee. Daar aangekomen bonkte hij hijgend op de deur. De dominee deed vrijwel direct en in toga open. Lazarus begon hysterisch te blaffen en poogde de voorganger in zijn kuit te bijten.

'Af,' gebood de dominee op zachte maar dwingende toon. De hond kromp kermend ineen, tot verbazing van Kavelaars die, terwijl hij naar Lazarus stond te kijken, ineens vergeten was waarom hij had aangeklopt.

'Broeder Kavelaars, zegt het eens.'

Het duurde een tel voor Kavelaars zijn paniek hervonden had en de dominee te kennen gaf dat hij NU! ONMIDDELLIJK! METEEN! mee moest komen.

•

RUÏNE
door Driss Zrika

*'Dat betekent dat uw Heer de steden niet onrechtvaardiglijk zal te gronde richten terwijl haar bewoners achteloos zijn.'*
— Zesde soera, 'Het vee'

Was het een krachtige maar zeer lokale zandstorm? Heeft Allah, de grote Erbarmer, zelf een handje geholpen? Of zouden de Kazen gewoon niet zo goed in metselen zijn? Thuis in Holland waren het de dijken die het begaven, we hebben

193

het allemaal op televisie kunnen zien, en nu is ook hun toren ingestort. Ja, ze hebben bepaald een ongelukkige hand van bouwen, die Hollanders. Waarbij ik moet aantekenen dat het bouwwerk in de huidige vorm beslist bekoorlijker voor het oog is dan voorheen. Lager. Compacter. Minder een aanslag op de ogen en op onze waardigheid en, belangrijker, die van de enige god, van wie Mohammed, vrede zij met hem, de gezant is.

Dat wij hen hebben toegestaan hun goden te vereren in een ruimte pal naast de moskee, is het bewijs van onze verdraagzaamheid en gastvrijheid. Er zijn gelovigen, de lezer kent ze vast van nabij, die stellig van mening zijn dat zelfs die vrijheid hun ontzegd moet worden. En niet zonder reden. Het christendom is een primitief, achterlijk geloof. Een samenraapsel van barbaarse riten. Zo éten zij hun god. Het verstand staat erbij stil, maar het is niet anders. Zoals de koppensnellers en de kannibalen in de donkerste delen van ons continent hun vijanden verslinden om hun overwonnen ziel tot slaaf te maken, zo zetten de Hollanders hun tanden in het lichaam van hun gekruisigde heiland. Letterlijk. Althans, daar zijn ze zelf van overtuigd. Iedere week verscheuren ze collectief hun verlosser. Die morbide fantasie zou te verhapstukken, of misschien zelfs grappig zijn. Hoe machtig kan een god tenslotte wezen als-ie op het menu staat? Ware het niet dat hun gemartelde en gekruisigde hapje, ónze heilige profeet Isa, de zoon van Maryam is. Welk volk staat toe dat zijn heiligen, zijn profeten geofferd en ontheiligd worden in een barbaars ritueel? Welke gastheer sluit zijn ogen als het bezoek zijn geloof onteert?

Afgelopen week is Monsieur le Maire op bezoek geweest bij onze Hollandse gasten. Niet om ze op te dragen hun bouwsel bij de moskee af te breken en steen voor steen naar de woestijn terug te brengen, maar om… Ja, waaróm eigenlijk?

Een klein vogeltje fluisterde mij in dat de burgemeester zijn zorgen over die toren heeft uitgesproken, waarvoor hulde, maar dat hij de Kazen impliciet toestemming heeft gegeven verder te bouwen aan dat monstrueuze ding. Een beslissing die je doet afvragen hoelang het nog duurt voor Monsieur le Maire zelf bij de Hollanders aanschuift om Isa op te eten. Misschien dat hij zelfs het glas aan de lippen zet om Isa's bloed te drinken. Want ja, ook dat doen ze. Christenen zijn vampiers, kannibalen. Of beter: *deïbalen*. Ze doen zich tegoed aan hun god, onze Isa, en rusten niet voor ze ook ons hebben leeggezogen.

Met een burgemeester die niet tegen deze barbarij durft op te treden, is het niet vreemd dat andere, onzichtbare krachten het heft in eigen handen nemen en zelf doen wat Monsieur le Maire nalaat.

Nogmaals, ik heb geen idee wie de schitterende verbouwing van de Kazentoren ter hand heeft genomen; of het mensenwerk was of een natuurkracht. Maar wie of wat het ook gedaan heeft: ik hoop, insjallah, op een spoedige terugkeer. Want het mag dan een hele vooruitgang zijn, het werk is pas gedaan als er geen steen meer op de ander staat.

•

Nog voor de kerkklok met beieren begon was Christiaan van B. klaarwakker. Hij lag spiernaakt op bed, onder een laken dat in de loop van de nacht klam was geworden. Het was pikkedonker in de raamloze bedstee. Alleen door de naden van de deur kwam licht. Christiaan kwam overeind, wreef de slaap uit zijn ogen en zocht op de tast naar de kleren die hij de avond tevoren op het voeteneinde had klaargelegd: het jakje van zwart ribfluweel, de wijde vissersbroek, het witte overhemd met het gesteven boord. Maar eerst zijn onderbroek. Ruimte om rechtop te staan was er niet in de veredelde kast waar zijn bed stond. Daarom liet Christiaan zich achterovervallen terwijl hij het onderbroekje en vervolgens zijn pantalon over zijn dunne, witte benen sjorde. Aan de andere kant van de deur hoorde hij het geluid van schuifelende voeten. Moeder, zo te horen. Mem, misschien. Christiaan schoot in zijn overhemd. Hij knoopte zijn manchetten dicht maar besloot de rest van het shirt nog even open te houden. Want hoewel de zon pas net boven de einder was gekropen, stond nu al vast dat het een verschroeiend hete dag zou worden. Ieder zuchtje koelte dat hij nog kon meepikken was welkom.

Toen Christiaan de deur van de bedstee opende, sloeg het licht hem in het gezicht. Met geknepen ogen en op blote voeten liep hij de kamer in. Moeder keek hem met opgetrokken wenkbrauwen aan. 'Zo, jij bent er vroeg bij. En helemaal op je kerkebest al. Wat is er in jou gevaren? Wil je koffie?'

'Een kopje, geen glaasje,' antwoordde hij werktuigelijk. 'Waar is pa?'

Moeder hief haar handen in vertwijfeling en knikte naar de deur waarachter vader nog lag te slapen.

Christiaan zei: 'Ik maak hem wel wakker.'

Hij liep naar de bedstee van zijn ouders en opende de deur. Uit het duister rolde hem de rijpe stank van gistend fruit en zweet tegemoet. Vader lag aan de verre kant van de twijfelaar, opgekruld in een gestreepte pyjamabroek. Er zat een gat in het versleten kruis waardoor vaders harige zak zichtbaar was. Christiaan wendde zijn hoofd af terwijl hij geknield het bed opklom en vaders schouder pakte.

'Pa, wakker worden.'

Vader kreunde en maakte een afwerend handgebaar.

'Pa, kom op. Het is tijd. De dominee wacht niet.'

'Godverdomme...' bromde vader in halfslaap.

'Pa, toe nou, pa.'

Vader ontkrulde zichzelf. Hij bolde zijn rug en strekte zich met gebalde vuisten uit terwijl hij een langgerekte kreun liet ontsnappen, zijn mond een zwavelput. Hij kraste met zijn nagels zijn stoppelbaard, wat een knisperend, raspend geluid veroorzaakte. Zijn sluike, grijsblonde haar viel in warrige, vette strengen over zijn voorhoofd. Vader ging rechtop zitten, schoof een kussen in zijn rug en keek Christiaan van B. gedesoriënteerd aan, terwijl het besef langzaam indaalde dat niet Neel maar zijn zoon naast hem in bed zat. 'Chris,' bracht hij uit. Hij klonk alsof zijn stembanden aan elkaar kleefden.

'Pa, je moet je klaarmaken. De dienst begint zo.'

'Chris,' herhaalde vader op zachte toon, 'ik weet alles.'

De stuwdammen in Christiaans bijniermerg werden met een ruk geopend. Adrenaline golfde door zijn aderen en joeg een hete blos naar zijn wangen. Zijn hart bokte en steigerde. Vader wist alles? Had hij het goed verstaan? Hoe kon vader alles weten? Wie had hem wát verteld?

'Hoe bedoelt u: u weet alles?' Christiaan schrok van zijn eigen stem: hoog en onvast.

'Ik weet waar jullie mee bezig zijn. En het verdriet mij zeer, dat mag je gerust weten.'

Christiaan hapte naar adem. De processor in zijn hoofd draaide op volle toeren. Wie had hem erbij gelapt? Willem III kon het onmogelijk zijn geweest. Was het die vette zandkaffer Soufiane? Had Dridi hem een kunstje geflikt? Of zou iemand ze gezien hebben bij het theehuis? Alle denkbare varianten flitsten tegelijk door zijn brein en bleven zich, bij gebrek aan een antwoord, als een *loop* herhalen. Nu de waarheid aan het licht kwam, kon Christiaan zich met terugwerkende kracht niet meer voorstellen dat hij alles aan vader had willen opbiechten. Hij kon de gevolgen niet in detail overzien, maar dat ze enorm en verwoestend zouden zijn, was onvermijdelijk.

Moeder doorbrak zijn paniek. 'Jongens,' riep ze vanuit de keuken, 'gaan we het nog beleven?'

Christiaan probeerde zichzelf te vermannen, zijn ademhaling te kalmeren, zijn hartslag te temperen. 'Wie,' zei hij, nog steeds met een stemmetje dat klonk alsof er een Smurf overdwars in zijn luchtpijp zat, 'wie heeft u dat verteld?'

'Wat verteld?' Vader trok een triomfantelijk gezicht.

'Nou, dat zogenaamde geheim van mij.'

Vader schraapte zijn keel nadrukkelijk en keek Christiaan strak aan. 'Broeder Siccama heeft jullie gezien.'

'Wie?'

'Siccama. Broeder Siccama. De kastelein.'

'En wát heeft-ie precies gezien?'

Vaders hoofd verstrakte. 'Houd je niet van de domme, Christiaan van Bestevaer. Hij heeft jóú gezien. Jou en dat Arabierenmeisje van je.'

'Wát?!' De kille paniek die Christiaan zo-even nog in de greep hield, verliet in luttele, heerlijke ademtochten zijn lichaam. Zijn pols kwam tot rust. Zijn hart maakte hooguit nog een sprongetje van opluchting.

'Ja, daar schrik je van, hè,' vervolgde vader. 'Je dacht: daar komt die ouwe toch nooit achter. Maar mij ontgaat niets, jongeman. Broeder Siccama heeft jullie in de haven gezien. En de Heere ziet sowieso alles. Álles, hoor je me? Als jij je in zondigheid uitleeft op dat arme wichtje, zit de Heere God eerste rang. "*Hef uw ogen op naar de hoge plaatsen, en zie toe, waar zijt gij niet beslapen? Gij hebt voor hen gezeten aan de wegen, als een Arabier in de woestijn; alzo hebt gij het land ontheiligd met uw hoererijen en met uw boosheid.*"'

Christiaan van B. had de alziendheid Gods nooit zo bekeken. Hij dacht terug aan de kamer in Le -aradis, en voelde de blik des Heeren in zijn jongenskont boren. Met terugwerkende kracht had hij Layla's naaktheid, haar borsten, haar dijen, haar zoete tabon, willen bedekken om haar tegen het oordeel van Zijn ogen te beschermen.

'Dat het met een meisje van hier was, een heidin, maakt jouw zonde nog niet kleiner, Christiaan. Zij is voor God verloren, maar jouw ziel kan nog gered worden. Kom tot inkeer, jongen. Toon berouw. Smeek om genade. Verdrijf de satan uit je leven.'

'Het is een meisje, pa. Geen duivel.'

Plotseling ontstak vader in woede. 'Het is een meisje van HIER! Een ARABIER! Een HEIDIN! Wat moet Siccama niet denken? Je maakt me te schande, zoon, te schande. Wat is er mis met een blank, Hollands christenmeisje? De dochter van broeder Gouzij, kom, hoe heet ze? Juliana? Dat meisje van Deeleman. Er is keuze genoeg, Christiaan.'

Het silhouet van moeder verscheen in de deuropening. 'Zeg,' zei ze, 'wat is hier aan de hand?'

'Niks. We hebben even een gesprek van man tot man. We komen er zo aan, goed?'

Moeder haalde haar schouders op. Ze keek Christiaan aan, zei: 'Je koffie wordt koud' en draaide zich om. Vader legde zijn hand, groot, hard en droog, op de onderarm van zijn enige zoon. 'Je moet me beloven dat je haar niet meer zult zien, Chris. Een huwbaar meisje is een Hollands meisje. Als wij ons vermengen met de Arabieren, dan bestaan we binnen de kortste keren niet meer, dat moet je begrijpen. Dan worden we uitgewist, Christiaan, als sporen in het zand. In dit land zijn wij niets dan onze afkomst, ons geloof, onze cultuur en geschiedenis. Vergeet dat nooit. En beloof me, nee, zwéér mij dat je dat meisje uit je leven bant.'

Christiaan boog zijn hoofd. 'Ik beloof het.'

'Zweer het.'

'Ik zweer het.'

In de verte begon de kerkklok te beieren. Hard en schel boorde het geluid door het diepliggende raam van het huisje aan de Johan Cruijffstraat. Vader stapte uit bed. 'Kom,' zei hij, 'laten we voortmaken. De dominee wacht niet.'

•

En als elke vrijdag bewoog de zwarte processie traag door de stoffige straatjes van Klein Amsterdam naar de kerk op het plein. De vrouwen het hoofd zedig bedekt, de mannen de handen voor het kruis gevouwen. Anders dan een afgemeten begroeting, 'morgen', werd er niet veel gesproken, al was het omdat het bij iedere stap harder wordende klokgelui de conversatie bemoeilijkte.

De Hollanders stonden in de open deur te wachten tot de stoet voorbijtrok en sloten zich dan aan. Alleen de dominee en broeder Kavelaars liepen solo naar de kerk. Er waren ook autochtonen die op de kerkgang wachten, alleen om als de stoet voorbijkwam de luiken demonstratief in het slot te kunnen trekken, iedere vrijdag opnieuw.

Toen de gemeente het religieuze centrum van het dorp had bereikt, verzamelde zij zich rond de jonge ruïne van de kerktoren-in-aanbouw. Onafhankelijk van elkaar waren ze allemaal al eens gaan kijken wat de vandalen hadden aangericht, maar de Hollanders voelden het onuitgesproken verlangen de ravage collectief in ogenschouw te nemen. Het gebeier van de klokken, harder dan waar ook in het dorp, kreeg met de gezamenlijke blik op het ingetrapte metselwerk een apocalyptisch karakter. Zwijgend stonden ze rond het stoffelijk overschot van hun bezielde arbeid. Vele tientallen uren van zweet, spierpijn en zonverbrande huid, van opoffering, geloofsdrift en gemeenschapszin, verwoest en tot puin gereduceerd.

Sommige autochtone dorpelingen knikten meelevend in het voorbijgaan, anderen deden geen moeite hun sardonische blijdschap te verhullen. Er kwam een auto voorbij, een rammelend oud barrel, met een loshangende uitlaat en een schurende krukas. Het hese geclaxonneer dat eruit opklonk, was beslist geen steunbetuiging.

'Beesten zijn het,' snerpte zuster Gouzij, 'beesten! Wie wil er het huis van de Heere verwoesten?'

De gemeente bromde instemmend.

'Wie anders dan de duivel?'

In de verslagenheid die unisono uit het koor van omstanders had geklonken, waren nu dissonanten van verontwaardiging en woede hoorbaar. Een enkeling loerde al begerig over zijn schouder naar de minaret.

Maar voor de woede goed en wel kon oplaaien, schalde er een gebiedende stem over het plein.

'GEMEENTE.'

Voor de deuropening van de kerk stond de dominee, handen in de zij, wenkbrauwen opgetrokken.

Een voor een maakten de broeders en zusters zich los uit de samenscholing rond de bouwput annex ruïne en begaven ze zich naar de kerk. De aanblik van de gekruisigde ram sidderde bij binnenkomst als een stroomstoot door de gemeente. Er waren zusters die schreeuwden, een enkele die flauw dreigde te vallen. Moeders sloegen instinctief hun handen voor de ogen van hun kinderen terwijl ze naar de obsceniteit aan het kruis staarden. Uit de mond van broeder Gouzij ontsnapte een donderende godslastering: 'GOD-VERRRRDOMME...' Er waren gelovigen die geen stap meer konden zetten. Anderen spoedden zich weer naar buiten, waar ze door de dominee onverbiddelijk terug werden gestuurd.

In de collectieve paniek waarmee ze hun plek in de donkere ruimte zochten, zag niet iedereen meteen dat er een geitenbokje onder het kruis stond. Het had lange, gekromde hoorns die als vleugels op zijn kop stonden. Het had een koperkleurige vacht met een zwarte baan die over zijn benige rug liep. Om zijn nek lag een stuk touw waarmee het dier aan het kruis was vastgebonden. Het bokje schraapte ongeduldig met zijn hoefje over de onverharde vloer.

Broeder Kavelaars zette zijn dronkenmanspsalm in. De gemeente begon werktuigelijk, als verdoofd te zingen. Maar de dominee legde zijn gemeente met een bruusk armgebaar het zwijgen op. De stilte die daarop volgde werd geaccentueerd door het bokje, dat zachtjes mekkerde.

'Broeders en zusters.' De stem van de dominee was zacht, fluisterend bijna. Toch kwam iedere syllabe die uit zijn mond rolde zelfs helemaal achterin helder binnen. 'Broeders en zusters. Vergeef mij dat ik uw psalm zo ruw onderbroken heb. Ik hoop dat u het mij niet euvel wilt duiden en dat ook de Heere God het mij wil vergeven. Maar vandaag is geen dag voor gezang, geen dag voor melodieën of gewijde contemplatie. U hebt allen aanschouwd hoe de heidenen ons Godshuis onteerd hebben met hun satansoffer. Gij hebt gezien hoe ze Gods Zoon, onze Heiland, hebben beschimpt en bespot. U hebt het bloedige mene tekel van hun verdorvenheid boven Zijn kruis aanschouwd. En u hebt gezien wat de heidenen hebben aangericht in de toren die wij in het zweet onzes aanschijns hebben opgericht om ons heilig verbond met de Heere gestalte te geven. Als dieven in de nacht zijn ze gekomen, de vandalen en de slopers. Niet om ons metselwerk te vernielen. Niet om de stenen om te duwen. Niet de steigers onklaar te maken. Nee, broeders en zusters. De laaghartige aanval op ons gezegende werk, was een gerichte aanval op uw geloof. Het was een drieste poging de Heer der heirscharen te tarten en te krenken, om Hem te onteren en te belasteren. De Heere had deze perfide heidenen, dit smerig duivelsgebroed, met een enkele haar uit Zijn wimper tot stof kunnen slaan. Hij heeft ons, nietige zondaars, niet nodig om Zijn heilige naam te beschermen. De daders, toch al veroordeeld tot een eeuwigheid in het hellevuur, zullen hun gerede straf niet ontlopen. De hittigheid Zijns toorns zal niet onopgemerkt blijven. Heeft de levende God de Kanaänieten, de Hethieten, de Chiwwieten, de Perizzieten, de Gargasieten, de Amorieten en de Jezubieten niet eigenhandig uit het beloofde land verdreven? Zou Hij dan moeite hebben met een paar kerkschenners? Neen, broeders en zusters. De Heere God schenkt u al het land waarop u uw voetzool plaatst, gelijk de kinderen Israëls. Maar gedenk, broeders en zusters, dat ook het beloofde land niet zonder slag of stoot is gewonnen. In Refidim werden Mozes en Israël aangevallen door

Amalek. Jozua moest Jericho door de scherpte des zwaards veroveren. De Heere God kan Zijn eigen boontjes doppen, broeders en
zusters. Maar wat Hij niet kan, is óns geloof verdedigen tegen de
barbaren en de heidenen. Hij gebiedt ons toe te eigenen wat Hij
ons heeft beloofd. Hij eist van ons dat wij te vuur en te zwaard
verdedigen wat Hij ons heeft gegeven.'

De dominee liet opnieuw een stilte vallen. Zijn blik ging als een
zoeklicht door de kerk. Met een luide stem die door elke vezel van
de loods weerkaatst leek te worden, sprak hij: '*Zo zeide de Heere tot
Aäron: Gij, en uw zonen, en het huis uws vaders met u, zult dragen
de ongerechtigheid des heiligdoms.*' Broeders en zusters, gemeente.
Zoals de Heere God Aäron en zijn zonen opdroeg zorg te dragen
voor de Tent van Samenkomst, zo wil ik onze zonen vragen deze
heilige plek te beschermen tegen de kwaadaardigheid en verniel-
zucht van de heidenen. Ik vraag alle jonge broeders van vijftien tot
vijfentwintig jaar op te staan.'

Christiaan van B. zocht de blik van Willem III die een paar
rijen achter hem zat, en vervolgens die van andere leeftijdgenoten.
Overal trof hij weifelende gezichten, draaiende ogen en opgetrokken schouders. Maar toen Christiaan als eerste overeind kwam
– vader klopte hem goedkeurend op het been – werd overal in de
kerk het geluid hoorbaar van klapstoelen die naar achter werden
geschoven, waaruit jonge mannen aarzelend opstonden. Er klonk
goedkeurend gebrom, een enkeling klapte in zijn handen. De jongens keken elkaar aan: wat nu?

De stem van de dominee dreunde als een bronzen klok door de
ruimte: '*Sta op, heilig het volk, en zeg: Heiligt u tegen morgen; want
alzo zegt de Heere, de God van Israël: Er is een ban in het midden
van u, Israël! gij zult niet kunnen bestaan voor het aangezicht uwer
vijanden, totdat gij den ban wegdoet uit het midden van u.*'

Geen van de jongens had enig benul wat de dominee precies
bedoelde met 'heiligt u tegen morgen' of 'den ban wegdoen'. Alleen
het woord 'vijanden' resoneerde. De gedachte aan de ruïne van de

kerktoren, de ontheiliging van het altaar en de laffe zandkaffers die dat op hun geweten hadden, kreeg er een heroïsche glans van.

'Jonge broeders,' vervolgde de dominee, 'steek uw rechterhand op. *Maak u op, word verlicht, want uw Licht komt, en de heerlijkheid des Heeren gaat over u op.* Kom naar voren, jonge broeders, kom naar voren.'

De jongens, tot hun verbazing maar ook opwinding tot de Levieten van het dorp gepromoveerd, schuifelden tussen de strak geformeerde rijen klapstoelen. De volwassen broeders en zusters stonden massaal op. Om ze de ruimte te geven en ze bemoedigend op de schouders te slaan. Nog altijd onwennig bereikten ze het gangpad, waar ze pas op de plaats maakten tot alle jongemannen, zo'n twintig in getal, waren verzameld en ze collectief naar voren konden lopen. De dominee ontving ze met gespreide armen.

'De Heere God verlangt een offer,' zei hij. 'Het offer van jullie dienst aan de gemeente. Jullie zullen tweetallen vormen en bij toerbeurt waken bij de kerktoren. Iedere nacht. Tot de bouw voltooid is. Jullie zullen het Huis Gods en de waardigheid van deze gemeente verdedigen tegen de destructieve krachten die de Satan op ons afstuurt. Met hand en tand. De Heere God verlangt een offer...'

Uit het niets haalde de dominee een grote, stalen dolk tevoorschijn. Het lamplicht in de geloofsloods weerkaatste schitterend op het blanke metaal, waardoor het een toorts leek. 'Jonge broeder Van Bestevaer,' zei de dominee op bevelende toon. Christiaan van B. deed een stap naar voren, onwetend wat er van hem werd verlangd. Voorzichtig maar gedecideerd overhandigde de dominee het mes. Christiaan hield het zo ver mogelijk van zich af, vanwege de instinctieve angst zichzelf ermee te verwonden. Hij bekeek het lemmet, de snede, de vervaarlijke punt, de geribde, ebbenhouten greep. Was dit het wapen waarmee de dominee de kerkschenners te lijf wilde? Tot nu toe waren alle conflicten met zandkaffers met de blote vuist uitgevochten. Er was weleens een steen gegooid en gedreigd met een stuk hout. Maar zowel in Klein Amsterdam als bij de oorspronkelijke dorpsbewoners leefde het ernstige besef dat de introductie van een serieus wapen tot een spiraal van geweld zou leiden. Een consequentie waar niemand te lang bij durfde stil te staan. Terwijl Christiaan van B. zich licht huiverend probeerde voor te stellen hoe het blad van de dolk tussen de ribben van een ander zou verdwijnen, hoe de snede diepe voren zou trekken waaruit het bloed als kwelwater omhoog zou borrelen, deed de dominee een paar stappen naar achter om het touw waarmee het bokje aan het Christuskruis was gebonden los te knopen. De dominee stapte over het beestje heen, alsof hij het wilde berijden, een greep het bij de hoorns. Trefzeker dwong hij de kop van het dier opzij, terwijl hij er met zijn voet een diepe, houten kom onderschoof. Hij knikt naar Christiaan van B.

'Jonge broeder Van Bestevaer…'

Christiaan keek hem verschrikt aan. 'Wat?'

'De Heere God heeft de zorg voor de heilige gaven aan jou toevertrouwd.'

Er sloop paniek in Christiaans stem. Een klein trillertje waaruit de vertrouwde toehoorder, vader, moeder, Mem, Willem III, had kunnen opmaken dat het hem stilaan begon te dagen wat de bedoeling was. Ineens was de destructieve kracht van het scherpe mes geen denkoefening meer, geen abstractie die hij in zijn verbeelding tot leven kon wekken, maar een werkelijkheid die alleen nog door de tijd werd getemperd. De andere jongens verzamelden zich in hoefijzeropstelling rond Christiaan van B., de dominee en het geitenbokje, wiens gemekker was overgegaan in een klagelijk, langgerekt geblaat dat aan een huilende baby deed denken.

'Vooruit,' zei de dominee, 'je hebt het kruis gezocht. Doe dan ook wat de Heere God je opdraagt.'

Christiaan blikte omhoog. Hij voelde hoe God zijn hartslag omlaagbracht, hoe Hij het trillen van zijn hand stopte en hem met kalmte zegende. Hij boog zich voorover, legde zijn linkerhand over de ogen van het bokje, en sneed met één gedecideerde haal zijn halsslagader open. Schuimend, karmozijnrood bloed gutste naar buiten. Een van de jongens, Christiaan kon niet zien wie, knielde, greep de houten kom en hield die onder de wond om het bloed op te vangen. Het bokje schokte nog even, tot zijn gemekker verstomde en het laatste restje spierspanning uit zijn lijf ebde. Toen het helemaal was leeggebloed, liet de dominee de kop van het dier zakken en vlijde het teder op de grond. Hij stak zijn hand uit naar Christiaan, gebaarde dat hij het bebloede mes moest overdragen. De dominee greep het handvat, trok de achterpoten van het karkas omhoog en prikte het mes vlak achter de anus in het karkas. Met een zagende beweging sneed hij het poepgat los, waarna hij drie vingers in de wond stak en met een voorzichtige beweging een paar centimeter endeldarm naar buiten trok, waarna hij de anus als een ballon dichtknoopte. Toen zette hij het mes in de zachte buik van het beest en ritste het karkas van kop tot kont open, met de vaste, vanzelfsprekende hand van een geoefende slager. Met chirurgische precisie sneed hij de nog warme tong uit de bek, waarna hij het complete spijsverteringskanaal en alle organen in een vloeiende beweging uit het karkas verwijderde. Hij controleerde de darmen aandachtig op parasieten of andere ziekteverschijnselen die het offer onheilig zouden maken. Terwijl hij de ingewanden door zijn vingers liet glijden, prevelde hij: *"'Gij brengt op Mijn altaar verontreinigd brood, en zegt: Waarmede verontreinigen wij U? Daarmede, dat gij zegt: Des Heeren tafel is verachtelijk. Ja, vervloekt zij de bedrieger, die een mannetje in zijn kudde heeft, en den Heere belooft, en offert, dat verdorven is! want Ik ben een groot Koning, zegt de Heere der heirscharen, en Mijn Naam is vreselijk onder de heidenen.'"*

Christiaan en de andere jongens keken over de schouders van de dominee gebiologeerd toe. Terwijl Christiaan het ontwijde karkas in zich opnam – de ribben van het dier, bedekt met een dunne laag vlees, de indrukwekkende leegte in de borst- en buikholte – bemerkte hij tot zijn verbazing geroerd te zijn door de fysiologische overeenkomsten tussen dier en mens. Ze mochten in omvang en uiterlijk werelden van elkaar verschillen, onder de huid, in het geheime domein van het inwendige, waren ze dezelfde kwetsbare zak met organen. Ook het bokje had een hart, lever, milt en nieren, ook zijn voedsel werd via een slokdarm naar zijn maag getransporteerd, waarna de overtollige resten door een vergelijkbaar darmstelsel als het zijne werden afgevoerd. Het inwendig ontwerp was hetzelfde. Dat stemde nederig. Maar de overeenkomsten benadrukten vooral de verschillen tussen mens en dier, die aantoonden, Christiaan wist het ineens zeker, dat de Heere God een bijzondere band met de mens had. Het was de mens die eenvoudig het leven van het weerloze dier had genomen. Niet andersom. Het dier had zich naar het menselijk oordeel moeten voegen, zoals de mens voor de Heer moest buigen. Het was de mens die het leven van het dier in gebed aan de Heere God kon opdragen. Niet andersom. De hand van hun Schepper was zichtbaar in hun gedeelde fysiologie. Maar God was net zo zichtbaar in het geronnen bloed dat aan Christiaans hand kleefde. Het stinkende, onttakelde bokje was niets minder dan een godsbewijs.

Na inspectie verzamelde de dominee de ingewanden van het slachtoffer op een houten schaal. Hij tilde de kom met schuimend geitenbloed op, toonde het met gestrekte armen aan de gemeente en doopte er een hysoptakje in. Daarmee besprenkelde hij de jongemannen een voor een. Spetters bloed kleurden hun gezichten, tot ze eruitzagen alsof ze aan een massaal gevecht hadden deelgenomen. Christiaan van B. was als laatste aan de beurt. De dominee zwiepte met een afgemeten slag van zijn pols het in bloed gedoopte heestertakje voor Christiaans gezicht. De jonge broeder Van Bestevaer voelde het vocht op zijn gezicht spatten. Hij was gewend aan vlekjes op zijn gezicht. Maar bij deze bloedsproeten ervoer hij de sensatie van een heilig vuur dat op zijn wangen brandde.

'Hier, waak hierover,' zei de dominee, terwijl hij Christiaan het kleverig geworden mes toestak. Hij zette de kom neer en nam de schotel met ingewanden op. Met trage passen liep hij op het gangpad tussen de klapstoelen naar buiten, de zon in. Als op bevel marcheerden de jongens achter hem aan.

Aan de zijkant van de kerkloods was een vuurkuil geprepareerd. De voorganger pookte het gloeiende hout op tot de vlammen zo hoog kwamen dat ze de haren op zijn hand schroeiden toen hij eerst het hart en vervolgens alle andere organen van dier als brandoffer aan het vuur prijsgaf. De lucht boven de kuil kleurde zwart. Grijze vlokken as zweefden op de hete lucht omhoog. De stank van brandend orgaanvlees verspreidde zich snel over het plein. Een geurspoor kringelde rond de minaret naar boven, waar het de neus van de muezzin bereikte, die zich klaarmaakte om tot het vrijdaggebed op te roepen. Toen hij omlaagkeek zag hij de lange, donkere gestalte van de dominee die met ten hemel geheven handpalmen bij een laaiend vuur stond. En de met bloed besmeurde jongens die met gevouwen armen op de borst rond de ruïne van de kerktoren hadden plaatsgenomen.

*Spreek tot de kinderen Israëls, en zeg tot hen: Als gij zult gekomen zijn in het land, waarheen Ik u inbrengen zal, zo zal het geschieden, als gij van het brood des lands zult eten, dan zult gij den Heere een hefoffer offeren.*

•

BLOEDKLOMP
door Driss Zrika

*'Maar indien hij niet ophoudt zullen Wij zijn voorhoofdslok pakken, een voorhoofdslok leugenachtig en zondig. Laat hem dan maar zijn bentgenoten aanroepen. Wij zullen aanroepen de hellewachters.'*
– Zesennegentigste soera, 'De bloedklomp'

De Hollander heet nuchter te zijn. Houdt uw lachen in, waarde lezer. Ook ik heb door alcohol vergiftigde Kazen door het dorp zien wankelen, aan de leiband van Sjaitan. Nee, de nuchterheid waarop de Hollander zich, niet zonder trots, beroept is een vorm van spirituele stabiliteit. De Hollander meent niet gegijzeld te worden door hartstochten, laat zich het hoofd niet op hol brengen door gekrenkte eer of de bitterzoete verlokkingen van de liefde. Zijn bloed, stroperig van de kou, stroomt traag. Zijn instincten worden eerst langs de koelelementen in zijn hoofd geleid, alvorens langzaam naar het hart af te dalen.

Het zou een uitvloeisel van het calvinisme zijn, een sektarische stroming binnen het christendom die in Europese landen populairder wordt naarmate de gemiddelde temperatuur er lager is. Het bepleit een armoedige levensstijl en getemperde hartstochten. Waarom zij dat uitgerekend hier willen doen, in een land waarin niet alleen materiële rijkdom maar ook de schatkamer van het hart gewaardeerd wordt, is een raadsel. Wat zij nuchter noemen, heet bij ons een deerniswekkend gebrek aan begeestering. Wie vreugde, verdriet, woede en alle andere aanvechtingen van het gevoel als zondig beschouwt, heeft hier niets te zoeken.

Het is dan ook zelfbedrog, die vermeende Hollandse nuchterheid. Wie ze afgelopen vrijdag uit hun huis van gebed zag komen, weet beter. Calvinisten? Het leken wel sjiieten! De jonge Kazen kwamen naar buiten met bloed besmeurde gezichten. Niet omdat ze per ongeluk collectief een bloedneus hadden gekregen. Niet omdat ze per ongeluk gemorst hadden bij het *deïbalistische* ritueel waarbij ze het bloed van een van hun goden als jenever achterover klokken. Nee hoor, dat zou te veel voor de hand liggen. Kazen houden ervan ons te verrassen. Zo ook dit keer. Ze hadden een dier geofferd. Niet om het vlees aan de armen te geven, zoals bij het Grote

Feest. Maar om het te verbranden en het bloed van het arme beest als oorlogskleuren te gebruiken.

Oorlogskleuren?

Ja, oorlogskleuren! Anders is het niet te interpreteren. Ze verlieten hun godshuis als beschilderde indianen. Het enige dat eraan ontbrak was strijdlustig gehuil. Misschien bewaren de Kazen dat voor een volgende keer. Hoewel ze niets meer hoeven te zeggen. Bloed zegt tenslotte meer dan woorden. De Hollanders zijn in oorlog. Met ons. Wie anders? Wij zijn vredelievende mensen. Gastvrij hebben wij de Kazen in ons midden opgenomen. Met hun houten schoenen en hun tribale kleding. Met hun barbaarse gebruiken en hun goddeloze geloof. En wat krijgen wij als dank? Lawaai. Gesjouw met lijken. Bloedrituelen. Een wederrechtelijk opgericht bouwsel dat een lange neus maakt naar onze cultuur en onze religie. En tot slot: een regelrechte oorlogsverklaring.

Wordt het zo langzamerhand niet tijd om de werkelijkheid onder ogen te zien? De Hollanders zijn geen gasten, maar veroveraars. Dat zit in hun genen. In hun hoogtijdagen voeren ze er met hun machtige vloot op uit om vrije volkeren te knechten. Nu nestelen ze zich in een gemeenschap als de onze, om zich er als een kanker in te vreten. Met kennelijke goedkeuring van Monsieur le Maire, die immer gebogen het welkomstkleed voor ze blijft uitrollen, terwijl ze achter zijn rug de boel leegroven. Ze koloniseren ons gehoor, met het gebeier van hun klokken. Ze nemen ons land in met hun gebouwen. Ze tasten het weefsel van onze eeuwenoude beschaving aan met hun barbaarse geloof en hun halsstarrige onwil zich aan onze gastvrijheid aan te passen. En nu ze ons de oorlog verklaren is het tijd de vraag te beantwoorden: laten wij ons veroveren of verweren wij ons?

# 21.

Een druppel ploft in het zand. Christiaan van B, die behoedzaam rijdt, ziet hoe het kratertje voor zijn wiel geslagen wordt. Eerst een. Dan twee. Dan drie. En voor hij er meer kan tellen, breekt de grijze lucht open en stort de regen als een eskadron kamikazepiloten omlaag. Christiaan is in één tel doorweekt. Het water klotst in zijn klompen. Het zand verandert onder zijn wiel in modder. Hij voelt de motorfiets wegslippen, maar hervindt soepel het evenwicht. Het is een wolkbreuk zoals hij nog niet eerder heeft meegemaakt, die de woestijn van drijfzand maakt. Christiaan moet afstappen om te voorkomen dat zijn voorwiel onder hem wegspoelt. Hij hoopt dat Layla er al is. Dat ze beschutting vindt onder de overhangende rots bij het strandje. Christiaans voorwiel wordt bij iedere stap het natte zand ingezogen. Hij moet kracht zetten om het los te duwen. Maar steeds als hij ineenduikt om zijn handpalmen onder het stuur te plaatsen, glijdt de profielloze zool van zijn klomp weg. Christiaan bemerkt het nauwelijks. Ondanks de hamerende regen en het wassende zand onder zijn voeten, kan hij alleen aan Layla denken. Of eigenlijk: aan Layla's. Want er zijn er drie, rondjes draaiend in de carrousel in zijn hoofd. Layla in het heden, ver-moedelijk doornat en alleen, onderweg naar het strandje. Layla in het verleden, naakt op het bed van Le -aradis. Layla in de directe toekomst, vlak nadat hij het haar heeft verteld. Ze verdringen el-kaar voor zijn geestesoog. Zo ferm en standvastig als hij was toen hij vader zijn belofte deed, zo verloren is hij nu. Sinds Le -aradis heeft hij zich gewenteld in de herinnering, die iedere avond, als hij de deur van de bedstee achter zich dichttrekt, opnieuw tot leven komt. In het donker worden alle details zichtbaar. Als hij zich aftrekt, probeert hij haar lichte meisjeshand te imiteren door in plaats van zijn klemvaste vuist alleen zijn vingertoppen te gebruiken. Sinds zijn besluit is de herinnering intenser geworden, en wordt bij iedere ontlading het gevoel van verlies groter.

Kijk, daar staat ze. Ze is droog, gelukkig. Ze is immuun voor de regen. De glimlach op haar lippen doet de druppels verdampen voor ze haar kunnen raken. Haar schoonheid is een halo dat haar tegen de elementen beschermt. Maar hoe mooi ze ook is, het biedt geen protectie tegen de verwonding die hij zo moet aanbrengen. Dat ze alles is wat een jongen zich wensen kan. Alles, behalve Hollands. Dat ze een Kaaskut had moeten zijn. En al het andere niet telt. Dat wie ze is ondergeschikt is aan wat ze niet is. Haar ogen. Haar haar. Haar dijen. Haar tabon. Haar onverschrokkenheid. Haar ernst. Haar lichtheid. Haar lach. Haar woede. Haar vrouwelijkheid. Haar jongensachtigheid. Ze is alles. En alles wordt tenietgedaan door wat ze níét is en nooit kan worden. Daar staat ze. Ze is doorweekt. De regen druipt van haar jukbeenderen. Haar krullen plakken op haar gezicht.

Christiaan van B. maakt pas op de plaats om het water uit zijn ogen te wrijven en even op adem te komen. Voorbij het duin is de rotspartij van het strandje al zichtbaar. Het grijze kraalgordijn van de regen bemoeilijkt het zicht, waardoor de achtersteven van een schip lijkt. Het beweegt. Het bewéégt? Ja; van achter naar voren en weer terug, alsof het voor anker ligt en schommelt op het getij. Christiaan knippert, wrijft met twee vlakke handen over zijn ogen, in de veronderstelling dat wat hij meent te zien verdwenen is zodra hij het licht weer in zijn ogen toelaat. Als hij zijn handen laat zakken, ligt het schip er nog steeds, wiegend achter het duin. Christiaan legt de Motobécane voorzichtig op zijn zij in het zand, schopt zijn klompen uit en rent op het deinende gevaarte af. Een fata morgana in de regen. Maar bij iedere meter die hij aflegt wordt duidelijker dat zijn zintuigen hem niet voor de gek houden. Er ligt wel degelijk een schip in de woestijn. En het beweegt. Van voor naar achter. Van achter naar voor. Dan houdt het even stil. Waarna de sequentie zich herhaalt. Christiaans blote voeten zakken weg in het verschuivende zand als hij het duin op wil sprinten. Zijn gehijg vermengt zich met een geluid van een toeren makende motor die met de beweging van het schip aanloeit en afkalft.

Het is een jacht, Christiaan kan het nu in detail zien, een plezier-jacht. Zo'n schuit waarop rijke mensen zich dobberend vervelen. Een meter of twintig lang, ivoorwit, met een kajuit op het dek en een zilveren trapje aan de spiegel. Er staat niemand aan het roer. Aan boord is geen enkel teken van leven waarneembaar. Als Christiaan de top van het duin bereikt, kan hij het tafereel in volle omvang zien. Het schip vaart niet door de woestijn, het wordt gedragen door een oplegger die aan de truck is gekoppeld. De wielen van de vrachtwagen zijn vastgelopen in het drassige zand. De chauffeur, Christiaan kan hem zien zitten, probeert de truck met een schommelende stuurbeweging vlot te trekken. Bij iedere dot gas spuit er een nieuwe zandfontein langs de achterwielen omhoog en beweegt het jacht op de aanhanger alsof het door het getij wordt opgetild.

De chauffeur kalmeert de motor. De truck en het schip bewegen niet meer. Het portier van de wagen gaat open. Achter het stuur een kleine, mollige Arabier met een snor als een hoefijzer. Hij kijkt misprijzend naar buiten. De regen hamert crescendo op het plaat-staal van de wagen en het houten scheepsdek. Christiaan vouwt zijn pinken onder zijn tong en fluit, schel en doordringend. De trucker kijkt op, ziet de jongen op de zandheuvel staan en steekt aarzelend zijn hand op. De knul lijkt ongevaarlijk genoeg, drijfnat en op blote voeten, maar alleen in de woestijn is het zaak op je hoede te zijn. Christiaan daalt met reuzensprongen het duin af en loopt naar de vrachtwagencabine.

'Hulp nodig?'

De trucker haalt zijn schouders op. 'Ik moet de oplegger afkoppelen. De boel zit muurvast.'

'Ik dacht dat ik gek werd,' zegt Christiaan grijnzend. 'Zag ineens een boot.'

'Ik ben van de weg geraakt. Ik zag niks meer door die l'klawi regen. De ruitenwissers zijn kapot. Vervloekte dingen. Die ene keer dat je ze nodig hebt, doen ze het niet. Maar wat doe jij hier? Waar kom je vandaan?'

'Uit Holland,' antwoordt Christiaan gewoontegetrouw. Als zandkaffers vragen waar hij vandaan komt, is het zelden om erachter te komen waar hij woont.

'Uit Holland, hè. Dan ben je een eind van huis, sahib. Moet je vanavond nog terug naar Holland, of kan je hier ergens overnachten?'

'Ik kom uit het dorp hier verderop.'

'Kan ik daar hulp krijgen? Zou iemand mij kunnen helpen die l'klawi schuit weer op de weg te krijgen? Iemand met een tractor of zo?'

'Vast wel.'

De trucker schuifelt zijn zitvlak moeizaam onder het stuur vandaan, gaat op de treeplank staan en laat zich hijgend en piepend naar buiten zakken. Hij waggelt naar de achterkant van de truck en begint kabels en met zwart rubber beklede stekkers los te trekken. 'Help even,' vraagt hij, terwijl hij onder de vrachtwagen een ijzeren plaat tevoorschijn trekt. Christiaan snelt toe. Samen duwen ze de plaat onder het linkerachterwiel van de truck, waarna ze een tweede plaat onder het rechter plaatsen. De chauffeur rukt aan de hendel van het mechanische gewricht waarmee truck en oplegger aan elkaar zijn verbonden. Zuchtend komen de twee van elkaar los.

De trucker klimt zijn wagen weer in en zegt, hangend uit de cabine: 'Probeer jij die platen op hun plek te houden? Fluit maar weer op je vingers als het misgaat.' Hij beroert het gaspedaal voorzichtig met de bal van zijn voet. De dieselmotor gromt zachtjes. Behoedzaam komt de truck in beweging. Centimeter voor centimeter rollen de zware banden via het plaatstaal omhoog uit de zelfgegraven kuilen die ze gevangenhielden. Terwijl hij de motor stationair laat draaien, klautert de chauffeur opnieuw uit zijn cabine. Het katoen van zijn djellaba, doorweekt van het regenwater, kleeft doorschijnend aan zijn dikke buik. Hij heeft een diepliggende, harige navel. Christiaan van B. had het liever niet gezien. Samen schuiven ze de rijplaten tegen de bodem van de vrachtwagen, waar de trucker ze met een paar eenvoudige schuiven zekert. Hij slaat zijn handen in elkaar, zegt: 'Bedankt, sahib. Wil je meerijden naar het dorp?'

Christiaan schudt zijn hoofd. 'Mijn motor ligt daar nog. En veel natter kan ik toch al niet meer worden.' Hij spreidt zijn armen demonstratief. Het water druipt met dikke druppels uit zijn mouwen.

'Wat jij wilt,' zegt de trucker. 'Zou je anders bij de boot willen blijven tot ik terug ben met hulp?' Als hij de aarzeling op Christiaans gezicht ziet, vervolgt hij: 'Ik geef je duizend dirham om ervoor te zorgen dat er niets met het schip gebeurt als ik weg ben, oké?'

'Je bent bang dat iemand ermee wegvaart?' smaalt Christiaan.

'Ik wil zeker weten dat niemand de planken uit het dek breekt, al het koper eruit sloopt of, Allah verhoede, de oplegger aan zijn trekker hangt en met schip en al verdwijnt. Voor de zekerheid.'

'Tweeduizend.'

'Wat?'

'Tweeduizend dirham.'

De trucker grijnst en sjort zijn djellaba omhoog. Onder de plooi van zijn zwart behaarde ballonbuik draagt hij een gordeltasje. Met zijn worstenvingers peutert hij er een biljet uit dat hij Christiaan toestopt. 'Duizend nu. En de andere helft als ik terug ben. Akkoord, sahib?'

•

Layla staat exact waar Christiaan van B. haar dacht aan te treffen: onder de overhangende rots op het strandje. Ze oogt alsof de regen haar met geen druppel heeft beroerd. Ze draagt een lange, hennarode rok en een witte blouse met goudkleurig stiksel. De uiteinden van haar hoofddoek zijn elegant rond haar hals gevouwen. De doek bedekt alleen haar achterhoofd. Haar gezicht wordt omlijst door verende, zwarte krullen. Haar ogen zijn dik met kohl omlijnd. Als Christiaan het strandje op komt pruttelen, klaart haar gezicht op, net als de hemel. Ze strekt haar armen naar hem uit, alsof ze hem met motor en al wil omhelzen. Christiaan ontwijkt haar blik, veinst een kapotte snelheidsmeter om haar niet aan te hoeven kijken. Hij klopt met de rug van zijn hand op de buddyseat achter zich, zegt: 'Spring achterop, ik moet je wat laten zien.'

Ze trekt haar wenkbrauwen op, maar vouwt haar rok zonder aarzeling met twee handen tot een harmonica, stapt op en slaat haar armen om Christiaans middel. De wetenschap dat Layla met gespreide, ontblote benen achter hem zit, maakt hem radeloos. Hij draait de gashendel met een ruk open, in de ijdele hoop aan zichzelf te ontsnappen.

Er zijn blauwe gaten in het grijze wolkendek gevallen. De wind, warm alweer, voert nog een enkele verdwaalde druppel aan. De woestijn heeft het hemelwater geabsorbeerd. Het zand zuigt niet meer aan Christiaans banden. Zolang de zon er niet bij kan, is het hard aan de oppervlakte. De Motobécane snijdt er als een mes doorheen.

Layla, haar wang tegen Christiaans rug gedrukt, ziet de oplegger met het schip pas als Christiaan vaart mindert.

'Stukje varen?' vraagt hij, nog altijd zonder haar direct aan te kijken.

Layla's mond valt open. Ze kijkt om zich heen, beweegt haar

hoofd van links naar rechts en weer terug. Alsof ze een loods ver-
wacht. Of de waterpolitie.

Ze stappen af, eerst Layla, dan Christiaan. Behoedzaam parkeert
hij de motor tegen de wielkast van de oplegger. 'Kom,' zegt hij,
terwijl haar haar hand pakt. Zacht, slank en koel schroeien haar
vingers de zijne. Ze lopen rond het schip en Christiaan mompelt:
'*En de Heere zeide in Zijn hart: Ik zal voortaan den aardbodem niet
meer vervloeken om des mensen wil; want het gedichtsel van 's mensen
hart is boos van zijn jeugd aan; en Ik zal voortaan niet meer al het
levende slaan, gelijk als Ik gedaan heb.*'

Layla trekt haar hoofd in, fronst haar zware wenkbrauwen.
'Wat?!'

'Niks. Zomaar. Het gaat vanzelf.' Hij houdt stil onder de achter-
plecht en hijst zichzelf omhoog aan de sporten van het aluminium
laddertje aan de spiegel. Als hij zijn voeten stevig op de onderste
trede heeft geplaatst, zakt hij door de knieën en steekt zijn rechterarm naar Layla uit, hangend aan de ladder als een makaak in de
boom. Layla grijpt zijn pols. Zijn vuist klemt zich rond de hare.
Even zweeft ze. Dan haakt ook zij haar handen vast aan de geribb-
belde sporten en klimmen ze beiden aan boord. Hand in hand
staan ze op het achterdek. Zwijgend nemen ze de omgeving in zich
op. Het zwarte silhouet van het dorp in de verte, de minaret, de
kassen, het fort, de heuvels, het strandje, de blauwe bergen aan de
einder. Het ligt er klein en nietig bij. Layla hoeft haar vingers maar
door het eindeloze zand te harken om het allemaal op te pakken
en weg te stoppen.

'Waar zullen we heen varen?' vraagt Christiaan van B. Hij ver-
acht zichzelf om zijn geforceerd opgewekte toontje. Om de be-
drieglijkheid waarmee hij Layla onwetend houdt, om de luchtspiegeling die hij in stand houdt om de werkelijkheid nog een moment
langer te kunnen negeren.

'Naar Holland natuurlijk,' zegt Layla. 'Amsterdam, Rotterdam,
Brussel.'

'Brussel is België.'

'Is België niet Holland?' Ze vraagt het lachend. 'Daarom moeten we erheen. Ik heb een Hollandse geliefde. Wie weet hebben we ooit half-Hollandse kindjes. Op zoete, kleine houten schoentjes. En dan ben ik het ook een beetje, toch? Een aangetrouwde Hollandse die niet eens weet dat België in Brussel ligt. Op naar Holland!'

Christiaan van B. voelt hoe een bevroren spies traag door zijn hart wordt gestoken, terwijl Layla hem naar de kajuit trekt.

'Wie laat er nou een boot achter in de woestijn?' zegt Layla. Ze grijpt het stuurwiel; een houten, met koper afgewerkte hoepel waar de nautische kitsch van afspat. Layla plaatst haar vlakke hand als een zonneklep boven haar ogen en kijkt door de kajuitramen naar de woestijn die zich voor de boeg uitstrekt. Zinnen uit de heilige Koran borrelen in haar op. *En tot Zijn tekenen behoren de schepen die als bergen op de zee varen. Zij die over Zijn tekenen twisten moeten maar weten dat er voor hen geen ontsnapping is.*

Dan draait ze zich om. Christiaan van B. staat hulpeloos kijkend achter haar. Layla trekt haar hoofddoek los, valt Christiaan in de armen, sluit haar ogen als ze haar lippen op de zijne drukt. Hij stort zich in haar kus. De wereld krimpt. Het schip verdwijnt. De woestijn lost op. Het dorp en hun beider vaders hebben nooit bestaan. Voor een moment openbaart de eeuwigheid zich. Dit is het. Meer hoeft het niet te zijn. De wereld is overbodig. De creatie achterhaald. Het uitspansel. De vergadering der wateren. Het zaad zaaiende kruid. Het vruchtdragend geboomte. De Heere God heeft het allemaal voor niets geschapen. Layla maakt zich los uit Christiaans omhelzing, knoopt met fijne, razendsnelle vingerbewegingen haar blouse open. Het is de enige openbaring die nog telt. Christiaan zakt door zijn knieën, vouwt zijn handen onder Layla's borsten, alsof hij het gebed opdraagt. Hij kust haar tepels, die tussen zijn lippen ontknoppen. Layla laat zich achterovervallen, op het gecapitonneerde leer van de kajuitbank. Haar rok valt over haar heup als ze haar benen spreidt. *Allah is teder voor zijn dienaren.* Christiaan vlijt zich tussen haar dijen. Layla wurmt haar kleine hand tussen hun onderlijven, schuift haar onderbroek opzij en pulkt aan de sluiting van Christiaans klamme broek. Het vocht heeft de stof zo stug gemaakt dat de knoop van zijn gulp nauwelijks meegeeft tussen haar duim en wijsvinger. Layla zet haar linkerhand op zijn borst en duwt hem omhoog. Hij gaat tussen haar benen op zijn knieën zitten en terwijl hij twee handen naar zijn broek brengt, kijkt hij haar aan. Het liefste gezicht dat hij ooit zag. Ze knijpt haar lippen samen tot een bemoedigende lach. Haar tabon zacht, glimmend, kwetsbaar. Christiaan van B. trekt Layla's rok omlaag. Hij buigt zijn hoofd.

'Layla, ik moet je wat zeggen. Ik krijg het bijna niet uit mijn bek, maar... We moeten elkaar even niet meer zien.'

Ze knippert met haar oogleden. Veegt een lok uit haar gezicht. 'Wat...?'

'We zijn betrapt. Iemand heeft ons gezien. In de haven. Bij het hotel. En...'

'En?'

Layla gaat rechtop zitten. Sjort haar rok over haar opgetrokken knieën. Klemt beide panden van haar blouse in een gebalde vuist op haar borstbeen.

'En nou is vader op de hoogte. Ik heb hem moeten beloven dat ik je nooit meer zou zien.'

'Je hebt meer van mij gezien dan wie dan ook! En nu keer je je hoofd van mij af omdat je l'klawi váder dat eist? Wat ben jij, een man of een dadel?'

'Hij wil dat ik een Hollands meisje zoek.'

'Dan moeten jullie oprotten naar Holland! Hier zijn de l'klawi Kaasmeisjes dun gezaaid, zoals je weet.'

'Habiba, alsjeblieft... Het is maar voor even. Na de zomer, als we gaan studeren, zijn we iedere dag samen. Hoeven we ons niet meer te verstoppen.'

'Waarom zouden we ons verstoppen?'

Christiaan slaakt een zucht van ergernis. Hoe vaak heeft Layla hem voorgespiegeld wat er zou gebeuren als meneer El Boudifi erachter zou komen? Hoe hij haar zou verbannen naar de andere kant van het land. Hoe hij Christiaans gekookte hart aan de honden zou voeren. Hoe eeuwige schande hem en zijn gezin ten deel zou vallen. Dat ze zich nooit meer in het dorp zouden kunnen vertonen.

'Nou ja. Wat dacht je van: vanwege jóúw vader?!'

Layla steekt haar kin in de lucht, draait haar gezicht van hem weg. 'Je bent bang voor mijn vader? Wat ben je voor een vent?'

'Jij zegt zelfs steeds dat je vader zal ontploffen als hij erachter komt dat jij en ik –'

'Je moet míj voor je winnen. Van hem. Je moet voor mij vechten. Met hem. En als je voor mij hebt gevochten, als je tegen hem bent opgestaan, zal hij weten dat je het meent. Hij zal je omhelzen als een zoon. Ook al ben je een Kaas. Maar nee, de strijder op de motor is bevreesd. Voor zijn eigen vader. En die van mij.' Ze heft haar handen in verontwaardiging. 'Tfoe!'

'Ben jij dan niet bang?' vraagt Christiaan van B. vertwijfeld.

'Bang? Báng? Ik? Mijn liefje is een Kaas. Ik rijd met hem op een prehistorische motor dwars door de woestijn naar een l'-klawi hoerenkast, waar ik mijn benen voor hem spreid in de wetenschap dat mijn babba ons beiden de kop afhakt als hij daarachter komt. Denk jij werkelijk dat ik báng ben? Ik vrees niets of niemand. En ik had gehoopt dat jij, mijn mán, minstens zo moedig zou zijn.'

Ze staat op, stampt de kajuit uit. In de punt van het voordek blijft ze staan. De knokkels van de vuist waarmee ze de reling vastgrijpt zijn wit. Met haar andere hand houdt ze nog steeds haar blouse dicht. Haar schouderlange krullen golven in de wind. Haar rok onttrekt haar blote voeten aan het zicht. Een zeemeermin in de woestijn. Een boegbeeld dat zich van de scheepsromp heeft losgemaakt. Layla tuurt met mistige ogen over de glooiende vlakte. Over de met zand bedekte weg die de woestijn doorsnijdt zijn twee voertuigen in aantocht; het kopstuk van een vrachtwagen en een tractor. Layla kijkt over haar schouder Christiaan aan, gooit haar hoofd in haar nek en grijpt ook met haar andere hand de reling stevig vast.

# 22.

Er werd aangeklopt. Voor iemand op het timide knokkelsignaal kon reageren, piepte de deur open en schuifelde Geesje naar binnen, in haar kromgetrokken handen een pan waarvan de inhoud bij iedere moeizame stap een beetje over de rand klotste. Ze droeg haar blauwgebloemde schort en dikke, vleeskleurige panty's die broeierig aan haar benen moesten plakken maar de delta van spataders op haar onderbenen goeddeels aan het zicht onttrokken. Met haar waterige blauwe ogen keek Geesje gretig de kamer in. Naar vader die onderuitgezakt voor de televisie zijn middagroes lag uit te slapen, naar Christiaan van B. die aan de kleine, vierkante eetkamertafel over een schoolboek gebogen zat, naar moeder Neel die met gebogen hoofd een glimlach probeerde te forceren en mompelde dat Geesje het 'echt niet had hoeven doen'. Dat laatste was niet per se waar. De Van Bestevaers mochten nog niet aan de bedelstaf zijn, de voorraden slonken snel en vaders pogingen nieuw werk te vinden waren tot nu toe gedesillusioneerd in de kroeg geëindigd. Iedere bijdrage om de loerende armoede op afstand te houden was welkom. Zelfs als die gedoneerd werd door een weduwe die haar eigen eenzaamheid en nieuwsgierigheid ledigde met een pan zoete-aardappelsoep voor de buren. Wat in eerste instantie nog warme solidariteit was, *noaberschap*, was de exotische term die vader gebruikte, begon nu opdringerige trekjes te krijgen. En die zoete aardappelen kwamen Christiaan van B. inmiddels de neus uit. At Geesje weleens wat anders? Had ze in betere tijden een zoete-aardappelberg bij elkaar gehamsterd? Moest hij het penseel opnemen om dit tafereel als de Van Gogh van de Hollandse diaspora vast te leggen?

Geesje bewoog zich moeizaam naar de tafel, waar ze de pan pontificaal op Christiaans wiskundeboek parkeerde, zich omdraaide en verwachtingsvol de kamer inkeek. Geërgerd duwde Christiaan het avondeten van zijn huiswerk.

'Waar is Mem?' vroeg Geesje.

Normaal bewoog Mem zich als een babbelende schim door het huis. Ze voerde discussies met zichzelf, waarbij ze zo nu en dan de indruk wekte het enorm met haar alter ego oneens te zijn. Ze zong toonloos frases uit liedjes van vroeger. Of vertelde aan onzichtbare toehoorders curieuze verhalen, bevolkt door 'lichtzinnige zusters', het Wijf van Muntjezeil, spookschepen, wallevissen en dodenschippers. De manier waarop ze erover sprak maakte aannemelijk dat ze elke dag bij de bakker met die dodenschippers over het weer stond te kouten, dat ze naast een lichtzinnige zuster op een bankje in het park had gezeten en de wallevis in de vijver had gevoerd. Christiaan dacht weleens dat zijn grootmoeder ervoor kóós zich op te sluiten in de vreemde wereld die haar zo vertrouwd was. Des te ergerlijker was het dat ze er iedereen voortdurend deelgenoot van wilde maken. Toen Christiaan van B. klein was, luisterde hij zo gretig naar Mems verhalen dat ze vanzelfsprekend ook deel gingen uitmaken van zíjn realiteit. Je zag ze niet, de meerminne van Walcheren, het lijk van de Sayonaar en de heks in de botermoud, maar ze waren er wel. Toen Christiaan ouder werd en zich begon te realiseren dat Mems wereld geen tastbare was, daartoe aangespoord door vader en moeder, werd hij midscheeps getroffen door een periode van diepe neerslachtigheid. Hij rouwde om de kleurrijke figuren die hem tijdens zijn jeugd hadden begeleid. Het legioen van onzichtbare vrienden en vijanden met wie zijn jonge leven was vervlochten. De onthutsing van de eerste weken op school, toen bleek dat niet alleen zijn klasgenoten maar zelfs de juf hem lachend voorhield dat ze niet écht waren, Jarfke de Groote Profeet, het met goud en zilver beladen schip de Lutine en de Pinkster-bruud. Een voor een vielen ze weg en elke keer werd Christiaans wereld kleiner. Tot er niets meer over was dan een stoffig kutdorp en een raaskallende grootmoeder. De woede die hij in eerste instantie voor Mem voelde – leugenaar, dat ze d'r was! – sloeg al snel om in ergernis. Een irritatie die alleen kon worden verzacht door haar zo veel mogelijk te negeren, hoewel ze nog even fel oplichtte toen bleek dat het Mem om het even was of hij luisterde of niet. Dat zijn kinderwereld hem was ontnomen liet hem ontgoocheld achter, dat hij er nooit deel van had uitgemaakt was traumatisch.

Ook vader en moeder hielden zich voor Mem zo veel mogelijk doof, om te voorkomen dat ze al hun aandacht op zou zuigen. Hun oren registreerden haar stem niet langer automatisch, haar bewegingen bleven doorgaans onder de radar. Het waren automatismen die het samenleven met Mem mogelijk maakten. Zonder filters op de zintuigen was haar aanwezigheid al snel ondraaglijk.

'Nou je erover begint…' zei moeder. 'Net was ze hier nog. Chris, heb jij Mem gezien?' Christiaan van B. haalde zijn schouders op, zonder op te kijken van zijn boek. Moeder beende naar Mems bedstee, en toen die leeg bleek naar de twee overige slaaphokken, de keuken en de natte ruimte. Ook niets. De versnelling in haar pas verried opkomende paniek. Ze plantte haar vingers in vaders schouder en zei: 'Hans. Word eens wakker, Hans.' Zijn jenever-aura was op deze afstand bijna zichtbaar. Knorrend ontwaakte hij uit zijn roes. Hij keek moeder verschrikt aan. Sinds zijn ontslag begonnen vaders nachtmerries zodra hij zijn ogen, flets en bloed-doorlopen van de drank, opendeed.

'Mem is weg,' vervolgde moeder kordaat. 'Ze moet de deur zijn uitgeglipt. Wanneer heb jij haar voor het laatst gezien?'

Vader vertrok zijn mond tot een grimas die onwetendheid moest uitdrukken, waarna hij leek te schrikken van Geesjes aanwezigheid.

'Verdomme,' zei moeder, 'aan jullie heb ik ook niks. Kom van je bezopen krent af. We moeten haar zoeken.'

'Ik doe mee,' zei Geesje, op een geestdriftige toon die nogal contrasteerde met de moeizame manier waarop ze zich in beweging zette. Christiaan schoof bokkig zijn stoel naar achter. Hij was ervan overtuigd dat Mem ieder moment tevoorschijn zou komen. Uit een kast, onder een bed, achter een stoel. Om een l'klawi liedje te zingen. Of een onbegrijpelijk verhaal te vertellen. Maar moeder stond al buiten en Christiaan wist dat hij niet kon achterblijven. Hij liep naar vader, stak hem een hand toe en takelde hem overeind. Samen liepen ze de straat op met de schuifelende Geesje in hun kielzog.

'Mem!' riep moeder, 'MEM!', terwijl ze op luiken en deuren bonsde. Overal kwamen buren tevoorschijn. Geen van hen had Mem gezien. De zon was al onder, maar het licht van de volle maan was fel en wit. Een kille bries rolde van de bergen het dorp in. Bij elke deur waarop werd aangeklopt groeide de groep Hollanders die op zoek ging naar de oude vrouw. In de nauwe Johan Cruijff-straat konden zelfs kinderen zich amper verstoppen, desondanks inspecteerden de buurtgenoten nauwgezet ieder hoekje, blikten ze achter elk muurtje, tuurden ze plichtsgetrouw in gaten waar alleen de uitgemergelde straatkatten beschutting konden vinden. Toen heel Klein Amsterdam was uitgekamd en er in iedere Hollandse kamer onder elk bed was gekeken, waagde de groep de oversteek naar het autochtone deel van het dorp. Hollanders lieten zich daar zelden zien. Mem al helemaal niet, wist moeder. Zeker niet alleen en na zonsondergang. Maar tot ze een spoor van Mem vonden was het noodzakelijk hun actieradius te vergroten.

De groep, breed uitgewaaierd en door het maanlicht tot aaneengesloten silhouetten gereduceerd, bereikte het moskeeplein. Hun schreeuwende stemmen doorkliefden de nacht: 'MEM! MÈÈÈM!' Vader snelde naar de kerk en onderwierp de loods aan een snelle, vergeefse inspectieronde. Toen hij weer naar buiten stapte hief hij zijn handen in vertwijfeling. Bij de toren, waaraan de werkzaamheden waren hervat, hielden twee jongens de wacht. Met houtskool hadden ze zwarte strepen onder hun ogen aangebracht. Ze vroegen wat er aan de hand was, beloofden een oogje in het zeil te houden, maar bleven op hun post toen de groep verder trok.

Aan de overzijde van het pleintje schrokken de bewoners op van het geschreeuw. Wat er werd geroepen, konden ze niet verstaan. Het klonk kortaf en opgewonden. En de groep die op hen afkwam zag er dreigend uit. De Kazen kwamen! DE KAZEN KWAMEN! De mannen, die buiten op straat backgammon speelden, rokend en keuvelend, in afwachting van hun avondmaal, kwamen als één organisme overeind en bewapenden zich in een oogwenk. Een bezem. Een vuistgrote kei. Een vork. Een krukje. Een man griste een speelbord van tafel, de stenen vlogen in het rond, en hield het dreigend boven zijn hoofd, klaar om de eerste Kaas die op zijn pad kwam een geweldige dreun te geven. De mannen snelden naar de kop van de smalle steeg en vormden een verdedigingslinie. Toen de Kazen dichterbij kwamen en er zich onder hen vrouwen en kinderen bleken te bevinden, liet de huis-tuin-en-keukenmilitie haar geïmproviseerde wapens zakken.

Moeder deed een stap naar voren. Ze herkende meneer El Boudifi, die een aangesneden droge worst als knuppeltje in zijn hand hield. 'Meneer El Boudifi,' zei moeder, 'mijn Mem is weg!'

Christiaan van B. legde een hand op moeders schouder. 'Laat mij maar even.' Meneer El Boudifi, zijn geheime schoonvader, zag er met zijn doorgeladen vleeswaren beslist minder dreigend uit dan hij kort geleden gevreesd had. Christiaan zag in zijn blik niets wat op geagiteerde herkenning leek. Kennelijk hadden Layla noch de eigenaar van de tractor uit de school geklapt. 'Meneer El Boudifi,' begon Christiaan, 'wat mijn moeder wil zeggen is dat mijn grootmoeder kwijt is. Ze is niet helemaal… nou ja…' Met zijn wijsvinger maakte hij een cirkelende beweging bij zijn slaap. 'We kunnen haar nergens vinden. En nu zijn we op zoek.'

Meneer El Boudifi keek opzij, naar de man met het backgam-monbord, en zocht vervolgens de blik van de man die aan zijn andere zijde stond. Beiden knikten kort.

'Hoe ziet ze eruit?' vroeg meneer El Boudifi.

Christiaan plaatste zijn vlakke hand voor zijn borstbeen, zei: 'Zo hoog. Lange zwarte jurk met een gestreept schort en een zwart jasje met stiksel. Grijs haar, witte kap en klompen.'

'Ik kan je verzekeren dat we die hier niet hebben gezien. Hoe heet ze?'

'Mem.'

'Mèm?!'

'Ja, Mem.'

'Klinkt als het geluid dat een geit maakt.' Een jongen, Christiaan meende zijn gezicht van school te herkennen, maakte een mekkerend geluid, 'Mèèèèhm', maar zijn buurman legde hem met een elleboogstoot het zwijgen op. Meneer El Boudifi deed een stap opzij, waarna ook de andere mannen een doorgang voor de Kazen maakten. Meneer El Boudifi boog zijn hoofd naar moeder en zei: 'Moge Allah, geprezen en verheven is Hij, u helpen haar snel in welzijn terug te vinden.'

De Hollanders schuifelden langs twee rijen mannen de steeg in en verbaasden zich over het leven dat zich er openbaarde. Overal stonden luiken en deuren open. Kinderen op de drempel. Vrouwen in de keuken, zo druk met het bereiden van het avondeten dat de reuring van zo-even ze was ontgaan. De geur van tajine, gebakken schapenlever en ras el hanout. Elektrisch licht dat door de open luiken naar buiten viel. Bewerkte lantaarns boven de lage tafeltjes waaraan de mannen hun thee dronken en bordspellen speelden. Het dunne geluid van een oude radio waarop het wiegende ritme van de *tar* zich vervlocht met het geluid van de *oud* en de *ghaita*. In de steegjes van Klein Amsterdam kon je rond etenstijd een kudde geiten loslaten zonder dat iemand ze zou opmerken. Dat Mem had kunnen verdwijnen, was deels te wijten aan de gesloten deuren en luiken waarachter de Hollandse gemeenschap zich 's avonds verschool. Evengoed was in één oogopslag duidelijk dat Mem zich nooit onopgemerkt tussen de zandkaffers had kunnen begeven en het zinloos was hier te zoeken. Desondanks ging een delegatie van drie man onder leiding van meneer El Boudifi de Hollanders voor in het Arabische kwartier, waarbij ze verbaasde, of zelfs ontstemde buurtgenoten duidelijk maakten waarom de Kazen zo massaal aanwezig waren. Christiaan van B. herkende hier en daar gezichten van klas- of schoolgenoten. Daar deden Kazen en zandkaffers alsof ze elkaar niet zagen. Nu knikte een enkeling, terwijl anderen hun hoofd opzichtig afwendden. Christiaan hoopte een glimp van Layla op te vangen.

Plotseling werd de stoet opgehouden. Een oudere man in een grijze djellaba richtte zich opgewonden tot meneer El Boudifi. De oude vrouw waar de Kazen naar op zoek waren, die met dat malle ding op haar hoofd en die houten schoenen, ja, die had hij gezien. Een uur of twee geleden. Hij zette de tijdsbepaling kracht bij door zijn pols te kantelen en op een denkbeeldig horloge te kijken. Twee uur geleden, ja, was ze het dorp uitgelopen. Hij had zich nog afgevraagd wat zo'n oudje vlak voor zonsondergang nog buiten het dorp moest, maar had zich er verder niet tegenaan bemoeid. Ze deden wel vaker vreemde dingen, de Kazen. Het was beter je daar niet mee te bemoeien.

Moeder barstte in tranen uit toen Christiaan de boodschap had vertaald. Het idee dat Mem alleen de woestijn was ingelopen benam haar de adem. De duisternis! De kou! De beesten! De eenzaamheid! Waarom was ze nog niet teruggekeerd? Verdwalen in dat glooiende doolhof van uitgestrekt zand was gemakkelijk. Maar in het donker was het dorp een baken van licht dat zelfs Mem niet kon ontgaan. Dat zij niet op haar schreden was teruggekeerd, naar de warme beschutting van Klein Amsterdam, moest wel betekenen dat er iets vreselijk mis was. Moeder sloeg een hand voor haar mond en rukte met de andere aan Hans' mouw, alsof ze hem de woestijn wilde insleuren. Christiaan van B. schopte zijn klompen uit, ze buitelden door de lucht om na anderhalve omwenteling in het zand te ploffen, en zette het op een rennen. Scherpe steentjes beten bij iedere stap in zijn voetzolen, maar het pijnsignaal bereikte zijn cortex niet. In luttele minuten was hij aan de rand van het dorp. De woestijn, bedekt met een ijl patina van zilverbleek maanlicht, strekte zich voor hem uit. Hij liet zijn ogen over de vlakte dwalen, maar zijn blik liep vast in het zand. Geen beweging. Geen bekende contouren. Geen Mem. Alleen een dubbel bandenspoor in de onverharde weg vooruit. Christiaan kon geen klompvormige afdrukken in het zand ontdekken. Hij besloot de weg te volgen, in de hoop dat ook Mem de best begaanbare route had genomen. Waarheen ze ook op weg mocht zijn. *Kom, getrouwe Herder, kom! Doe de dag uit nacht verrijzen, breng 't verdoolde schaap weerom, kom de veil'ge weg het wijzen!* Terwijl hij achter zich het rumoer van zijn gemeenschap hoorde aanloeien, rende hij de nacht in.

Na een minuut of tien bereikte hij hijgend het fort. Nog altijd geen enkel levensteken van Mem. Christiaan van B. begon zich af te vragen hoe ver een oude vrouw op klompen in twee uur kon komen. Misschien had die zandkaffer ze allemaal op het verkeerde been gezet, was Mem aan de andere kant het dorp uitgeglipt en werd de afstand tussen hem en zijn grootmoeder juist groter bij iedere stap die hij zette. Hij keek omhoog naar de diamanten hemel en prevelde: *'Ik zal al het volk tot u doen wederkeren, de vrouw, dien gij zoekt, is gelijk het wederkeren van allen; zo zal al het volk in vrede zijn.'*

De poort van het fort oogde gevaarlijk bouwvallig, de voegen van de bakstenen boog door wind en zand uitgesleten. Christiaan snelde eronderdoor uit angst een klinker op zijn kop te krijgen. Het maanlicht wierp rafelige schaduwen op de appèlplaats. Bij iedere stap die hij zette, klonk er geritsel tussen de brokstukken metselwerk die onder aan de muren lagen. In zijn perifere blik zag hij kleine, zwarte schimmen tussen de stenen wegschieten.

*En Ik zeg ulieden: Bidt, en u zal gegeven worden; zoekt, en*
*gij zult vinden; klopt, en u zal opengedaan worden. Want een*
*iegelijk, die bidt, die ontvangt; en die zoekt, die vindt; en die*
*klopt, dien zal opengedaan worden.*

'Mem! MEM!' Zijn stem weerkaatste dof tussen de verweerde muren. Een respons kwam er niet.

Wat te doen? Terug naar het dorp? Verder de woestijn in? Het fort vanbinnen doorzoeken?

Het laatste was geen prettig vooruitzicht. De ingewanden van de citadel waren overdag, in de felle zon, al schimmig en moeilijk begaanbaar. In het donker, zonder lantaarn of zaklamp, was het ronduit gevaarlijk.

Als jongens waren ze er vaak geweest. Instinctief voorovergebogen, om zich klein te maken voor een onzichtbare vijand die vanuit de duisternis op ze loerde, hadden ze de ruïne verkend. De slaapzalen, waar de stapelbritsen, drie verdiepingen hoog, nog altijd in het gelid stonden, alsof Fransen troepen, terug van woestijnpatrouille, er elk moment op konden neerploffen. De depots achter de grijze spijlhekken, de ziekenboeg, herkenbaar aan de steekpannen en de ooit witte eenpersoonsbedden, bedekt met het vuil van decennia en vleermuizenstront. De reusachtige bakovens, de lange houten tafels in de mess, de affuiten op de muur, betekenisloos zonder de kanonnen die er ooit op hadden gelegen. Maar ook de metersdiepe, vierkante putten in de donkere gangen, de scheuren in de broos ogende plafonds, de slangen en schorpioenen die zich tussen het puin hadden genesteld. Het fort was beslist geen plek om na zonsondergang in je eentje te betreden. De gedachte dat Mem wellicht precies dát had gedaan, duwde Christiaan van B. schoorvoetend de drempel over.

Hij vond haar vrijwel meteen. Mem lag in de eerste slaapzaal. Op de onderste spiraalbodem van een brits, in de witte gloed van het maanlicht dat via de raamloze patrijspoorten naar binnen viel.

Toen Christiaan haar naam noemde, zachtjes alsof hij wilde controleren of ze wakker was zonder haar te willen wekken, krulde ze ineen en piepte: 'Huuu! De Joost! DE JOOST!'

'Mem, ik ben het. Christiaan. Niet Joost.'

Hij knielde neer bij de brits en legde zijn hand op Mems bovenarm. Haar broze lichaam huiverde onder zijn aanraking. Christiaan sprak haar sussend toe, in de hoop dat het vertrouwde timbre van zijn stem haar zou kalmeren. Maar hoe teder hij ook over de strak aangespannen ledematen wreef, hoe zacht hij haar naam ook fluisterde, Mem bleef liggen in haar defensieve houding en weigerde hem aan te kijken. Ze jammerde zacht en onverstaanbaar. Christiaan bracht zijn hoofd naar het hare in de hoop enige betekenis uit het geweeklaag te kunnen destilleren. Mem bemerkte zijn nabijheid en kroop nog verder ineen. Als een gasbelletje uit een moeras ontsnapte er een woord aan haar dunne, kleurloze lippen. 'Huis,' fluisterde ze.

'Wil je naar huis?'

Mem bewoog, nog altijd met afgewende blik, haar hoofd heen en weer over de maliën van de spiraalbodem. 'Huis,' piepte ze.

'Ik kom je halen, Mem. Ik breng je thuis.'

Met een vinnige ruk, de souplesse verbaasde Christiaan, draaide Mem zich om en zei vinnig: 'Ik wil niet mee naar huis!'

'Waar wil je dán heen?'

Mems ogen vulden zich met tranen. Ze nam Christiaans hand in de hare, keek hem smekend aan en zei: 'Ik wil naar *huis.*'

# 23.

De toppen waren groot en stevig. Kleine kerstbomen, besprenkeld met sterrenstof dat flonkerde in het gefilterde licht van de zon. De vijfvingerige blaadjes voelden zacht aan wanneer hij zijn vuist van onder naar boven over de vettige bloemstengel haalde. Hij rook aan zijn handpalm: de geur was bedwelmend. Patron kon tevreden zijn.

Hij pakte het schaartje en verwijderde secuur het overtollige loof, waarna hij de top losknipte en neerlegde in de oogstkar. Vervolgens trok hij de rest van de manshoge plant aan de wortel uit de grond en liet die achteloos vallen op het pad tussen de twee zaaibedden, in het spoor van de plantenlijken die hij eerder had geruimd. Hij knielde, woelde met een handschep de aarde om, waarna hij met zijn vingertoppen een kuiltje groef. Uit de geitenleren buidel die hij om zijn middel droeg viste hij wat zaden tevoorschijn, die hij teder in de aarde liet vallen.

*En hij brak op van daar, en groef een anderen put, en zij twistten over dien niet; daarom noemde hij deszelfs naam Rehoboth en zeide: Want nu heeft ons de Heere ruimte gemaakt, en wij zijn gewassen in dit land.*

Gestaag werkte hij naar de laatste plant in het zaaibed. Toen ook die geveld achter zich lag en er op de plek waar zij had gestaan nieuwe cannabis aan het ontkiemingsproces begon, stond hij op en wreef in zijn handen. De hars die op zijn palmen was achtergebleven kleide hij zonder nadenken tot een balletje, zo groot als een flinke knikker. Met een schok realiseerde hij zich wat hij in handen had. Zijn ogen schoten heen en weer, om er zeker van te zijn dat niemand anders de kas had betreden. Toen schoot hij de hasjknikker met duim en wijsvinger tussen de opkomende zaailingen in het andere perk.

Hij mocht nu geen enkel risico nemen.

Behoedzaam duwde hij de kar met vers geoogste toppen de kas uit om met kruiwagen en riek terug te keren. Hij vulde de bak met plantenresten en kruide die de kas uit, naar buiten. Het groenafval uit alle kassen werd verzameld op een centrale plek, waar een kleine kudde geiten voor verdere verwerking zorgde. Permanent beneveld door de THC-kristallen die bij het oogsten op de bladeren terecht waren gekomen, stonden de volgevreten beesten wankel op hun dunne pootjes. Soms viel er een om. Er waren collega's die ze daar graag een handje bij hielpen. Een duwtje in de flank. Gewoon, omdat het grappig was en de sleur van de dag brak. Stonede geiten, dat bleef leuk. Hoe vaak je ze ook zag. Maar hij vond ze vooral zielig. In de hiërarchie van het dierenrijk stonden ze toch al niet bovenaan. Met hun tengere postuur, ballonbuiken en anorectische hoefjes waren geiten de lelijke eendjes onder de zoogdieren. Het greintje waardigheid waar een geit van nature over kon beschikken, werd hier tenietgedaan door de bedwelmende gevolgen van hun gedwongen dieet. Ook de geiten hadden geen andere keuze dan gewoon hun werk te doen. Daar paste mededogen, geen leedvermaak.

*De rechtvaardige kent het leven van zijn beest; maar de barmhartigheden der goddelozen zijn wreed.*

De woede waarop hij zich had voorbereid toen hij 's ochtends de deur uitstapte en naar de fabriek liep, was goeddeels uitgebleven. De zon stond nog laag. Het was stil en nog koel. Hij was het wandelen ontwend. Maar onaangenaam was het beslist niet.

Hij nam een aanloopje een duwde de kruiwagen de compostheuvel op en kiepte de bak om. De geiten verdrongen zich mekkerend rond zijn lading, hongerig naar sappig vers blad of misschien zelfs hunkerend naar de roes die het hun zou brengen.

De arbeid had berusting en regelmaat in zijn leven gebracht. Vroeg op, hard werken, doodop naar huis, een enkel borreltje bij broeder Siccama, eten en naar bed. De voorspelbaarheid van de dag had een afstompend effect op zijn humeur. Hij dacht niet na, koesterde nauwelijks ressentimenten, had geen last van zelfmedelijden. Hij had zich willig overgegeven aan het repetitieve ritme van de dag. Het verdoofde hem. Ook hij was een geit. Een geit met een baard in plaats van een sik. Sinds zijn eerste werkdag had hij zich niet meer geschoren.

Toen hij zich omdraaide zag hij hem staan. L'klawi Soufiane. Met zijn l'klawi hond. En zijn l'klawi apenpakkie. Negeren, hij zou hem negeren. Hij verdiende een pak slaag, de klootzak, een ongenadig pak op z'n flikker. Maar hij zou domweg doen alsof-ie hem niet zag. Lucht was-ie, lúcht. Met een strak gezicht zette hij koers naar de kassen. Soufiane blokkeerde zijn pad.

'Hé, Hollander, lekker met de kruiwagen aan het rijden? Is weer eens wat anders, niet?'

Hij probeerde zich blind te houden voor de triomfantelijke grijns op de smoel van de bewaker. Al moest hij moeite doen die er niet af te slaan. Hij bracht het rechter handvat van de kruiwagen omhoog en maakte aanstalten linksom langs de bewaker te zwenken. Maar Soufiane stapte opzij en belemmerde hem opnieuw de doorgang.

'Het is een oud beestje, die *moto*,' zei de bewaker. Hij sprak het woord op z'n Frans uit, met de air van een kenner. 'Ouder dan die verrotte kruiwagen. Dus wat dat betreft ben je erop vooruitgegaan.'

Christiaan van B. duwde de kruiwagen van zich af, zakte door de knieën en nam de kop van Soufianes hond in zijn handen. Het beest begon te kwispelen toen Christiaan het achter de oren kroelde. Het opende zijn bek en stak hijgend zijn dunne, roze tong uit.

'Maar, broer,' vervolgde Soufiane, 'het beste van zo'n ouwe moto is dat-ie lekker is ingereden.'

Christiaan keek omhoog, naar de zelfvoldane, bolle kop van de bewaker. 'Jammer dat je niks of niemand hebt om naartóe te rijden. En met jouw postuur is lopen sowieso een betere optie. Een varken op een motor, het is ook geen gezicht.'

Soufianes gezicht verstrakte. Hij rukte aan de hondenriem om het dier uit Christiaans liefkozende handen naar zich toe te trekken. Hij snauwde: 'Ik zou maar op mijn woorden letten, Kaas.'

Het had wat voeten in de aarde gehad om Christiaan van B. een betrekking op de fabriek te bezorgen. Aminedinne, de voorman die vader altijd gunstig gezind was geweest, moest bij Patron bemiddelen. Dat de jonge Hollander sterk was en slim, dat hij de taal sprak en, geboren en getogen in het dorp, eigenlijk zo goed als een landgenoot was. Zei de Heilige Koran niet: *Wie een goede daad verricht zal tienmaal zoveel ontvangen, maar wie een slechte daad verricht zal alleen een daaraan gelijke vergelding ontvangen*? En was het niet haram de zoon te straffen voor de misdaden van zijn vader? Patron ging schoorvoetend overstag. Niet zozeer vanwege Aminedinnes gloedvolle pleidooi, maar eerder om van zijn gezeik af te zijn. Bovendien kon Patron inderdaad wel een paar Hollandse jongenshanden gebruiken. Je kon veel van de Kazen zeggen, maar de tuinbouw zat ze in de vingers.

Vader stribbelde aanvankelijk tegen. Verteerd door schaamte, afgunst en schuld betoogde hij dat Christiaan tenminste eerst zijn school zou afmaken. Sinds zijn ontslag had hij talloze pogingen gedaan om werk te vinden. Ten einde raad was hij zelfs met broeder Siccama naar de haven gereden om te kijken of hij daar emplooi kon vinden. Die expeditie was op een onvermijdelijke teleurstelling uitgelopen. Gehandicapt door zijn armoedige beheersing van de taal kwam hij bij de meeste havenbedrijven niet voorbij de slagboom. Welgeteld had hij één gesprek met een voorman, die al snel zijn interesse verloor toen bleek dat die ergerlijk onderdanige ouwe Hollander geen ervaring had als sjorder of stuwadoor en nooit in de haven had gewerkt. Met een vernederend handgebaartje had de opzichter te kennen gegeven dat het spontane sollicitatiegesprek was beëindigd en dat vader kon vertrekken.

Gedurende de hele terugreis, op de krappe bijrijdersstoel naast broeder Siccama, had hij zwijgend uit het raam gekeken hoe de woestijn aan hem voorbijtrok. Hij was vijftig, een vreemdeling in een vijandig land en kon zijn gezin niet meer onderhouden. De Heere God stelde hem op de proef. Zoals Hij dat bij Job had gedaan. En net als Job vroeg hij zich af waarom. Waarom Heer, beproeft U mij zo? Het sterkte hem in zijn geloof. Al was het omdat hij niets anders meer had. God en jenever waren de krukken die hem staande hielden.

Vaders pleit om Christiaan tot zijn examen op school te houden, werd door moeder domweg genegeerd. Ze wist dat haar zoon het wonderlijke aanbod van betaald werk, daar was de hand van God zichtbaar, meteen en zonder voorbehoud moest aangrijpen. Ze leefden al weken van het geld dat zich op mysterieuze wijze in haar beurs vermenigvuldigde en waarvan ze niet wilde weten waar het vandaan kwam. Ze wist alleen dat wonderen eindig waren. Alleen het Koninkrijk Gods had de eeuwigheid. Eerder vroeger dan later zouden ze niets meer te vreten hebben en op straat staan.

Mem was de enige die geen opvatting had over de kwestie. Mem zweeg. Ze had niet meer gesproken sinds Christiaan haar uit het Franse fort had gered. Met haar stem waren ook Jarfke de Groote Profeet, de Pinksterbruud, de zeemeerminnen en al die andere kleurrijke figuren verdwenen. Mem sleet haar dagen op de bank en bracht geen woord meer uit.

Direct na zijn aanstelling had Christiaan Willem III gemeld dat hij nu echt moest stoppen met hun handeltje. Hij kon het risico niet lopen ontslagen te worden voor hetzelfde vergrijp dat zijn vader de kop al had gekost. Hij moest een modelwerknemer worden. Stipt. Secuur. Serviel. Ja, Patron. Nee, Patron. De verkoop van gestolen, illegale goederen paste beslist niet in dat profiel.

Toen Zakaria Dridi doorkreeg dat Christiaan niet langer een zakenpartner was, stuurde hij een hulpje naar Klein Amsterdam om de Motobécane te confisqueren. Nog geen week later werd hij op het plein door de motor gepasseerd. Soufiane zat aan het stuur.

'Misschien neem ik die hoer van je ook wel,' zei de bewaker. 'Ik ga ervan uit dat zij even lekker is ingereden als die motor.'

Christiaan van B. voelde een verschroeiende woede in zijn borst opwellen. In een reflex greep hij de riek uit de kruiwagen en hield hem in twee vuisten als een geweer voor de borst, klaar om Soufiane te bajonetteren. Soufiane deed geen poging zichzelf te verdedigen. Hij greep zijn ronde buik met twee handen vast en klapte voorover van het lachen. 'Gespietst door een Kaas! Met een l'klawi hooivork!' Hij loeide van plezier. 'Broer, ik kan me geen gênantere martelaarsdood voorstellen dan dat. Ik vrees dat ik niet eens zou worden toegelaten in het paradijs. Dat de engelen mij uit plaatsvervangende schaamte de deur zouden wijzen. Maar daar hoef ik niet bang voor te zijn, hè? Want jij gaat mij niet prikken, hè, Kaas? Patron ziet je aankomen: "Patron, Patron,"' schmierde hij, '"ik heb Souf per ongeluk geprikt."' Soufiane verslikte zich in zijn plezier en begon te hoesten. Gierend hapte hij naar lucht. 'O Kaas, je kan geen kant op, broer.'

Christiaan van B. liet de riek zakken. Soufiane had gelijk, hij wist het. Als Christiaan hem bij Patron zou verlinken, zou zijn eigen medeplichtigheid onherroepelijk uitkomen. Ook als hij Soufiane op zijn onuitstaanbare smoel zou slaan, liep hij gevaar zijn baan te verliezen. Christiaan had gezondigd en nu moest hij boeten. Als hij ooit aan Gods almacht had getwijfeld, was het nu definitief gedaan met zijn scepsis. Hij liet de riek in de kruiwagen vallen en liep, begeleid door Soufianes raspende lach, terug naar de kassen.

*Want de dag des Heeren is nabij, over al de heidenen; gelijk als gij gedaan hebt, zal u gedaan worden; uw vergelding zal op uw hoofd wederkeren.*

# 24.

De volle maan baadde in een terracottakleurige gloed. Het was de schaduw van de aarde, wist Christiaan van B. Die stond pal tussen zon en maan en verduisterde het kraterlandschap van de satelliet. 'Bloedmaan,' verduidelijkte hij.

'Kutfilm', zei Willem III.

'Wat?'

'*Blood Moon*. Over een *psycho* die kostschoolmeisjes met prikkeldraad wurgt. Hoewel ik dus mijn twijfels heb of je dat goed beschouwd wel wurgen kan noemen. Ik bedoel, wurgen is een verstikkingsdood, toch? Terwijl dat prikkeldraad wonden veroorzaakt waaraan je zou kunnen overlijden vóór je gestikt bent. Je kan mij pietluttig noemen, maar ik vind dat slordig. Als je een killer met zo'n heldere M.O. hebt…'

'M.O.?'

'Modus operandi.'

'Broer, jij spreekt ineens een lekker mondje Latijn.'

'De werkwijze, zeg maar. Die manier waarop de moordenaar moordt. Kijk, als je zo'n afwijkend wapen kiest, moet dat ook een duidelijk doel dienen. Vind ik, hoor. Niet dat zo'n vent toevallig nog een stuk prikkeldraad heeft liggen en denkt: verrek, verwurging of slagaderlijke bloeding, het is mij om het even. Dat vind ik slordig. Nog afgezien van het feit dat zo'n prikkeldraadmoordenaar zichzelf per definitie in de vingers snijdt. Dan hoeft het van mij niet meer hoor. Kutfilm.'

Christiaan van B. grijnsde. 'Het natuurfenomeen was beter.'

'Absoluut, broer, absoluut.'

De twee jongens zaten naast elkaar, ruggelings geleund tegen de gehavende stenen van de klokkentoren-in-aanbouw, tussen de spijlen van de steiger. Sinds de bouw was hervat, hadden de vandalen zich koest gehouden. De nachtelijke surveillance van de jonge broeders wierp kennelijk haar vruchten af. Iedere avond rond zonsondergang meldden twee jongens zich bij de dominee voor instructies. Die waren altijd gelijk: houd je ogen open, slaap om beurten en zorg dat de heidenen hun slag niet kunnen slaan. Hoewel de instructie onveranderlijk was, sprak de dominee iedere avond opnieuw met vuur over het belang van de opdracht. Die was niet goddelijk, zoals sommige jongens vermoedden, Hij had tenslotte niet de opdracht gegeven, maar wel te Zijner ere. Daarom werd hun totale, onvoorwaardelijke toewijding geëist. Iedere avond opnieuw. En steeds had de dominee woorden uit de Schrift paraat die de borstkassen van de jongens deed zwellen en hun bloed als schuimend, wild water door hun aderen liet daveren.

*'Mensenkind, profeteer en zeg: Alzo zegt de Heere: Zeg:*
*Het zwaard, het zwaard is gescherpt, en ook geveegd. Het is*
*gescherpt, opdat het een slachting slachte; het is geveegd, opdat*
*het een glinster hebbe; of wij dan zullen vrolijk zijn? het is de*
*roede Mijns Zoons, die alle hout versmaadt. En Hij heeft het-*
*zelve te vegen gegeven, opdat men het met de hand handelen*
*zou; dat zwaard is gescherpt, en dat is geveegd, om hetzelve in*
*de hand des doodslagers te geven. Schreeuw en huil, o men-*
*senkind, want hetzelve zal zijn tegen Mijn volk, het zal zijn*
*tegen al de vorsten van Israël; verschrikkingen zullen vanwege*
*het zwaard bij Mijn volk zijn; daarom klop op de heup.'*

Vertrouwd als het woord Gods was, klonk het nog altijd raadsel-achtig en mystiek. Het hout versmaad? Het kloppen op de heup? Christiaan van B. noch Willem III wist wat Ezechiël ermee bedoelde. De woorden passeerden het verstand, werden direct door het hart geregistreerd. Toen de dominee het 'schreeuw en huil' uitsprak, lag er al geen eindeloos, nachtelijk corvee meer in het verschiet, maar een nobele, rechtvaardige strijd tegen de goddeloze heidenen. Al bleven de gevechtshandelingen tot nu toe beperkt tot het gooien van steentjes, gescherpt noch geveegd, naar de hagedissen, straatkatten en nachtzwaluwen die zich rond de toren bewogen. In den beginne was het Woord, en het Woord was bij God, en het Woord was God. Al hadden de woorden van de dominee een beperkte houdbaarheid. Het was een taalroes die in de loop der avond gestaag afnam, tot de landerigheid en ten slotte regelrechte verveling het van de strijdlust won.

'Broer, die baard, hè, ik kan er niet aan wennen. Je lijkt wel een zandkaffer.'

'Ha, zag je hoe Wilhelmina naar me keek toen ze net langsliep? Die baard scheidt de mannen van de jongetjes, broer.'

'Je dacht dat ze naar jóú keek? Droom verder met die harige apensmoel van je.'

'Drie, er heeft nog nooit een vrouw naar je gekeken, en je weet het. Te bleek, broer, te glad. Je zit te veel binnen, achter dat scherm van je. Zolang je getrouwd blijft met die l'klawi films, zal je nooit een meisje vinden.'

'Tsss, hoor hem. Dankzij films ben ik een man van de wereld.'

'Globetrotter op de bank, ha! Met opvattingen over de – wat was het? – over de M.O. van seriemoordenaars. Daar warm je de meisjes mee op. Ja, de meisjes zeggen: "Drie, vertel nog eens over het verschil tussen verwurging of een slagaderlijke bloeding. Daar word ik altijd zo opgewonden van."'

'Broer, ik ken een miljoen verhalen. Van alle tijden en uit de hele wereld. En wat heb jij te vertellen? "De kif staat er weer schitterend bij. Werkelijk, de fraaiste planten die ik ooit heb gezien." De vrouwtjes hangen aan je lippen, broer, bij die opwindende anekdotes uit de hete, broeierige kassen.'

'Toch heb ik een vriendin en moet jij al die mooie verhalen aan je harige rechterhandpalm vertellen.'

'Tsss, een vriendin die tweehonderd kilometer verderop zit. Op een universiteit vol geile, gestudeerde zandkaffers die er allemaal op uit zijn zo'n mooie woestijnroos te plukken. En jij, broer, wat doe jij? Schrijf jij haar brieven met botanische tips over bladschimmel en onkruidbestrijding?'

Christiaan van B. zocht naar een snedig antwoord. Maar de woorden stierven in zijn mond voor ze zijn lippen konden passeren. De brieven die hij Layla stuurde werden steeds korter. De monotonie van zijn dagen, werk, kerk, jajem, maakte het vermelden van bezigheden overbodig. En zijn liefdesbetuigingen waren mantra's geworden waarmee hij probeerde zijn onzekerheid te bezweren. Die geile, gestudeerde zandkaffers waren in zijn hoofd nooit verder weg.

'Sorry, broer,' zei Willem III, 'dat had ik niet moeten zeggen.'

Christiaan haalde zijn schouders op.

Het plein werd allengs leger. Eerst verdwenen de Hollanders achter hun gesloten luiken. Vervolgens doofde ook het leven in het Arabische deel van het dorp. Tot alleen de geiten, de uitgemergelde straathonden en de cicaden de jongens gezelschap hielden. De maan leek elk uur roder te worden en Christiaan had inmiddels pijn in zijn nek van het kijken. Zoals hij ook pijn in zijn kont had van het zitten in het zand. Hij ging ruggelings liggen. Al snel verdween de maan, hielden de cicaden op met zingen en rook hij Drie's joint niet meer. Ze hadden nog geen afspraken gemaakt wanneer ze elkaar zouden aflossen. Christiaan van B. was domweg vertrokken. Het duurde niet lang voor ook Willem III beneveld in slaap viel.

Hoelang ze weg waren geweest, ze hadden geen idee. Christiaan van B. en Willem III schrokken tegelijk wakker van een reutelend dieselgeluid en een trilling in het zand. De jongens keken gealarmeerd om zich heen. Verderop, in de schaduw van de moskee, zagen de ze de contouren van een trekker. Dezelfde die het schip had vlot getrokken, Christiaan wist het bijna zeker. Alleen was er aan de voorzijde een platte bak gemonteerd. Twee draagarmen tilden het ding een halve meter boven de grond. Het voertuig leek een hybride kruising tussen een tractor en een graafmachine.

Willem III wreef de slaap uit zijn geknepen lodderogen en krabde het zand uit zijn kruin. 'Broer, hoe láát is het?!'

'Geen idee. Maar wat doet die zemmel van een boer hier?'

'Misschien is het bijna ochtend. Gaat de zon zo op. Zou mooi zijn. Honger!'

Hij had het laatste woord nog niet uitgesproken of de bestuurder van de graaftrekker trapte het gaspedaal in. Ondanks het hoorbaar hoge toerental waarop de motor draaide, rolde het gevaarte traag uit de schaduw tevoorschijn, om vaart te maken en recht op de kerktoren af te rijden.

'Gaat-ie…?' vroeg Christiaan. 'FOK JA, HIJ GAAT!'

De jongens sprongen overeind en renden weg van de trekker die grommend op hen inreed. De tanden van de graafbak beten met een klap in de broze bakstenen van de kerktoren en namen er een hap uit. Even hield het voertuig stil, waarna het achteruitreed tot de afstand groot genoeg was om een nieuwe charge in te zetten.

Willem III aarzelde niet. Hij rende naar de toren, drukte zijn rug ertegen en sloeg zijn armen achterwaarts om het metselwerk, terwijl de trekker met gedoofde koplampen op hem afkwam. In de kwart seconde waarin duidelijk werd dat de bestuurder niet zou afremmen, probeerde Willem III nog weg te springen. Maar de graafbak boorde zich in zijn bovenbenen en vouwde hem met geweld dubbel in het gat dat hij eerder had geslagen. Buiten westen door de klap bleef zijn slappe lichaam er steken.

Christiaan van B. versteende. Zijn stembanden blokkeerden en de zuurstof bevroor in zijn longen. Ook de tijd leek te stollen. Even schoot het door hem heen dat dit de hel moest zijn; niet de symfonie van duivelse martelingen die hem altijd werd voorgespiegeld maar de monotone folter van het moment, opgerekt tot een eeuwigdurende stonde, waarop je machteloos moet toezien hoe je beste vriend vermalen wordt door de kaken van een machinaal monster. Pas toen hij hoorde hoe de trekker door ongeoefende handen in verzet werd geschakeld, schrok hij op. Terwijl de bestuurder de versnelling met geweld in zijn achteruit probeerde te rammen, sprintte Christiaan naar het voertuig, dat juist in beweging kwam toen hij op de treeplank sprong. Hangend aan de buitenspiegel rukte hij het portier open. De walm van hasjlucht – hasjiesj, geen kif, hij rook het verschil – rolde naar buiten. Achter het stuur, de rechterhand nog aan de staafpook, een vadsige gestalte, met een bezweet voorhoofd en dikke, geknepen ogen. Driss Zrika was van de wereld. Als hij zich bewust was van Christiaan, hangend aan het voertuig, gaf hij daar geen rekenschap van. Hij reed in zijn eigen bandenspoor terug, kennelijk vastbesloten de toren nogmaals op dezelfde plek te rammen. Als er nog leven in Drie zat, zou hij een tweede klap niet overleven. Christiaan wurmde zich langs het klapperende portier. Hij greep het stuurwiel. Ging er met zijn volle gewicht aan hangen. Zijn knieën op de treeplank.

'Zrika, zemmel, stop!' De trekker maakte een scherpe bocht naar links, waardoor hij haaks op de kerktoren kwam te staan. Zrika begon loom te schelden en rukte aan het stuur om de koers te corrigeren. Het voertuig zwenkte weer en kreeg de toren opnieuw in het vizier. Christiaan richtte zich op. Hij haalde uit om Zrika vol in zijn gezicht te slaan, maar vanwege de afstand tussen de treeplank en de bestuurdersstoel, schampten zijn knokkels Zrika's kin. Die keek geïrriteerd opzij en wapperde met zijn hand, alsof hij een lastig insect wilde verjagen. Piepend kwam de trekker tot stilstand, waarna Zrika opnieuw aan de lange versnellingspook begon te rukken. Christiaan maakte van het moment gebruik om zich in de cabine te hijsen. Hangend aan een handgreep begon hij op Zrika in te slaan. Zijn vuisten werden geabsorbeerd door Zrika's blubberende vet en ook de slag die vol in zijn gezicht landde, leek nauwelijks aan te komen. Zrika vond zijn versnelling. De trekker begon weer vaart te maken. Door het glas van de voorruit was het bewegingsloze lichaam van Drie zichtbaar. In een reflex trok Christiaan van B. het offermes uit zijn broekband op zijn rug en ramde het in Zrika's bovenbeen. Die begon te gillen, een hoog, snijdend geluid, maar hield zijn hand aan het stuur. Christiaan haalde nogmaals uit, en nog eens. Het mes verdween tot aan het handvat tussen Zrika's ribben, waarna het in één haal zijn luchtpijp en halsslagader opende. Zrika's gegil ging over in een geluid dat afwisselend borrelde en kraakte als een voetstap in verse sneeuw. Met zijn schakelhand greep hij zijn keel waar het bloed op het ritme van zijn afnemende hartslag uit gutste, over het stuur, over het dashboard en over Christiaan van B. Zrika's voet gleed van het gaspedaal, de trekker minderde vaart. Christiaan, zijn handen glibberig van het bloed, moest opnieuw aan het stuur rukken om te voorkomen dat het voertuig zich in de toren, in Drie! zou boren. Het rechterachterwiel bewoog rakelings langs de hoekpunt, waarna de trekker uitrolde en ten slotte tot stilstand kwam.

Waanzinnig van de adrenaline trok Christiaan van B. Zrika's logge lichaam met twee handen uit de cabine. Hij plofte ruggelings in het zand, zachtjes reutelend, zijn djellaba van bloed doordrenkt. De journalist gaf nog wat ploppende bloedbelletjes op, waarna er een siddering door zijn massieve lijf trok en zijn ogen in hun kassen wegdraaiden.

Christiaan sprintte naar de toren, naar Willem III. Zijn gemangelde lichaam bungelde op potsierlijke wijze uit het gat dat de trekker in de muur had geslagen. Christiaan knielde voor hem, greep Willems hand, die koud aanvoelde, en fluisterde 'Drie. Dríé!' Willem opende zijn ogen tot spleetjes. Hij had een kalme, bijna berustende blik. 'Chris,' mompelde hij met gebarsten stem, 'Chris, ik voel mijn l'klawi poten niet meer.'

Christiaan van B. kneep zachtjes in Willems hand. 'Zal ik je eruit trekken?'

Willem iii sloot zijn ogen weer. 'Doe maar niet. Haal de Zwarte Eskimo, wil je? Haal de dominee. Snel.'

'Ik kan je toch niet alleen laten? En als de dominee nog in de kerk was, had-ie zich allang laten zien. Ik blijf bij je.'

'Broer, ik smeek je. Haal de dominee. Nu.'

Aarzelend liet Christiaan Willems hand los. Toen sprong hij overeind en rende de kerk in. De loods was donker en ledig. Geen spoor van de dominee. Christiaan besloot zich naar het huis van de Eskimo te haasten. Misschien was de dominee tijdens hun wacht ongemerkt uit de kerk weggeglipt en lag hij nu thuis de slaap der rechtvaardigen te slapen. Christiaan van B. keek naar zijn handen. Het bloed was goeddeels gedroogd en had een roestbruine kleur aangenomen. Doodslagershanden. Moordenaarshanden. Hij keek naar Zrika's, naar het mes dat als een baken uit zijn borst stak. Het gewicht van de onomkeerbaarheid benam hem de adem. Hij rende weg om aan zichzelf te ontsnappen en hervond zichzelf even later, hijgend aan de deur van de dominee. De deur bewoog mee toen hij erop klopte.

'Dominee?'

Te gehaast om op antwoord te wachten, stapte hij de drempel over, de bescheiden, donkere woonkamer in.

'Dominee?'

Christiaan tastte naar een lichtknop en knipte het onbedekte peertje aan. Een gelig licht vulde de ruimte, die er kaal en onberoerd bij lag. Een kleine, ronde eettafel met één enkele stoel. Een vaal en doorgezakt tweezitsbankje. Het meest basale Hollandse interieur denkbaar. Niets aan de muur. Geen boeken, prullaria of kledingstukken. Geen inderhaast uitgeschopte schoenen, geen post of serviesgoed.

246

'Dominee?'

Voorzichtig opende hij de vouwdeuren waarachter hij de bedstee vermoedde. Het matras bleek strak opgemaakt, de manchet van het laken vouwde kreukloos om de deken, en was onbeslapen. Hij rukte de deur van de natte ruimte open. Gepleisterde muren, een hurktoilet, wastafel. Maar geen tandenborstel, kam of nagelknipper.

'Dominee. Godverdomme. DOMINEE!'

Christiaans blik stuiterde door de kleine woning, over het geel gevlekte plafond en de voegen van de tegelvloer, onder de tafel en de bank. Hij wilde naar buiten stormen en binnen blijven, vluchten en wachten, naar Drie en vluchten. Waar was de fokking dominee? Hij beende met korte, afgemeten passen door het huisje. In de smetteloze keuken trok hij de deur van de koelkast open, alsof hij vermoedde dat de Zwarte Eskimo zich daar had verschanst. Maar de koelkast was donker en leeg, op een enkel ei na. Pas toen hij dat zag, werd Christiaan zich bewust van de zwavellucht die de hele woning doordesemde. Hij had twee zintuigen nodig om geur die hij bij binnenkomst hooguit halfbewust registreerde in volle omvang waar te nemen. Zijn blik activeerde zijn reukzin, zijn neus vuurde zijn herinnering aan. Hij zag Mem in zijn geheugen oplichten, hoorde haar stem: *Maar op een van de patrijspoorten kleefde een paar droppeltjes bloed, hé. En het rook er naar zwavel. Toen wist Heit genoeg. De duivel, die Joost, heeft de kaptein gehaald. Dat was een vrijmeson. Die verkopen hun ziel.*

De Joost! De fokking Joost!

Christiaan maakte vogelachtige, schokkende rotaties, alsof hij de hele ruimte in een keer in zich wilde opnemen. Niet langer op zoek naar de dominee, maar plotseling bang dat hij uit de vlekken op het plafond zou neerdalen, dat de voegen zouden barsten en hij zich tussen twee tegels omhoog zou persen, dat hij onder de bank vandaan zou glippen en hem zou halen. De Joost. De fokking Joost!

Hij rende de domineeswoning uit, terug in de richting van het plein, terwijl hij om de paar passen over zijn schouder keek. Het geluid van geagiteerde, Arabische stemmen deed hem vaart minderen. Drie! Hij dook weg uit het maanlicht, koos de schaduwkant van de steeg terwijl hij ineengedoken naar voren sloop. Hij zag de silhouetten van mannen in het deinende schijnsel van hun eigen lantaarns. Ze bewogen schichtig over de open plek. Ze beklommen de trekker, inspecteerden de cabine en Zrika's besmeurde lijk dat ernaast lag. Ze verdrongen zich rond de toren, hun gebaren afgemeten, hun stemmen hees en opgewonden. De mannen onttrokken het gat in de muur aan het zicht. Christiaan van B. kon niet zien of Drie er nog in hing. Misschien hadden ze hem eruit getrokken! Misschien hadden ze hem verder naar binnen geduwd! Christiaan legde zijn handen op zijn oren. Hij had Drie geloochend, zijn vriend weerloos achtergelaten, ten prooi aan de zandkaffers. Voor een dominee die verscheen op momenten dat je hem niet verwachtte en spoorloos verdween als je hem het hardste nodig had. Hij moest naar Drie toe! Om hem te verdedigen. Om hem te redden, misschien. Om hem niet alléén te laten.

Een vochtige jeuk aan zijn enkel wekte hem uit zijn gedachten. Hij keek omlaag, zag een kleine, rafelige hond aan zijn onderbeen snuffelen. Het beest zat vast aan een lijn die doorliep naar de hand van broeder Kavelaars.

'Wat is er aan de hand?' fluisterde Kavelaars gretig. Christiaan van B. draaide zich om; gezicht, haar, handen en kleren bezoedeld met geronnen bloed. 'Heere God,' bracht Kavelaars uit.

Christiaan leek hem nauwelijks op te merken. 'Ik moet naar hem toe.'

'Naar wie?'

'Naar Drie. Naar Wíllem III.'

'Heb je… heb je… je hebt hem toch niet vermoord?' vroeg Kavelaars, terwijl hij het hondje met een ruk naar zich toe trok.

'Wat? Nee man! Zij vermoorden hém. Ik moet naar hem toe!'

Broeder Kavelaars kantelde zijn hoofd, liet zijn blik over het apocalyptische tafereel op het plein gaan. Het lijk, de trekker, de nog altijd aanzwellende groep verontwaardigde dorpelingen rond de toren. Hij greep Christiaan bij zijn bovenarm en zei: 'Je moet weg hier, jonge broeder. Nu meteen.'

'Ik ga niet,' bezwoer Christiaan hardop, terwijl hij zich los probeerde te rukken. Kavelaars had een hand als een bankschroef. Gealarmeerd door het geluid bewogen hoofden op het plein in hun richting. Twee mannen leken hun kant op te komen.

'Mee. Nu.'

'Ik blijf, verdomme. Waar moet ik naartoe?'

Kavelaars' harde vingers klemden zich nog vaster rond Christiaans arm. Hij sleurde hem mee, terwijl het hondje voor hen uit drentelde.

'Je moet het dorp uit, zo snel mogelijk. Als ze je pakken word je gelyncht. Schiet op, man!'

Kavelaar liet Christiaans arm los en begon hem voor zich uit te duwen. Vijf vingertoppen, pokend in zijn rug. Steeds sneller, steeds dwingender, tot hun looppas een draf werd. Broeder Kavelaars keek over zijn schouder, zag de twee mannen aarzelend de steeg in lopen en zei: 'Van Bestevaer, maak je potjandikkie uit de voeten, idioot!' Hij gaf Christiaan een laatste zet, waarmee hij hem lanceerde. Terwijl Kavelaars en zijn hondje hijgend achterbleven, sprintte Christiaan de nacht in.

Thuis waren de lichten uit. Uit de ouderlijke bedstee hoorde hij vaders dronken gesnurk. Hij wilde hem en moeder wakker maken, ze deelgenoot maken van alles wat er die nacht was gebeurd. Hij schudde de gedachte van zich af en sloop zijn eigen bedstee in om het stapeltje bankbiljetten uit het gat in de matrasbodem weg te grissen. Hij wurmde zich in de hijaab en niqaab die hij eveneens onder zijn matras verborgen had gehouden. De voordeur piepte onbedaarlijk toen hij zijn bedstee verliet. Mem kreunde in haar slaap. Christiaan keek nog een keer om zich heen en verliet toen het huis.

●

Het hekwerk ratelde en zong toen hij er insprong. Zijn handen klauwden in de mazen, het staaldraad sneed in zijn blote tenen. De hond, gealarmeerd door het lawaai, kwam grommend aangestoven. Christiaan van B. was in drie bewegingen boven, sloeg de hijaab over het prikkeldraad en probeerde er voorzichtig overheen te stappen. Met een been over het hek, raakte het andere verstrikt in de ijzeren doornen. De hond sprong grauwend tegen het hek omhoog, de lip boven het tandvlees gekruld, happend naar zijn voet. Hij zette zich af en voelde hoe een punt van het prikkeldraad een voor in zijn broek en zijn dijbeen trok. Hij hoorde een scheurend geluid en bad dat het zijn broek was. Warm bloed, het zijne, voor de verandering, stroomde uit de wond en drupte in het zand. Als een gewonde Tarzan hing hij ondersteboven in het hek terwijl hij de hond sussend toesprak. 'Sahib, ik ben het. Stil maar, stil maar, brave hond.' Hij stak zijn hand uit, zodat de hond eraan kon ruiken, en moest hem ijlings weer intrekken toen het beest ernaar hapte. 'Rustig maar, sahib, rustig.' Het geblaf van de herder nam af, tot hij alleen nog hijgde. Hij snuffelde aan Christiaans roestkleurige hand, die hij ten slotte likte. Christiaan sprong naar beneden. Bij de landing schoot er een scherpe steek door zijn dij. Hij negeerde de pijn, nam de kop van de hond zijn handen. 'Ja, sahib, ben jij een brave hond? Ja, ben jij een brave hond?' Hij kroelde het dier achter de oren en kwam kalm overeind toen hij een bekende stem hoorde.

'Wat de fok doe jij hier, Kaas?' Soufiane keek met een schuin oog naar de hond, die kwispelend naast Christiaan van B. stond en naar de Hollander, die er blootsvoets en onder het bloed als een djinn uitzag.

'Ik kom mijn motor halen, broer.'

'Jóúw motor?'

'Broer, geef mij de l'klawi sleutel.'

'Je bent gek, man.'

Christiaan deed een stap naar voren en stak zijn hand uit. Op de plek waar de hond hem had gelikt was een witte streep zichtbaar. 'De sleutel, broer.'

'Kaas, je bent echt klaar hier, hè. Je hoeft morgen niet meer op je werk te komen, dat snap je.' De stem van de bewaker werd bij elke syllabe hoger. 'Je bent op verboden terrein,' piepte hij. 'Je maakt je schuldig aan... aan eh... *huisvredebreuk*. Patron zal...'

Soufianes neus brak onder Christiaans vuist. Hij tuimelde achterover. De hond boog zich boven zijn gehavende aangezicht, dat rood glom in het maanlicht, en blafte. De verrader.

'Sleutel, broer. En snel een beetje.'

De bewaker stak zijn trillende hand in de zak van zijn uniformbroek en haalde de contactsleutel tevoorschijn.

'En je schoenen. En je jasje, sahib. Heb je getankt?'

Een verslagen knikje. Christiaan van B. moest helpen met het losknopen van de schoenen. Zittend kon Soufiane er zelf niet bij. Een tuimelaar in het zand. De bewaker had kleine voeten. En een gat in zijn rechtersok. Zijn grote teen stak eruit. Christiaans eigen tenen bolden een beetje op tegen de neuzen van de veiligheidsschoenen toen hij ze gehaast aantrok. Hij sjorde het jasje met de epauletten van Soufianes schouders, trok hem aan twee handen overeind en dwong hem voor hem uit te lopen. Naar de poort. Naar de motor. De Motobécane stond bij de ingang van de fabriek. Christiaan van B. stapte op, stak de sleutel in het contactslot en ranselde de kickstart net zo lang met zijn te klein geschoei-

251

de voet tot de motor eindelijk startte. Hij trok het uniformjasje aan, knikte gebiedend naar Soufiane. Soufiane was gewend aan bevelen. Met gebogen hoofd ontsloot hij de poort. Christiaan van B. reed stapvoets naar buiten. Buiten het hek draaide hij de gashendel open. De motorfiets steigerde en Christiaan vloekte. Toen hij nog eenmaal omkeek zag hij dat alle lichten in het dorp brandden.

# 25.

Het water, het godvergeten water.

Je kunt er niet aan ontsnappen. Het is overal en verandert voortdurend van gedaante. Als een djinn.

Toen ze net de oversteek hadden gemaakt, kwamen ze in een bui
terecht die hen bijna van de weg spoelde. Regen uit een nachtzwarte lucht viel neer in de heuveltrechter, aangeblazen door een storm
en sporadisch verlicht door bliksemschichten die het hemelgewelf
aan stukken scheurden. De weg transformeerde in een woedende
rivier. Het benam ze het zicht. Ze hielden zich ternauwernood
staande, het water happend naar de wielen. Maar pas toen de regen
de bodembegroeiing los hamerde en modder vanaf de hellingen
de weg opspoelde, moesten ze halthouden omdat het profiel van
de banden geen grip meer vond. Glijdend over het slik kwamen ze
naast een meertje tot stilstand en wachtten het einde van de hoos-
bui af, zonder enige beschutting. Ze zagen hoe zilvergeschubde
karpers uit het meer in het wassende water stroomopwaarts de weg
probeerden over te steken en klapperend met hun staarten strand-
den op het asfalt. Ze pakten de vissen op en lieten ze, gehurkt aan
de oever, van hun handen glijden terwijl de regen onophoudelijk
kortstondige kraters in de waterspiegel sloeg. De karpers verdwenen onder het zwarte oppervlak om seconden later opnieuw een
poging te ondernemen hun dood tegemoet te zwemmen. Na een
minuut of twintig ging de donder over in gerommel dat steeds
verder wegdreef op de wolken die werden opgestuwd door een

muur van blauwe lucht. De zon keerde terug. Ze droogde hun kleren, brandde een korst op de modder en smoorde de karpers op het asfalt.

Zo kort geleden als het is, denken ze inmiddels met weemoed terug aan die bui. Het was de laatste regen die ze begrepen, die vertrouwd aanvoelde. De wolkbreuk, het formaat en de impact van de druppels, de snelheid waarmee de regen zich aandiende en verdreven werd door de zon. Zo sporadisch als het zich voordeed, zo consistent was z'n verschijningsvorm. Het was water waarop je kon bouwen. In tegenstelling tot de sluipmoordenaar die het hier was.

Aanvankelijk hadden ze niet onprettig aangevoeld, de lichte druppeltjes die uit het grauwe wolkendek neerdaalden. Zachte speldenprikken op het voorhoofd, verkwikkend op de schrale lippen. Ze vlijden zich tussen de textielvezels van zijn uniformjasje en haar mantel, waar ze met verraderlijke traagheid doorlekten tot ze de huid hadden bereikt en het lichaam tot op het bot verkleumden. Er was geen kledingstuk tegen gewapend. Het was onmogelijk aan het vocht te ontsnappen. De grauwsluier aan de hemel strekte zich eindeloos uit en bleef onophoudelijk lekken. Geen streepje blauw. Geen straaltje zon. De kortstondige verkwikking een aanhoudende marteling.

Hoe noordelijker ze kwamen, hoe moeilijker het werd het water te ontlopen. Aan de Noord-Spaanse kust hadden ze gebiologeerd staan kijken naar het geweld waarmee de golven van de Atlantische oceaan schuimend op de rotsen stuksloegen. De nevel die de branding opwierp, daalde neer op hun gezichten.

Honderdvijftig kilometer over de grens hadden ze de zee zien lopen. Eerst naar achteren, toen weer naar voren. De zee had een onzichtbare tred. Aan haar beweging konden ze niet zien welke kant ze opging. Ze zagen alleen de meters die ze hadden afgelegd. Het strand werd breder. Geketende boeien die zo-even nog op het water zweefden, dwarrelden roerloos neer in het zand. Zwarte rotseilanden, bedekt met glimmend groene vegetatie en mosselschelpen, kwamen bovendrijven en verdwenen op al even miraculeuze wijze weer onder het wateroppervlak.

Nog weer later zagen ze hoe over zee een mistbank kwam aanrollen; een mollig, grijs monster dat hen met motor en al opslokte.

Hij dacht: *De Heere nu beschikte een groten vis, om Jona in te slokken; en Jona was in het ingewand van den vis, drie dagen en drie nachten.*

En zij dacht: *Toen slokte de vis Yūnus op, daar hij laakbare dingen deed. En zo hij niet had behoord tot de lofprijzenden, zou hij de buik zijn gebleven tot de dag waarop zij worden opgewekt.*

Zeker een halfuur reden ze stapvoets door het kille halfduister, zonder te zien waarheen. Het licht van de koplamp werd op een armlengte afstand door de waterdamp geabsorbeerd. Ze volgden de weg die onder hen vergleed en baden tot twee verschillende goden dat er niets op hun pad zou komen. Dit vocht, te licht om neer te vallen, drong via hun kleding tot hun poriën door. De aanhoudende kou deed pijn aan hun botten.

In een truckerscafé, waar ze stopten om op te warmen, zagen ze ramen die aan de binnenkant bedekt waren met een film van vocht, die het onmogelijk maakte ongehinderd naar buiten te kijken. Toch kozen ze een tafeltje pal naast het raam om het verschijnsel van dichtbij te bestuderen. Het was een even fascinerend als angstaanjagend schouwspel; kennelijk volgde het water je ook naar binnen. Met hun wijsvingers schreven ze hun namen op het raam, van rechts naar links, in druipende, Arabische letters.

Haar krullen hadden door de aanhoudende vochtigheid hun veerkracht verloren. Klamme strengen haar, door de zwaartekracht uitgerekt, plakten aan haar schedel. Ze had haar hoofddoek definitief afgeworpen. Had ze aanvankelijk nog beschutting gevonden in de vertrouwde omzwachteling van het textiel, hoe verder ze kwamen, hoe zwaarder de lap op haar hoofd rustte. Het werd een dweil, die het alomtegenwoordige water opslurpte en vasthield en verhinderde dat haar haar aan de lucht kon drogen. Er was een gestolen helm voor in de plaats gekomen. De helm liet geen druppel door en geen krul in leven. Ze herkende haar reflectie in de spiegel niet meer.

'*Alors*, een tweepersoonskamer voor één nacht?' De receptionist keek Christiaan van B. aan. Die schokte met zijn schouders en keek hulpeloos naar Layla.

'*Oui*,' zei ze. 'Wat kost dat?'

De receptionist noemde een bedrag. Christiaan pelde en paar bankbiljetten van de schrikwekkend snel slinkende rol in zijn binnenzak. De receptionist nam het vochtige papier met een misprijzend gezicht tussen duim en wijsvinger aan.

Op de kamer bleek dat het water zich achter het behang had genesteld. Kierend en pokdalig hing het aan de muur. Op het plafond van de douche kleefde een starre donderwolk van zwarte schimmel. Ook de kitranden van de cabine waren verkleurd. Layla noch Christiaan sloeg er acht op.

'Ga jij maar eerst,' zei Layla.

Christiaan, te moe om haar hoffelijk voor te laten gaan, begon zich van zijn kleren te ontdoen. Hij vouwde zijn broek over de gietijzeren radiator onder het raam, legde zijn bovenkleding over de rugleuning van de bureaustoel en schoof die naar de verwarming. Naakt tot op zijn te kleine jongensonderbroekje liep hij de douche in en vouwde zijn handen. De bokkende leiding en overvloedige kalkafzettingen deden het ergste vermoeden. Maar zijn gebeden bleken verhoord toen er na wat inleidend gedruppel een flinke en vooral warme straal uit de douchekop kwam. Christiaan boog zijn hoofd en liet het water, eindelijk weldadig van temperatuur, over zijn lichaam stromen. Terwijl zijn lichaam opwarmde, begonnen zijn tenen en vingers pijnlijk te tintelen. Hij wreef in zijn handen en hield ze voor zich, met de palmen omhoog, alsof hij een offerande bracht. De roestbruine verkleuring die hij in zijn handplooien waarnam, was ondanks het veelvuldige watercontact van de afgelopen dagen niet minder geworden. Hij dreef de nagel van zijn wijsvinger in zijn levenslijn om de verkleuring eruit te krabben. Ontevreden met het resultaat herhaalde hij de handeling. Dat de rimpels in zijn hand juist door het krabben geïrriteerd raakten en verkleurden, kwam niet in hem op. Hij bleef de ondiepe voren in zijn hand uitgraven tot er lichtrood bloed in de douchebak viel, dat met een sierlijke werveling in het harige putje verdween. Christiaan schroefde de kranen dicht om plaats te maken voor Layla. Bibberend stond ze op haar beurt te wachten. Christiaan droogde zich af met een muf ruikende handdoek en kroop zonder kleren onder de lakens. Hij sloot zijn ogen en luisterde naar het geluid van vallend water en Layla's tevreden verzuchtingen uit de douche. Huiselijk en ontspannen als die klanken waren, konden ze niet voorkomen dat de beelden van het moskeeplein voor zijn geestesoog opflakkerden. Drie's gemangelde lichaam, de wond in de kerktoren, het gezwollen lijk van Zrika. Er was geen nacht voorbijgegaan dat zij hem niet uit zijn slaap hadden gehouden. De gebeurtenissen tijdens de wacht waren in zijn hoofd tot een doorlopende voorstelling gemonteerd. Zijn onmacht het verleden te veranderen, dwong hem zijn vriend eindeloos te blijven verraden. In een panische fantasie vocht hij zich door een falanx van bloeddorstige dorpelingen, bevrijdde hij Drie om de bewusteloze reus over zijn schouders te draperen en hem in veiligheid te brengen. Het was een wensdroom die hem geen vrede bracht. Zijn verbeelding was niet opgewassen tegen de werkelijkheid. Steeds zag hij zichzelf weglopen, wegrénnen van zijn kameraad, zijn broeder. En het pleidooi dat hij geen keus had vond bij zijn innerlijke rechter steeds minder genade. Verraad was verraad. Hoezeer hij zichzelf ook voorhield dat het niet anders kon: hij was een verrader. En een moordenaar. Een móórdenaar! In het donker zag hij het offermes tussen Zrika's ribben verdwijnen, het leven uit zijn aderen gutsen. Zrika had de Hollanders in zijn krantenstukken steeds bloeddorstig genoemd. En in zijn laatste uur had hij gelijk gekregen. En alle achterblijvers, waaronder vader, moeder en Mem, zouden de gevolgen ervan dragen. Moordenaar. Verrader. Verloren zoon. Zrika. Willem III. Vader. Steeds opnieuw. Steeds opnieuw.

Hij opende zijn ogen om aan zijn dwanggedachten te ontsnappen. Vluchtte in de werkelijkheid. Layla in de kamer. Een handdoek om haar glimmende lijf. Kleur op haar wangen. De douche die nadrupte. Hoe ze vooroverboog om haar krullen droog te wrijven. Hoe ze haar kleren te drogen hing. De reproductie aan de muur. Een boer met een sikkel in een heldergeel graanveld, onder een wervelende blauwe lucht en de zon – de zon! – die de aarde leek te omhelzen. Zijn oogleden werden zwaar, gleden traag dicht. Drie en Zrika. Naast elkaar. Verwijtende blikken op hun bebloede gezichten. De Zwarte Eskimo. Het mes. De verlaten domineeswoning. De geur van bedorven eieren.

Hij schrok op toen Layla de deken omsloeg en naast hem ging liggen. Hij duwde het kussen tegen de muur, ging rechtop zitten. Koude tocht aaide over zijn bovenlichaam. Layla draaide haar rug naar hem toe. Hij boog zich naar het nachtkastje en opende het laatje. De Bijbel. Of eigenlijk: La Bible. *Version Louis Segond 1910.* Hij sloeg de slappe, gedundrukte band open. *Genèse. Exode. Lévitique. Nombres. Deuteronome.*

Hoewel hij de Schrift nooit in een andere taal had gezien en het Frans onvoldoende machtig was, kon hij de titels eenvoudig thuisbrengen. Adam en Eva. Abraham, Izaäk en Jacob. Noachs Ark. Mozes en Aäron. De stenen tafelen. De tafel der toonbroden. Het tabernakel. *Vervloekt zij, die zijn naaste in het verborgene verslaat!*

Alleen toen hij daadwerkelijk een poging tot lezen deed, moest hij concluderen dat de Heere in het Frans niet tot hem sprak. God was stom in het Frans, bracht hooguit wat half coherent gestamel uit. Een half Woord. Of minder. In Babel had de Heere niet alleen het gesprek tussen de mensen onderling gesaboteerd – 'Kom aan, *laat Ons nedervaren, en laat Ons hun spraak aldaar verwarren*' – kennelijk had Hij zichzelf daar ook onverstaanbaar gemaakt. Op de allereerste Pinksterdag in Jeruzalem had de Heilige Geest vurige tongen doen neerkomen op gelovigen uit alle windstreken, *van alle volke dergene die onder den hemel zijn.* Parten, Meden, Elamieten, Mesopotamiërs, burgers van Judea, Kappadocië, Pontus, Asia, Frygië en Pamfylië. Dankzij de Heilige Geest en zijn vurige tongen konden ze allemaal in hun eigen taal met elkaar babbelen. Christiaan hoefde Parts, Meeds, Elamiets, Mesopotaams, Judeaans, Kappadocisch, Pontiaans, Asiaans, Frygisch noch Pamfylitisch te verstaan. Een heel klein beetje Frans was voldoende. Om troost en rechtvaardiging te vinden in het Woord Gods op het moment dat hij het harder nodig had dan ooit. Had hij op het plein de Heere der heirscharen niet te vuur en te zwaard (dat vooral!) verdedigd? Was hij geen poortwachter van het Koninkrijk Gods geweest, bereid voor Hem te sterven? Toegegeven: die gedachte was nooit bij hem opgekomen vóór hij in de situatie kwam waarin het hem had kunnen overkomen. Ook Drie had zich vermoedelijk nooit actief voorgenomen een martelaar te worden. Toch had Willem zijn jongenslichaam, gaaf, onbezoedeld en maar net volgroeid, als schild voor de Almachtige geworpen. En Christiaan had een leven genomen. Hij zag het vervlieden, iedere keer als hij zijn ogen sloot. Het bloed. Het weke, tere vlees. De dof wordende ogen. Hoe meer afstand hij nam van het locus delicti, hoe klemmender de vraag werd of hij er de Heer mee had gediend, of dat de Joost hem een loer had gedraaid. Een zin uit het Markus-evangelie galmde repeterend in zijn hoofd: '*Mijn huis zal een huis des gebeds genaamd worden allen volken? Maar gij hebt dat tot een kuil der moordenaren gemaakt.*'

Hij kon het de dominee niet vragen. En nu hij de Heere om verlossing smeekte, kon zelfs het kleinste vurige tongetje er niet vanaf. Waarom sprak de Heere godverdomme alleen fokking Frans met hem?!

Christiaan klapte de bijbel dicht, legde het boek terug en sloot de la.

Naast hem maakte Layla knorrende slaapgeluidjes.

Christiaan sloeg de deken op, gleed zachtjes het bed uit. Hij ging zitten aan het bureautje dat haaks op de verwarmingsradiator stond, zijn rug tegen Layla's rok die op de stoel lag te drogen. Hij knipte de bureaulamp aan. Briefpapier en een vuilwit vulpotlood met daarop naam en adres van het hotel in rode drukletters lagen op het blad. Het naalddunne grafiet brak bij de eerste poging. Daarna schreef hij met lichte hand in een bijna onleesbaar grijs, Arabisch handschrift:

*Lieve vader en moeder,*

*Vergeef mij.*

*Christiaan.*

•

De volgende ochtend, bij het verlaten van het hotel, plakte er rijp op het zadel van de Motobécane. Layla en Christiaan haalden om beurten een wijsvinger door het koude fondant. Layla proefde het residu op het puntje van haar tong.

'Getver,' zei Christiaan.

Layla schokschouderde. 'Smaakt anders naar niks.'

De lucht, ezelsgrijs, was doortrokken met een elektriserende, paarsblauwe gloed, die het glooiende land om hen heen een onwerkelijke aanblik gaf. Vanaf de weg hadden ze zicht op de gezwollen rivier, traag stromend en zo breed dat de overzijde niet meer dan een dun streepje was.

Christiaan moest de Motobécane zo vaak aantrappen dat hij de motor verzoop. Toen de zuiger eindelijk in beweging kwam, stonden ze al twintig minuten buiten en begon het vocht alweer door hun jassen te lekken. Ze lieten hun helmen over hun hoofden zakken en bestegen de motorfiets, eerst Christiaan, daarna Layla. Ze weigerde nog langer aan het stuur te zitten. De kou en de regen maakten haar het rijden onmogelijk. Liever zat ze achterop, in de relatieve beschutting van Christiaans rug, terwijl ze zich probeerde te warmen aan de herinneringen aan hun tocht door de woestijn. De zon op haar gebruinde benen, het geklapper van haar rok in de wind, de lokken haar die wapperend onder haar hoofddoek vandaan kwamen. Ze fantaseerde hoe ze naakt door het verzengend hete zand zou rollen, hoe de korrels haar poriën dicht zouden schroeien tot een korsterig schild waarmee ze zich kon wapenen tegen de kou. Ze dacht aan de campus die ze zo halsoverkop had verlaten, aan het dorp, haar moeder en vader. Ach, babba. Ze vocht haar tranen terug, bang als ze was dat ze op haar wangen zouden bevriezen.

Het klapperen van haar tanden begon op het moment dat ze bij het hotel wegreden en hield niet meer op. Ze vouwde haar armen rond zijn middel. Door de dikke lagen textiel die hen scheidden kon ze zijn jongenslijf niet meer voelen. Als snel voelde ze ook haar handen niet meer. Ze legde haar hoofd zijdelings op zijn rug. De bolling van de integraalhelm dwong haar hals in een vreemde knik. Door het beslagen vizier zag ze het land aan zich voorbijtrekken. De heuvels werden steeds vlakker, alsof ze door een grote, onzichtbare hand plat werden gedrukt, en de velden almaar drassiger. Ze zag schonkige runderen door kniehoog water waden. Een paar kilometer verder bleef haar blik in het voorbijgaan haken aan een beest — wat was het? Een schaap? Een geit? — dat met opgeblazen buik en verstijfde poten ondersteboven in het water lag. Zwarte vogels cirkelden boven het karkas.

Toen landde er een vlok op haar vizier. Een papperig prutje dat door de luchtweerstand tot een striem werd uitgesmeerd. Layla dacht eerst dat een van de kraaien iets had laten vallen en dankte Allah, de meest barmhartige, de meest genadevolle, rillend voor de beschutting van haar helm. Maar al snel vielen er meer vlokken, steviger van structuur nu. Witter ook. Ze legde haar hoofd in haar nek en keek naar het bedwelmende schouwspel van de sneeuw die, pluizig en donker in het tegenlicht van de onzichtbare zon, onverstoorbaar omlaagdwarrelde.

Christiaan moest vaart minderen. Hoe sneller hij reed, hoe minder het zicht was. Bovendien begon het wegdek glibberig te worden. Het afgesleten profiel van de banden kleefde steeds losser aan het asfalt. Zo nu en dan voelde Christiaan het achterwiel onder zich wegglijden en moest uit alle macht tegenstuur geven om niet onderuit te gaan. Dat de kou zijn beenmerg had bereikt en hij het gevoel in zijn ledematen kwijt was, bemoeilijkte de manoeuvres.

Alles wat boven water uitkwam, was inmiddels met sneeuw bedekt. De geluiden om hen heen klonken steeds doffer en zachter, tot ze onder de helm nauwelijks nog waarneembaar waren. Traag en gedempt gleed de motor over de witte weg die het zwarte, vlakke land doorkliefde. Alle kleur, hoe flets ook, was uit de omgeving verdwenen. Alleen de koplamp wierp geel licht in de sneeuw. Christiaan hing in opperste concentratie over het stuur, in een poging zijn ogen scherp te stellen op de weg áchter de sneeuwvlokken die in zijn blikveld werden gekatapulteerd. Steeds opnieuw moest hij zijn focus bijstellen en zichzelf dwingen het zachte bombardement te negeren. Tegelijk moest hij alert blijven op de beweging van de motor. Eén ongecorrigeerde oneffenheid in de weg kon een slip veroorzaken en ze ten val brengen. Zijn handen aan het stuur waren stijf en gevoelloos. Hij kon de polsbeweging die nodig was om de gashendel te bedienen nauwelijks nog maken. Ondanks het beschermende vizier van zijn helm kon hij door de kou ook de spieren in zijn gezicht bijna niet meer bewegen. Zijn lippen voelden aan als een strak gespannen elastiek dat bij de minste beweging zou knappen.

De lichtbundel van de koplamp werd weerkaatst op een verkeersbord dat blauw oplichtte in de duisternis. Christiaan ging rechtop zitten. Met zijn verkrampte linkerhand veegde hij sneeuwresten van zijn vizier. Hij had het goed gezien. Witte reflecterende letters, omringd door gele sterren: HOLLAND.

'We hebben het gehaald,' wilde hij zeggen. Maar zijn lippen kwamen niet van elkaar. Het geluid dat hij met gesloten mond voortbracht, meer dan een schorre zucht was het niet, resoneerde in zijn helm. Hij minderde vaart en bracht de Motobécane langs de kant van de weg voorzichtig tot stilstand. Hij schoof zijn vizier omhoog, voelde sneeuwvlokken op zijn wangen smelten. Christiaan keek over zijn schouder en zag dat Layla niet langer achterop zat.

Het duurde even voordat zijn hersenen het verlies registreerden. Christiaan staarde naar de witte baan in het zwarte water. Zijn lippen scheurden van elkaar. De kracht waarmee zijn stem aan zijn lijf ontsnapte scheurde zijn stembanden aan rafels.

'LAYLA!'

Toen keerde hij de motor en reed stapvoets in zijn eigen bandenspoor terug. Het achterlicht van de motorfiets kleurde de sneeuw rood.

*De dag verga, waarin ik geboren ben, en de nacht, waarin men zeide: Een knechtje is ontvangen; diezelve dag zij duisternis; dat God naar hem niet vrage van boven; en dat geen glans over hem schijne; dat de duisternis en des doods schaduw hem verontreinigen; dat wolken over hem wonen; dat hem verschrikken de zwarte dampen des dags!*

*Diezelve nacht, donkerheid neme hem in; dat hij zich niet verheuge onder de dagen des jaars; dat hij in het getal der maanden niet kome! Ziet, diezelve nacht zij eenzaam; dat geen vrolijk gezang daarin kome; dat hem vervloeken de vervloekers des dags, die bereid zijn hun rouw te verwekken; dat de sterren van zijn schemertijd verduisterd worden; hij wachte naar het licht, en het worde niet; en hij zie niet de oogleden des dageraads!*

# Verklarende woordenlijst

| | |
|---|---|
| *Afak* | alstublieft |
| *Alhamdoelillah* | dank aan God |
| *Alkalb* | hond |
| *Babba* | vader |
| *Chrif* | meneer |
| *Habiba(ti)* | liefje |
| *Hbil* | idioot |
| *Houri* | prostituee |
| *Ja charfa* | oud wijf |
| *Kuffar* | ongelovigen |
| *L'klawi* | verdomde/klote (als in 'verdomde Kaas') |
| *Minhar* | spreekstoel |
| *Mojrim* | crimineel |
| *Noekta* | grap |
| *Rokaan* | haai |
| *Sahib* | vriend |
| *Sajidi* | waarde/vereerde |
| *Shakar* | dank, dankbaar |
| *Smahli* | excuses |
| *Tabon* | vagina |
| *Tabon jmak* | de kut van je moeder (krachtterm) |
| *Wollah* | ik zweer (het) |
| *Yalla* | schiet op |
| *Zeb* | penis |
| *Zemmel* | klootzak, hufter |

# Dankjewel/*shakar*

Bert Natter, Ronald Giphart, Wilbert Leering, Robert Siccama, Patrick Limpens, Jean-Marc van Tol, Soumaya Moustadraf. Mijn eigen Layla, Daniëlle Serdijn. Jan Jacob Bijkerk. Fidan Ekiz. Oscar van Gelderen, Jasper Henderson en iedereen van Lebowski. Paul Sebes, Willem Bisseling en Jelmer Stok van Sebes & Bisseling Literary Agency. Jeroen Bos en Arwen van der Goot van koffie-shop Het Grasje. Café Orloff. Café De Stad. Hans en Monique Goossens. Finn, Danaë en Phaedra Goossens. Kenny B. Paul van der Lugt. *Algemeen Dagblad, AD/Utrechts Nieuwsblad, Het Parool, Grazia*. God, Allah, Jezus, Mohammed en het Vliegende Spaghettimonster.

# Verantwoording

Bijbelcitaten, afkomstig uit de Statenvertaling, zijn overgenomen van www.online-bijbel.nl. Verder heb ik gebruikgemaakt van de Willibrordvertaling (Katholieke Bijbelstichting, 2012). Voor citaten uit de Koran heb ik mij verlaten op de vertaling van prof. dr. J.H. Kramers (Rainbow/Arbeiderspers 1992/1997). Mems volksverhalen zijn afkomstig uit de bundel *Legenden langs de Noordzee* van S. Franke (W.J. Thieme & Cie. 1934), uit de nalatenschap van Joop Mes.